名作家贾平凹题字

褚嘉耘·小学生标准

新阅读优化训练

一年级

主　编　褚嘉耘

编　写　张麟钰　周亚平　李慧娴　曹　阳
　　　　洪　欣　顾　燕　葛蓓蓓　褚嘉耘
　　　　吴　蓉　赵红星　童士忠　刘婷婷
　　　　顾建忠　徐海萍

陕西师范大学出版社

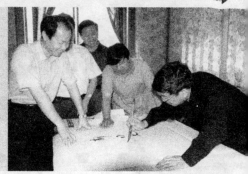

新作文

中国作家协会副主席　著名作家陈忠实题字

新作文顾问名单

刘国正　作家，诗人，人民教育出版社编审，中学语文教学专业委员会名誉理事长

章　熊　中央教育科学研究所研究员

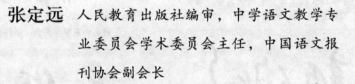

张定远　人民教育出版社编审，中学语文教学专业委员会学术委员会主任，中国语文报刊协会副会长

顾振彪　人民教育出版社编审

顾之川　人民教育出版社编审，中学语文教学专业委员会秘书长

崔　峦　人民教育出版社小语室主任，小学语文教学专业委员会理事长

阅读中积累
训练中提高

■ 褚嘉耘

　　如果我们把学习看做是一场赛跑，那么阅读能力的大小往往决定着同学们最终所获得的名次的高低。我们的阅读经验越丰富，阅读能力越强，越有利于各方面的学习。苏霍姆林斯基曾经说过："让学生变聪明的方法，不是补课，不是增加作业量，而是阅读、阅读、再阅读。"阅读可以使我们的视角更广阔，思维更敏捷，思想更深刻。

　　阅读能力不是天生的，它可以通过后天不断的训练来提高。不同类型的文章有不同的答题技巧，只要勤奋练习，善于总结，掌握规律，一定能够培养起语感，练就扎实的基本功。作为编者，我们精心选文，巧设题型、悉心点拨，希望这些文章能够引领同学们走近诗意的母语，提高自己的阅读水平，找到属于自己的金钥匙。

　　按照新课标的阅读要求，我们精心设计编写了这套《小学生标准新阅读优化训练》系列丛书。本丛书具有以下特色：

1. 在选文上，力求精、新、美、趣

　　同学们在有限的课余时间里，要选择经典的文章去读。在本丛书中，根据《语文课程标准》的教学建议和各地教材的特点，我们精心收录"经典"作品、"名著"作品以及时文美文，旨在通过背经典、读名著、赏时文，让人类的智慧启迪你的思维，让深刻的哲理滋养你的生命之树；我们收录了精美、有趣的童话故事，希望精美的语句能丰富你的语言，书中的人物能影响你的思想；我们还收录了"笑话"、"漫画"和"封面"等新体裁阅读，新奇的内容会让你在文学殿堂尽情徜徉。另外，《语文课程标准》中要求小学阶段必读的七十首古诗，我们按照各年级阅读能力的高低，分别收录

在六册书中,意在帮助同学们进行自学。我们力求使这套丛书成为同学们必读的书、想读的书、耐读的书;使同学们在有限的课余时间里读出精彩,读出价值。

2. 在练习设计上,力求准、巧、活、新

题目并不是做得越多越好,简单重复的练习无疑是在浪费时间、损耗生命,关键是我们要选择有价值的练习来做,这样才能举一反三,优化训练。我们根据《语文课程标准》的年段要求设计练习,不同的年级掌握相应的技能,做到了循序渐进。例如拼音、识字、写字、阅读、写作、口语交际、综合实践等方面互相渗透;字、词、句、段、篇,螺旋上升;理解分析、朗读感悟、修辞运用、句段赏析、情感体验、中心归纳,全面覆盖。本套丛书着眼于同学们的长远发展,将情感、态度、价值观等目标也融合进去,让同学们从"大语文"的角度学好语文,培养举一反三灵活解题的能力。

3. 在答题指导上,力求实、细、全、透

新课标理念下的语文学习讲求自读自悟,个性解读。但是,这并不意味着教师的点拨和启发就应当退避三舍。相反,个性解读更需要老师适当的点拨。我们反对一味的灌输,但是并不排斥精当、必要的点拨。作为一套自读自学的丛书,在示例阅读中,我们尽可能给出完整的答案和详尽的解题思路,给学生一个正确的引导,让学生能够读得懂、看得明、想得清,从而能够自己归纳出同类题型的解题方法,达到触类旁通的效果。

另外,每册书都设计若干套阅读综合训练题附在书后,方便同学们检测自己的阅读能力。

阅读的乐趣只有身临其境,方能品味其中之美。每天拿出一点时间,享受一缕书香,让阅读成为一种习惯。在阅读中传承华夏文明,享受知识的阳光。

第一单元 阅读经典

1.《三字经》

导读 …………………………………… 001

范例阅读 …………………………………… 001

阅读训练 …………………………………… 003

配套练习1 …………………………………… 003

配套练习2 …………………………………… 005

配套练习3 …………………………………… 007

配套练习4 …………………………………… 009

2.《弟子规》

导读 …………………………………… 011

范例阅读 …………………………………… 011

阅读训练 …………………………………… 013

配套练习1 …………………………………… 013

配套练习2 …………………………………… 015

配套练习3 …………………………………… 017

配套练习4 …………………………………… 018

3.课标要求背诵的古诗

导读 …………………………………… 021

范例阅读　江南 …………………………………… 021

阅读训练 …………………………………… 023

配套练习1　敕勒歌 …………………………………… 023

配套练习2　咏鹅 …………………………………… 025

配套练习3　风 …………………………………… 027

配套练习4　咏柳 …………………………………… 029

配套练习5　凉州词 …………………………………… 031

contents

配套练习6　登鹳雀楼 ················034

配套练习7　春晓 ···················036

配套练习8　凉州词 ·················038

配套练习9　出塞 ···················040

第二单元　阅读名著

1.《安徒生童话》

导读 ·····························043

范例阅读　丑小鸭（节选）·········045

阅读训练 ·························049

配套练习1　海的女儿（节选）······049

配套练习2　拇指姑娘（节选）······053

2.《伊索寓言》

导读 ·····························056

范例阅读　渔夫和鳂鱼 ···········057

阅读训练 ·························060

配套练习1　鹿和狮子 ·············060

配套练习2　狮子和兔子 ···········062

配套练习3　驴和骡子 ·············063

配套练习4　大树和芦苇 ···········064

配套练习5　孔雀和白鹤 ···········066

配套练习6　野猪和狐狸 ···········067

配套练习7　狐狸和伐木人 ·········068

第三单元　专题阅读训练

1.学会阅读诗歌

考点内涵解说 ·················070

答题技法点拨 ·················070

范例阅读1　雨姑娘 ···········070

范例阅读2　虫和鸟 ……………………072

范例阅读3　豆豆学量词 …………………074

范例阅读4　大海睡着了 …………………074

范例阅读5　蜡梅花 ………………………076

范例阅读6　冬爷爷捏红了弟弟的鼻子……078

阅读训练 ……………………………………079

配套练习1　夏姑娘的信 …………………079

配套练习2　太阳会变脸 …………………081

配套练习3　风 ……………………………083

配套练习4　耳朵 …………………………085

配套练习5　我心中的月亮 ………………087

配套练习6　冬 ……………………………088

配套练习7　时间是个调皮鬼 ……………090

配套练习8　鞋 ……………………………092

配套练习9　鞋 ……………………………093

配套练习10　秋天的信 ……………………095

配套练习11　月亮 …………………………097

配套练习12　小弟和小猫 …………………098

配套练习13　捞月亮 ………………………100

配套练习14　春，我悄悄告诉你 …………102

配套练习15　四季的脚步悄悄 ……………104

配套练习16　海上的风……………………105

2. 学会阅读童话

考点内涵解说 ………………………………107

答题技法点拨 ………………………………107

范例阅读1　想飞的乌龟 …………………108

范例阅读2　小母鸡种稻子 ………………111

范例阅读3　野鸭回家………………………114

范例阅读4　珍贵的纪念……………………116

contents

阅读训练 ·······································118

配套练习1　电话里传来的暖气 ········118

配套练习2　学讨好的猴子 ············120

配套练习3　蚂蚁看牛 ··············122

配套练习4　破旧的小木桥 ··········123

配套练习5　风娃娃的故事 ··········125

配套练习6　厚皮的马屁股 ··········128

配套练习7　谁的脚受了伤 ··········130

配套练习8　做好梦的种子 ··········132

配套练习9　一只孵不出小鸟的蛋 ···134

配套练习10　小苹果上的一滴露水 ···137

配套练习11　给你一个惊喜 ········140

配套练习12　离开水塘的鲤鱼 ······143

配套练习13　画得好不好 ··········145

配套练习14　兔、蛙赛跑 ··········148

配套练习15　捉拿花豹的小青蛙 ···151

配套练习16　明天和今天 ··········153

3.学会阅读寓言

考点内涵解说 ·····················157

答题技法点拨 ·····················157

范例阅读1　小猴子下山 ··········158

范例阅读2　小松树和大松树 ······160

范例阅读3　小白兔和小灰兔 ······162

范例阅读4　骆驼和羊 ············164

阅读训练 ························167

配套练习1　金丝雀与蝙蝠 ········167

配套练习2　蚂蚁和蝈蝈 ··········168

配套练习3　爬山 ················169

配套练习4　运盐的驴子 ··········171

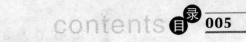

配套练习5　河边的狐狸 ……………………172

配套练习6　鹅 …………………………173

配套练习7　鸽子搬家 ……………………175

配套练习8　两只小狮子 …………………176

4.学会阅读记叙文

考点内涵解说 …………………………178

答题技法点拨 …………………………178

范例阅读1　茉莉花 ……………………179

范例阅读2　月牙泉 ……………………181

范例阅读3　受伤的小树 ………………182

范例阅读4　尊敬老师的学者陈景润 …184

阅读训练 ………………………………186

配套练习1　粉笔 …………………………186

配套练习2　大熊猫 ………………………188

配套练习3　辣椒 …………………………190

配套练习4　画眉鸟 ………………………191

配套练习5　春天真美 ……………………193

配套练习6　美丽的小鱼塘 ………………194

配套练习7　大自然的邮票 ………………195

配套练习8　夏夜 …………………………197

配套练习9　电话 …………………………198

配套练习10　课间十分钟 ………………200

配套练习11　电脑写作，趣味多多…201

配套练习12　旅游 ………………………203

配套练习13　画鸡蛋 ……………………204

配套练习14　伯俞怜母 …………………206

配套练习15　_____ ……………………208

配套练习16　牛顿卖菜 …………………209

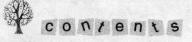

contents

第四单元 新阅读

导读 ……………………………………… 212

范例阅读1 …………………………………… 212

范例阅读2 "饭团"的一天 ……………… 214

范例阅读3 豌豆上的公主 ……………… 217

阅读训练 …………………………………… 218

配套练习1 ………………………………… 218

配套练习2 ………………………………… 219

配套练习3 ………………………………… 219

配套练习4 ………………………………… 220

配套练习5 ………………………………… 221

配套练习6 ………………………………… 222

配套练习7 ………………………………… 223

配套练习8 伊索寓言精选 ……………… 224

配套练习9 安徒生童话迷宫 …………… 225

配套练习10 圣诞童话 …………………… 226

配套练习11 亚瑟和迷你墨王国 ……… 227

小学一年级语文试卷 A ………………… 229

小学一年级语文试卷 B ………………… 233

参考答案 …………………………………… 236

第一单元 阅读经典

1

《三字经》

导读

　　中国古代的启蒙教材历史悠久，形式多种多样，在众多的启蒙教材中，最具代表性的当属《三字经》。《三字经》相传是南宋著名学者王应麟编纂的，其成功之处在于，虽然全书只有千余字，但结构严谨，文字简练，内容丰富，涵盖面广；而且三字一段，句句押韵，读来朗朗上口，便于少儿记诵。《三字经》从问世起，就以其难以比拟的魅力影响了一代又一代人，作为中国优秀传统文化的精粹之一，《三字经》早已走出中国，传向了世界。它不仅广泛流传于海外华人界，还被译成英、日、朝等多种文字，在世界范围内广泛流传。1990 年联合国教科文组织把《三字经》列入该组织编辑出版的《儿童道德丛书》，向全世界的少年儿童推荐。

范例阅读 FANLIYUEDU

zǐ bù xué 　　fēi suǒ yí
子不学　　非所宜
yòu bù xué 　　lǎo hé wéi
幼不学　　老何为

【说词解句】

yí 　yīng gāi
宜：应该。
hé wéi 　　yǒu shén me zuò wéi ne
何为：有什么作为呢？

句意：

yí gè rén bù xué xí 　　zhè shì bù hǎo de xí guàn 　　nián shào shí bù hǎo hǎo
一个人不学习，这是不好的习惯；年少时不好好
xué xí 　　zhǎng dà le nán dào huì yǒu suǒ zuò wéi ma
学习，长大了难道会有所作为吗？

【词语万花筒】

xué xiào	xué xí	tóng xué	xué wen
学校	学习	同学	学问

qín xué hào wèn　　xū xīn hào xué

勤学好问　　虚心好学

> 比一比，看谁记得多。

【练习】

bǎ xià liè yīn jié bǔ chōng wán zhěng

1 把下列音节补充完整。

___ué　　___ēi　　___ǎo　　___éi

学　　　非　　　老　　　为

jiā yì bǐ　chéng xīn zì　zài zǔ cí

2 加一笔，成新字，再组词。

了——___（　　　）　　下——___（　　　）

zhǎo yì zhǎo　bǎ xià miàn yì si xiāng fǎn de cí sòng jìn kuò hào nèi

3 找一找，把下面意思相反的词送进括号内。

幼　　老　　不　　非

（　　　）——（　　　）

dú yì dú　wán chéng liàn xí

4 读一读，完成练习。

温公警枕

sī mǎ guāng shì sòng dài zhù míng de zhèng zhì jiā　cóng xiǎo cōng míng

司马光是宋代著名的政治家，从小聪明

guò rén　bèi yù wéi shén tóng　dàn tā bìng bù yīn cǐ ér jiāo ào　wèi le měi

过人，被誉为神童。但他并不因此而骄傲，为了每

tiān zǎo qǐ dú shū　tā qǐng rén yòng yuán mù zuò le yí gè zhěn tou　yòng zhè ge

天早起读书，他请人用圆木做了一个枕头，用这个

zhěn tou shuì jiào　shuì shú hòu zhǐ yào yì zhuǎn tóu jiù huì huá xià lái　kē zài

枕头睡觉，睡熟后只要一转头就会滑下来，磕在

chuáng bǎn shàng　tā jiù huì jīng xǐng　pá qǐ lái dú shū　jiù zhè yàng　sī mǎ

床板上，他就会惊醒，爬起来读书。就这样，司马

guāng zī zī bú juàn　yè yǐ jì rì　xué yè bú duàn zhǎng jìn　shì yè yě qǔ dé

光孜孜不倦，夜以继日，学业不断长进，事业也取得

le hěn gāo de chéng jiù　sī hòu bèi zhuī fēng wéi tài shǐ wēn gōng　wēn gōng

了很高的成就，死后被追封为太史温公。"温公

jǐng zhěn　de gù shi yě jiù chéng wéi hòu rén qín fèn xué xí de hǎo lì zi
警 枕"的故事也就 成 为后人勤奋学习的好例子。

wēn gōng jǐng zhěn　de gù shi gào su wǒ men
"温 公 警 枕"的故事告诉我们 _____

_____

【答案】 1. x f l w 2. 子 子女 不 不好 3. 幼 老 4. 要勤奋学习的道理。

néng dú zhǔn shēng mǔ　shì kè biāo suǒ míng què guī dìng de yāo
【题析】 能 读准 声 母,是课标所 明 确 规 定 的要
qiú　shēng mǔ gòng yǒu　gè tóng xué men zài shí jì de shí hou　kě yǐ yī
求。 声 母共有23个,同 学 们在识记的时候,可以一
zǔ yì zǔ de jìn xíng　　　　　　　　　　　　　　　　　tā men
组一组地进行,bpmf、dtnl、gkh、jqx、zhchshr、zcs、yw。它们
de fā yīn wèi zhì hé fā yīn fāng fǎ yǒu qū bié　yǒu de zài shé jiān　yǒu de zài shé
的发音位置和发音方法有区别,有的在舌尖、有的在舌
gēn　yǒu de sòng qì　yǒu de bú sòng qì　yǒu de mó cā　yǒu de bù mó cā
根,有的送气、有的不送气,有的摩擦、有的不摩擦。
tóng xué men yào xì xīn de tǐ huì　dú zhǔn shēng mǔ　dì yī tí bǔ chōng yīn
同 学 们要细心地体会,读准 声 母。第一题补充音
jié zhōng quē shǎo de shēng mǔ　jiù shì jiǎn chá tóng xué men shēng mǔ zhǎng wò
节 中 缺少的声母,就是检查同 学 们 声 母掌握
de shú liàn chéng dù hé yùn yòng qíng kuàng　tóng xué men yào zhù yì qū bié
的熟练 程 度和运用情 况 。同 学 们要注意区别
shēng mǔ　　hé
声 母"l"和"n"。

阅读训练 YUEDUXUNLIAN

配套练习1

yù bù zhuó　　bù chéng qì
玉 不 琢　　不 成 器
rén bù xué　　bù zhī yì
人 不 学　　不 知 义

【说词解句】

zhuó　diāo kè yù shí
琢:雕刻玉石。

qì qì wù
器：器物。

句意：

yù shí bù jīng guò dǎ mó huò diāo kè jiù bù néng chéng wéi yǒu yòng huò zhí

玉石不经过打磨或雕刻就不能成为有用或值

qián de qì wù　rén rú guò bù xué xí　jiù bú huì zhī dào zuò rén de dào lǐ

钱的器物。人如果不学习，就不会知道做人的道理。

【词语万花筒】

yù shí　yù mǐ　yù lán　bì yù
玉石　玉米　玉兰　碧玉

tíng tíng yù lì　bīng qīng yù jié
亭亭玉立　冰清玉洁

> 比一比，看谁记得多。

【练习】

bǎ xià liè yīn jié bǔ chōng wán zhěng

1 把下列音节补充完整。

___éng　　___ī　　___ì　　___ì

成　　　　知　　　器　　　义

jiā yì bǐ　chéng xīn zì　zài zǔ cí

2 加一笔，成新字，再组词。

王——___（　　　）　　人——___（　　　）

bǐ yì bǐ　zài zǔ cí

3 比一比，再组词。

又（　　）　　学（　　）　　我（　　）

义（　　）　　字（　　）　　成（　　）

dú yì dú　wán chéng liàn xí

4 读一读，完成练习。

和氏献璧

hé shì bì shì zhōng guó lì shǐ shàng zuì míng guì de yù shí　hòu bèi diāo kè

和氏璧是中国历史上最名贵的玉石，后被雕刻

chéng dài biǎo huáng quán xiàng zhēng de chuán guó yù xǐ　tā yuán lái yǐn cáng

成代表皇权象征的传国玉玺。它原来隐藏

zài yí kuài shí tou zhōng　zhàn guó shí qī　chǔ guó yí gè jiào biàn hé de yù jiang

在一块石头中，战国时期，楚国一个叫卞和的玉匠

kàn chū tā yǔ zhòng bù tóng　jiù ná qù xiàn gěi chǔ lì wáng　lì wáng què rèn

看出它与众不同，就拿去献给楚厉王，厉王却认

wéi zhè shì yí kuài pǔ tōng de shí tou　　yú shì kǎn diào le biàn hé de zuǒ jiǎo
为 这 是 一 块 普 通 的 石 头 ，于 是 砍 掉 了 卞 和 的 左 脚 。

hòu lái　 biàn hé yòu bǎ tā xiàn gěi chǔ wǔ wáng　 jié guǒ yòu bèi kǎn diào le yòu
后 来 ，卞 和 又 把 它 献 给 楚 武 王 ，结 果 又 被 砍 掉 了 右

jiǎo　 dào chǔ wén wáng jí wèi hòu　 cái jiē shòu le zhè kuài yù shí　 pōu kāi yí
脚 。 到 楚 文 王 即 位 后 ，才 接 受 了 这 块 玉 石 ，剖 开 一

kàn　 guǒ rán dé dào le wán měi wú xiá de bǎo shí　　hé shì bì suī rán míng guì
看 ，果 然 得 到 了 完 美 无 瑕 的 宝 石 。和 氏 璧 虽 然 名 贵 ，

rú guǒ bú bèi jīng diāo xì kè　 tā jiāng yǒng yuǎn shì yí kuài yù shí　 yù shì rú
如 果 不 被 精 雕 细 刻 ，它 将 永 远 是 一 块 玉 石 。玉 是 如

cǐ　 rén yòu hé cháng bú shì ne
此 ，人 又 何 尝 不 是 呢 ？

　　　　　　　　hé shì bì shì zhōng guó lì shǐ shàng　　　　　　　　　tā
（1）和 氏 璧 是 中 国 历 史 上 ＿＿＿＿＿＿＿。它

yuán lái yǐn cáng zài yí kuài shí tou zhōng　 hòu lái jīng guò
原 来 隐 藏 在 一 块 石 头 中 ，后 来 经 过 ＿＿＿＿＿＿

　　　cái chéng wéi yí kuài wán měi wú xiá de bǎo shí
＿＿＿ ，才 成 为 一 块 完 美 无 瑕 的 宝 石 。

　　　　　　zài duǎn wén zhōng zhǎo dào yǔ　 yù bù zhuó　 bù chéng qì　 yì si
（2）在 短 文 中 找 到 与 "玉 不 琢 ，不 成 器 "意 思

xiāng tóng de jù zi　 yòng　　　　　　　　huà chū lái
相 同 的 句 子 ，用 " ＿＿＿＿ "画 出 来 。

配套练习2

　　　　　　wéi rén zǐ　　　fāng shào shí
　　　　　　为 人 子　　　方 少 时

　　　　　　qīn shī yǒu　　　xí lǐ yí
　　　　　　亲 师 友　　　习 礼 仪

【说词解句】

fāng　 dāng　 zhèng dāng
方：当 ，正 当 。

shào shí　 nián shào de shí hou
少 时：年 少 的 时 候 。

句意：

zuò ér nǚ de　 zài nián shào shí jiù yào bài shī fǎng yǒu　 xué xí rú hé dài rén
做 儿 女 的 ，在 年 少 时 就 要 拜 师 访 友 ，学 习 如 何 待 人

de lǐ yí hé zuò rén de yuán zé
的 礼 仪 和 做 人 的 原 则。

【词语万花筒】

rén mín　rén men　rén jiā　gōng rén
人 民　人 们　人 家　工 人

rén shān rén hǎi　shě jǐ wèi rén
人 山 人 海　舍 己 为 人

比一比，看谁记得多。

【练习】

bǎ xià liè yīn jié bǔ chōng wán zhěng
1 把 下 列 音 节 补 充 完 整。

w＿＿＿　　y＿＿＿　　x＿＿＿　　sh＿＿＿
为　　　　友　　　　习　　　　少

jiǎn yì bǐ　chéng xīn zì　zài zǔ cí
2 减 一 笔，成 新 字，再 组 词。

方——＿＿（　　）　　友——＿＿（　　）

cāi zì mí
3 猜 字 谜。

cùn jīn nán mǎi cùn guāng yīn　dǎ yí zì
寸 金 难 买 寸 光 阴。（打 一 字）＿＿＿＿＿

dú yì dú　wán chéng liàn xí
4 读 一 读，完 成 练 习。

管宁割席

dōng hàn mò nián　guǎn níng hé huà xīn céng shì hǎo péng yǒu　tā men zì
东 汉 末 年，管 宁 和 华 歆 曾 是 好 朋 友，他 们 自
shì qīng gāo　dàn bó míng lì　yí cì　tā liǎ zài cài yuán lǐ chú cǎo　wā chū
视 清 高，淡 泊 名 利。一 次，他 俩 在 菜 园 里 锄 草，挖 出
yí kuài jīn zi　guǎn níng kàn yě bú kàn　jì xù chú cǎo　huà xīn jiǎn qǐ lái kàn
一 块 金 子，管 宁 看 也 不 看，继 续 锄 草，华 歆 捡 起 来 看
le kàn　rán hòu rēng dào le yì biān　guǎn níng bù mǎn de kàn le tā yì yǎn
了 看，然 后 扔 到 了 一 边，管 宁 不 满 地 看 了 他 一 眼，
méi yǒu fā zuò　guò le bù jiǔ　liǎ rén zhèng zài kàn shū　yí liàng huá lì de
没 有 发 作。过 了 不 久，俩 人 正 在 看 书，一 辆 华 丽 的
chē zi cóng mén qián jīng guò　huà xīn rēng xià shū běn qù kàn rè nao　guǎn
车 子 从 门 前 经 过，华 歆 扔 下 书 本 去 看 热 闹。管
níng shēng qì de shuō　róng huá fù guì shì kào zì jǐ fèn dòu dé lái de　kàn bié
宁 生 气 地 说："荣 华 富 贵 是 靠 自 己 奋 斗 得 来 的，看 别

rén yǒu shén me yòng　　shuō wán　guǎn níng ná dāo bǎ liǎng rén gòng zuò de
人 有 什 么 用 ？"说 完 ，管 宁 拿 刀 把 两 人 共 坐 的

xí zi cóng zhōng jiān gē kāi　xuān bù yǔ huà xīn duàn jiāo　zhè gè gù shi shuō
席 子 从 中 间 割 开，宣 布 与 华 歆 断 交。这 个 故 事 说

míng　xuǎn zé jiāo wǎng de rén yí dìng yào shèn zhòng
明 ，选 择 交 往 的 人 一 定 要 慎 重 。

xiǎng yì xiǎng　guǎn níng wèi shén me yào gē xí ne
想 一 想 ，管 宁 为 什 么 要 割 席 呢？

_____

_____

配套练习3

xiāng jiǔ líng　　néng wēn xí
香 九 龄　　能 温 席
xiào yú qīn　　suǒ dāng zhí
孝 于 亲　　所 当 执

【说词解句】

jiǔ líng　jiǔ suì
九 龄：九 岁。

suǒ dāng zhí　yīng gāi shī xíng de zuò rén de　jǐ běn yuán zé
所 当 执：应 该 施 行 的 做 人 的 基 本 原 则。

句意：

huáng xiāng jiǔ suì shí jiù dǒng de xià tiān wèi fù qīn shān liáng zhěn xí　dōng
黄 香 九 岁 时 就 懂 得 夏 天 为 父 亲 扇 凉 枕 席，冬
tiān wèi fù qīn nuǎn bèi rù　xiào shùn fù mǔ shì zuò rén de jǐ běn yuán zé
天 为 父 亲 暖 被 褥。孝 顺 父 母 是 做 人 的 基 本 原 则。

【词语万花筒】

mǔ qīn　　fù qīn　　qīn jìn　　qīn rè
母 亲　　父 亲　　亲 近　　亲 热
qīn mì wú jiàn　　qīn péng hǎo yǒu
亲 密 无 间　　亲 朋 好 友

> 比一比，看谁记得多。

【练习】

bǎ xià liè yīn jié bǔ chōng wán zhěng
1 把下列音节补充完整。

xi____　　w____　　q____　　d____
　香　　　　温　　　　亲　　　　当

xiǎng yì xiǎng　liàn yí liàn
2 想一想，练一练。

禾 + 日——____（　　　　）　　庐 + 巾——____（　　　　）

qǐng nǐ lái kuò cí
3 请你来扩词。

温（　　　　）（　　　　）（　　　　）

dú yì dú　wán chéng liàn xí
4 读一读，完成练习。

黄香扇枕

chuán shuō dōng hàn shí qī　yǒu yí gè jiào huáng xiāng de xiǎo hái　jiǔ suì
传说东汉时期，有一个叫黄香的小孩，九岁
shí mǔ qīn jiù qù shì le　yǔ tǐ ruò de fù qīn xiāng yī wéi mìng　tā zhī dào fù
时母亲就去世了，与体弱的父亲相依为命。他知道父
qīn yǎng yù zì jǐ de jiān xīn　jiù bǎ yí piàn xiào xīn dōu xiàn gěi le fù qīn　xià
亲养育自己的艰辛，就把一片孝心都献给了父亲。夏
tiān tiān rè　měi wǎn tā dōu xiān wèi fù qīn shān zhěn xí　yǐ biàn ràng fù qīn ān
天天热，每晚他都先为父亲扇枕席，以便让父亲安
shuì　dōng tiān tiān lěng　měi wǎn tā dōu xiān shàng chuáng　yòng tǐ wēn bǎ
睡。冬天天冷，每晚他都先上床，用体温把
bèi rù wù rè　yǐ miǎn fù qīn shòu liáng　zhèng yīn wèi huáng xiāng yǒu cǐ xiào
被褥焐热，以免父亲受凉。正因为黄香有此孝
xīn　cái shǐ tā zài zuò rén　qiú xué shàng dōu yǒu suǒ chéng jiù　bù rù shì tú
心，才使他在做人、求学上都有所成就。步入仕途
hòu　chéng wéi yǐ xiào wén míng　yǐ xiào shī zhèng de bǎng yàng　yóu cǐ kàn
后，成为以孝闻名、以孝施政的榜样。由此看
lái　yí gè rén yào chéng zhǎng　shǒu xiān yào yǒu xiào xīn　zhè yě shì zuò zǐ nǚ
来，一个人要成长，首先要有孝心，这也是做子女
yīng jìn de qǐ mǎ yì wù
应尽的起码义务。

xiǎng yì xiǎng huáng xiāng de xiào xīn jù tǐ tǐ xiàn zài nǎ lǐ
想 一 想 ， 黄 香 的 孝 心 具 体 体 现 在 哪 里 ？

_____

_____

配套练习4

róng sì suì　　néng ràng lí　　dì yú zhǎng
融 四 岁　　能 让 梨　　弟 于 长

yí xiān zhī　　shǒu xiào tì　　cì jiàn wén
宜 先 知　　首 孝 悌　　次 见 闻

【说词解句】

tì　jìng ài　shùn cóng gē ge
悌：敬 爱、顺 从 哥 哥。

jiàn wén　jiàn dào tīng dào de shì qing　zhè lǐ zhǐ xué zhī shi
见 闻：见 到 听 到 的 事 情。这 里 指 学 知 识。

句意：

kǒng róng sì suì shí　jiù dǒng de bǎ dà gè er de lí ràng gěi gē ge chī
孔 融 四 岁 时，就 懂 得 把 大 个 儿 的 梨 让 给 哥 哥 吃。

zuò dì di de duì yú xiōng zhǎng　yīng gāi dǒng de zhè gè dào lǐ　shǒu xiān yào
做 弟 弟 的 对 于 兄 长，应 该 懂 得 这 个 道 理。首 先 要

xué huì de shì xiào shùn zhǎng bèi jìng ài xiōng zhǎng　qí cì cái shì xué zhī shi
学 会 的 是 孝 顺 长 辈 敬 爱 兄 长，其 次 才 是 学 知 识。

【词语万花筒】

jiàn wén　　jiàn shi　　kàn jiàn　　tīng jiàn
见 闻　　见 识　　看 见　　听 见

jiàn duō shí guǎng　　jiàn yì yǒng wéi
见 多 识 广　　见 义 勇 为

> 比 一 比，看 谁 记 得 多。

【练习】

bǎ xià liè yīn jié bǔ chōng wán zhěng
1 把 下 列 音 节 补 充 完 整。

s ___　　xi ___　　sh ___　　w ___
岁　　　　先　　　　首　　　　闻

dú yì dú   zài zǔ cí
2 读一读，再组词。

长 zhǎng(　　　)　　　　长 cháng(　　　)

sì   gòng yǒu　　　　bǐ dì wǔ bǐ shì
3 "四"共有＿＿＿笔，第五笔是＿＿＿。

zhǎng   gòng yǒu　　　　bǐ dì yī bǐ shì
"长"共有＿＿＿笔，第一笔是＿＿＿。

dú yì dú   wán chéng liàn xí
4 读一读，完成练习。

孔融让梨

kǒng róng shì dōng hàn mò nián rén　　tā chū shēn shì jiā　　shì zhōng guó wén
孔融是东汉末年人，他出身世家，是中国文

xué shǐ shàng zhù míng de   jiàn ān qī zǐ   zhī yī   jù shuō tā zài sì suì shí
学史上著名的"建安七子"之一。据说他在四岁时，

yí cì yǒu rén sòng lái yì kuāng lí   tā hé jǐ gè gē ge zì jǐ tiāo   kǒng róng tiāo
一次有人送来一筐梨，他和几个哥哥自己挑，孔融挑

le zuì xiǎo de yí gè   yǒu rén wèn   nǐ zěn me bù ná dà de ne   tā shuō
了最小的一个。有人问："你怎么不拿大的呢？"他说：

gē ge nián jì bǐ wǒ dà   yīng gāi chī dà de   wǒ nián jì xiǎo   zěn me néng ná
"哥哥年纪比我大，应该吃大的，我年纪小，怎么能拿

dà de ne   zhòng rén tīng le lián lián diǎn tóu chēng zàn
大的呢？"众人听了连连点头称赞。

zài zhōng guó   zūn jìng zhǎng bèi jiào xiào   zūn jìng xiōng zhǎng jiào tì
在中国，尊敬长辈叫孝，尊敬兄长叫悌。

xiào tì zhī qíng shì zhōng huá mín zú de chuán tǒng měi dé   shì měi gè rén yīng gāi
孝悌之情是中华民族的传统美德，是每个人应该

dǒng de de dào lǐ
懂得的道理。

shì zhōng huá mín zú de chuán tǒng měi dé
＿＿＿＿＿＿是中华民族的传统美德。＿＿＿＿＿＿

jiào xiào　　　　　　jiào tì
＿＿＿＿叫孝，＿＿＿＿＿＿＿叫悌。

2 《弟子规》

导读

　　中国古代的启蒙教材形式多种多样,但它们都有一个共同的特点,那就是字句简单,内容通俗易懂,阅读起来朗朗上口,且容易背诵。《弟子规》是除《三字经》以外影响最大的三字句的儿童训蒙教材,由清朝的李毓秀编纂而成。它原名《训蒙文》,后经人修订,改名为《弟子规》。《弟子规》是一部以学规形式对年幼学子进行学习指导和品行修养教育的启蒙读物,全篇以儒家的忠孝思想为纲,依次讲解了如何对待父母、兄弟、长辈,如何为人处世,如何读书求学的道理。虽然其中也有封建糟粕,但更多的传统美德对于今天和谐家庭关系、优化社会风气仍起着不可低估的作用。

范例阅读 FANLIYUEDU

fàn ài zhòng　　ér qīn rén
泛爱众　　而亲仁

yǒu yú lì　　zé xué wén
有余力　　则学文

【说词解句】

fàn　guǎng fàn
泛:广泛。

qīn rén　qīn jìn dào dé pǐn zhì gāo shàng de rén
亲仁:亲近道德品质高尚的人。

句意:

yào duì dà jiā yǒu ài xīn　yīng gāi qīn jìn dào dé pǐn zhì gāo shàng de rén
要对大家有爱心,应该亲近道德品质高尚的人;

píng shí yǒu jīng lì　yǒu shí jiān　yīng gāi duō kàn shū xué xí
平时有精力、有时间,应该多看书学习。

【词语万花筒】

wén huà　　wén xué　　wén míng　　zhōng wén
文化　　文学　　文明　　中文

wén jiàn　　wén jìng　　wén yì　　wén zì
文件　　文静　　文艺　　文字

比一比,看谁记得多。

【练习】

1 bǎ xià liè yīn jié bǔ chōng wán zhěng
把下列音节补充完整。

___i ___r
爱 而

你发现了吗？像这样没有声母的音节，叫零声母音节。

2 xiǎng yì xiǎng xiě yì xiě
想一想，写一写。

人＋人＋人——___（ ）

nǐ zhī dào zhè gè zì shì shén me yì si le ma
你知道这个字是什么意思了吗？

3 xiě chū xià miàn zì de bù shǒu
写出下面字的部首。

泛（ ） 仁（ ） 则（ ）

4 dú yì dú wán chéng liàn xí
读一读，完成练习。

巧用"三余"

sān guó shí qī yǒu yí gè jiào dǒng yù de rén cóng xiǎo jiā lǐ jiù hěn
三国时期，有一个叫董遇的人，从小家里就很
qióng zhěng rì wèi shēng huó ér bēn bō dàn shì tā zhǐ yào yì yǒu kòng xián
穷，整日为生活而奔波。但是他只要一有空闲
shí jiān jiù zuò xià lái dú shū xué xí suǒ yǐ zhī shi hěn yuān bó rén men hěn
时间，就坐下来读书学习，所以知识很渊博，人们很
pèi fú tā dǒng yù de míng shēng yuè lái yuè dà fù jìn de rén fēn fēn qián lái
佩服他。董遇的名声越来越大，附近的人纷纷前来
qiú jiào bìng wèn tā shì rú hé xué xí de dǒng yù tīng le gào su tā men
求教，并问他是如何学习的。董遇听了，告诉他们
shuō xué xí yào lì yòng sān yú sān yú jiù shì sān zhǒng kòng yú shí
说："学习要利用'三余'，'三余'就是三种空余时
jiān dōng tiān wéi yì nián zhī yú wǎn shàng wéi yì tiān zhī yú yǔ tiān wéi
间。冬天为一年之余；晚上为一天之余；雨天为
píng rì zhī yú rén men tīng le huǎng rán dà wù yuán lái dǒng yù shì tōng
平日之余。"人们听了，恍然大悟，原来董遇是通
guò lì yòng kòng xián shí jiān de xué xí lái tí gāo zì jǐ shuǐ píng de
过利用空闲时间的学习来提高自己水平的。

<ruby>sān yú jiù shì<rt></rt></ruby>
"三余" 就是 _____ 。 <ruby>wéi<rt></rt></ruby> 为 ____ <ruby>zhī yú<rt></rt></ruby> 之余; ____ 为 ____ <ruby>wéi<rt></rt></ruby>
<ruby>zhī yú wéi zhī yú<rt></rt></ruby>
之余; ____ 为 ____ 之余。

<ruby>zhè gè gù shi gào su wǒ men<rt></rt></ruby>
这个故事告诉我们 _____ 。

【答案】 1. à é é 2. 众 众 人 3. 氵 亻 4. 三种空余时间 冬
天 一年 晚上 一天 雨天 平日 要利用空闲时间来学习,努力提
高自己的水平。

<ruby>dī nián jí xué xí yǐ shí zì yǔ xiě zì wéi zhǔ tóng xué men zài<rt></rt></ruby>
【题析】 低年级学习以识字与写字为主。 同学们在
<ruby>xué xí zhōng qiè jì jī xiè shí zì sǐ jì yìng bèi yào jiǎng qiú yí dìng de fāng<rt></rt></ruby>
学习中切忌机械识字,死记硬背,要讲求一定的方
<ruby>shì fāng fǎ qiǎo shí qiǎo jì tí jiù shì lì yòng shú zì rén lái qiǎo shí<rt></rt></ruby>
式方法,巧识巧记。题2就是利用熟字"人"来巧识
<ruby>shēng zì zhòng de tóng shí yě àn shì le zhè gè zì de yì si sān rén wéi<rt></rt></ruby>
生字"众"的,同时也暗示了这个字的意思,三人为
<ruby>zhòng zhòng jiù shì xǔ duō rén de yì si tí zé shì yǐn dǎo tóng xué<rt></rt></ruby>
众," 众"就是许多人的意思。题3则是引导同学
<ruby>men rèn shi yì xiē cháng yòng de hàn zì bù shǒu xǔ duō bù shǒu dōu yǔ zì de<rt></rt></ruby>
们认识一些常用的汉字部首,许多部首都与字的
<ruby>yì si yǒu zhe mì qiè de guān xì zhǎng wò le bù shǒu jiù néng zhǔn què qū<rt></rt></ruby>
意思有着密切的关系。 掌握了部首,就能准确区
<ruby>bié xíng jìn zì rú yì bān yǔ shuǐ yǒu guān fàn de yì xiàng piāo fú<rt></rt></ruby>
别形近字。如"氵"一般与水有关,泛的义项"漂浮"
<ruby>fàn làn jiù yǔ shuǐ yǒu guān<rt></rt></ruby>
"泛滥"就与水有关。

阅读训练 YUEDUXUNLIAN

配套练习1

<ruby>fù mǔ jiào xū jìng tīng<rt></rt></ruby>
父母教 须敬听
<ruby>fù mǔ zé xū shùn chéng<rt></rt></ruby>
父母责 须顺承

【说词解句】
<ruby>xū bì děi yí dìng<rt></rt></ruby>
须:必得,一定。

zé   zé bèi   pī píng
责：责备，批评。

句意：

fù mǔ de jiào huì   yí dìng yào gōng gōng jìng jìng de tīng   rú guǒ fù mǔ zé
父 母 的 教 诲，一 定 要 恭 恭 敬 敬 地 听；如 果 父 母 责
bèi nǐ   yí dìng shì yǒu dào lǐ de   suǒ yǐ nǐ yào xū xīn jiē shòu
备 你，一 定 是 有 道 理 的，所 以 你 要 虚 心 接 受。

【词语万花筒】

mǔ qīn   mǔ xiào   mǔ ài   mǔ yǔ
母 亲　母 校　母 爱　母 语

mǔ zǐ   yùn mǔ   zì mǔ   shēng mǔ
母 子　韵 母　字 母　声 母

> 比一比，看谁记得多。

【练习】

bǎ xià liè yīn jié bǔ chōng wán zhěng
1 把 下 列 音 节 补 充 完 整。

j____　t____　ch____

敬　　　听　　　承

> 后鼻音
> 要读准！

xiǎng yì xiǎng   tā men de yùn mǔ xiāng tóng ma   rú guǒ xiāng
2 想 一 想，它 们 的 韵 母 相 同 吗？如 果 相
tóng   jiù zài hòu miàn de kuò hào lǐ dǎ   rú guǒ bù tóng   jiù zài hòu miàn
同，就 在 后 面 的 括 号 里 打"√"；如 果 不 同，就 在 后 面
de kuò hào lǐ dǎ
的 括 号 里 打"×"。

父(fù)　　母(mǔ)　　须(xū)　　　（　　　）

jiā bù tóng de piān páng chéng zì   zài zǔ cí
3 加 不 同 的 偏 旁 成 字，再 组 词。

页——____（　　　）　　　页——____（　　　）

dú yì dú   wán chéng liàn xí
4 读 一 读，完 成 练 习。

孟母断机

mèng zǐ xiǎo de shí hou   yǒu yì tiān dú shū yàn juàn le   jiù pǎo huí jiā
孟 子 小 的 时 候，有 一 天 读 书 厌 倦 了，就 跑 回 家
lǐ   zhè shí tā de mǔ qīn zhèng zài zhī bù   jiàn tā huí lái   tū rán bǎ zhī bù de
里。这 时 他 的 母 亲 正 在 织 布，见 他 回 来，突 然 把 织 布 的

suō zi zhé duàn　rēng zài le dì shàng　　mèng zǐ hěn qí guài　jiù wèn mǔ qīn
梭子折断，扔在了地上。孟子很奇怪，就问母亲
wèi shén me fā huǒ　mǔ qīn shuō　zhī bù yào yí cùn cùn de zhī　cái néng zhī
为什么发火。母亲说："织布要一寸寸地织，才能织
chéng　dàn rú guǒ bǎ suō zi zhé duàn le　bú qù zhī tā　hái néng zhī chéng yì
成。但如果把梭子折断了，不去织它，还能织成一
pǐ bù ma　nǐ de xué yè yě yí yàng a　nǐ hái méi yǒu xué chéng jiù yàn juàn
匹布吗？你的学业也一样啊！你还没有学成就厌倦
le　shén me shí hou cái néng chéng wéi yǒu yòng zhī cái ne　　mèng zǐ tīng le
了，什么时候才能成为有用之才呢？"孟子听了
mǔ qīn de jiào huì　huǎng rán dà wù　cóng cǐ fā fèn xué xí　zhōng yú chéng wéi
母亲的教诲，恍然大悟，从此发奋学习，终于成为
yí dài dà shī
一代大师。

mèng mǔ duàn jī shì yào jiào yù mèng zǐ
孟母断机是要教育孟子＿＿＿＿＿＿＿＿＿

＿＿＿＿＿＿＿＿＿＿＿。

配套练习2

wù suī xiǎo　　wù sī cáng
物虽小　　勿私藏
gǒu sī cáng　　qīn xīn shāng
苟私藏　　亲心伤

【说词解句】

wù　bié　bú yào
勿：别，不要。

gǒu　rú guǒ
苟：如果。

句意：

dōng xi jí shǐ hěn xiǎo　yě bù néng tōu tōu sī cáng qǐ lái　fǒu zé　jiù huì
东西即使很小，也不能偷偷私藏起来；否则，就会
shāng le fù mǔ qīn de xīn
伤了父母亲的心。

【词语万花筒】

dà xiǎo　xiǎo xué　dǎn xiǎo　xiǎo shuō
大小　小学　胆小　小说

比一比，看谁记得多。

xiǎo niǎo　　xiǎo qì　　xiǎo xīn yì yì
小 鸟　　小 气　　小 心 翼 翼

【练习】

bǎ xià liè yīn jié de shēng diào bǔ chōng wán zhěng
1 把 下 列 音 节 的 声 调 补 充 完 整。

wu　　　　　sui　　　　xiao　　　　xin
物　　　　　虽　　　　小　　　　心

xiě chū xià liè cí yǔ de fǎn yì cí
2 写 出 下 列 词 语 的 反 义 词。

小——（　　　　）　　　　私——（　　　　）

xiě chū dài yǒu xià liè bù shǒu de zì
3 写 出 带 有 下 列 部 首 的 字。

亻——＿＿＿＿＿　＿＿＿＿＿　＿＿＿＿＿

艹——＿＿＿＿＿　＿＿＿＿＿　＿＿＿＿＿

dú yì dú　wán chéng liàn xí
4 读 一 读，完 成 练 习。

陶母封鲊

tāo kǎn shì dōng jìn yǒu míng de xián chén　cóng xiǎo jiù qín fèn hào xué
陶 侃 是 东 晋 有 名 的 贤 臣，从 小 就 勤 奋 好 学，
ér qiě zhù yì rén pǐn de péi yǎng　zhè yí qiè dōu yǔ tā mǔ qīn de yán gé jiào yù
而 且 注 意 人 品 的 培 养，这 一 切 都 与 他 母 亲 的 严 格 教 育
shì fēn bù kāi de　tāo kǎn zhǎng dà hòu　dān rèn le guǎn lǐ yú yè de xiǎo
是 分 不 开 的。陶 侃 长 大 后，担 任 了 管 理 渔 业 的 小
guān　zhè yì nián　tā tuō rén dài huí jiā yì tán yān yú xiào jìng mǔ qīn　mǔ qīn
官。这 一 年，他 托 人 带 回 家 一 坛 腌 鱼 孝 敬 母 亲。母 亲
què bǎ yú fēng hǎo ràng rén tuì huí qù　bìng qiě gěi tā xiě le yì fēng xìn shuō
却 把 鱼 封 好 让 人 退 回 去，并 且 给 他 写 了 一 封 信 说：
nǐ shì guó jiā de guān lì　zěn me néng yòng gōng jiā de dōng xi xiào jìng mǔ
"你 是 国 家 的 官 吏，怎 么 能 用 公 家 的 东 西 孝 敬 母
qīn ne　zhè shì wéi zhèng bù lián a　cǐ shì suī xiǎo　què kě yǐ kàn chū tāo
亲 呢？这 是 为 政 不 廉 啊！"此 事 虽 小，却 可 以 看 出 陶
kǎn de mǔ qīn jiào zǐ yán gé　tāo kǎn shǐ zhōng bú wàng mǔ qīn de jiào huì　zuì
侃 的 母 亲 教 子 严 格。陶 侃 始 终 不 忘 母 亲 的 教 诲，最
zhōng chéng wéi jìn cháo zhù míng de qīng guān
终 成 为 晋 朝 著 名 的 清 官。

zhǎ yì zhǒng yòng yán hé hóng qū yān zhì de yú
（鲊：一种用盐和红曲腌制的鱼。）

nǐ shì guó jiā de guān lì zěn me néng yòng gōng jiā de dōng xi xiào jìng
"你是国家的官吏，怎么能用公家的东西孝敬

mǔ qīn ne zhè jù huà de yì si shì shuō
母亲呢？"这句话的意思是说：_____

配套练习3

chēng zūn zhǎng　　wù hū míng
称　尊　长　　勿　呼　名

duì zūn zhǎng　　wù xiàn néng
对　尊　长　　勿　见　能

【说词解句】

chēng jiào
称：叫。

wù xiàn néng bú yào kuā yào zì jǐ de cái néng
勿　见　能：不要夸耀自己的才能。

句意：

yǒu shì qing jiào zhǎng bèi bù néng zhí jiē chēng hu tā men de míng zi
有事情叫长辈，不能直接称呼他们的名字；

zhǎng bèi jiàn duō shí guǎng zài tā men miàn qián yào duō tīng tā men shuō
长　辈　见　多　识　广，在他们面前，要多听他们说

huà bú yào kuā yào zì jǐ de cái néng
话，不要夸耀自己的才能。

【词语万花筒】

chéng zhǎng　shēng zhǎng　zhǎng dà　shī zhǎng
成　长　生　长　长　大　师　长

bá miáo zhù zhǎng　zhǎng jiàn shi
拔　苗　助　长　长　见　识

> 比一比，看谁记得多。

【练习】

bǎ xià liè yīn jié bǔ chōng wán zhěng
1 把下列音节补充完整。

___ū　　___íng　　___uì　　___iàn
　呼　　　名　　　对　　　见

huàn piān páng chéng xīn zì zài zǔ cí
2 换 偏 旁 成 新 字，再组词。

称——＿＿＿（　　　　）　　　对——＿＿＿（　　　　）

qǐng nǐ lái kuò cí
3 请你来扩词。

名（　　　　）（　　　　）（　　　　）

dú yì dú wán chéng liàn xí
4 读一读，完 成 练 习。

贤明的妻子

chūn qiū shí qī qí guó de xiàng guó yàn yīng yǒu wèi chē fū yǒu yí cì
春 秋 时期，齐国的 相 国 晏 婴 有位 车 夫，有一次

chē fū huí jiā hòu qī zi biǎo shì jiān jué yào lí kāi tā chē fū hěn chī jīng
车 夫回家后，妻子 表 示 坚 决 要 离开他。车 夫 很 吃 惊，

máng wèn wèi shén me qī zi shuō nǐ kàn yàn yīng suī rán shēn wéi xiàng
忙 问为什么。妻子说："你看晏 婴 虽然 身 为 相

guó míng yáng tiān xià kě shì jīn tiān wǒ jiàn dào yàn yīng zuò zài chē shàng
国，名 扬 天下，可是今天我见到晏 婴 坐在车 上，

yàng zi ān rán tài du qiān gōng zài kàn nǐ xiàng mào táng táng de nán zǐ
样子安然，态度 谦 恭。再看你，相 貌 堂 堂 的 男子

hàn zhǐ shì yí gè chē fū què bǎi chū yí fù bù kě yí shì de yàng zi zhè shì bù
汉，只是一个车 夫，却 摆 出一副不可一世的 样子，这是不

zhī jìn tuì xiàng guó dōu shì nà me de qiān gōng nǐ yòu yǒu shén me zhí dé
知进退。相 国 都是那么的 谦 恭，你又有什么值得

xuàn yào de ne nán dào zhǐ shì yīn wèi gěi xiàng guó gǎn chē ma tīng wán qī
炫 耀的呢？难道只是因为给 相 国 赶 车吗？"听 完妻

zi de pī píng chē fū hěn cán kuì cóng cǐ biàn de qiān xū le
子的批评，车 夫很 惭 愧，从此变得 谦 虚了。

yàn yīng hé chē fū de yàng zi yǒu shén me bù yí yàng qǐng nǐ zài wén
晏 婴 和车 夫的 样子有什么不一 样？请你在文

zhōng yòng huà chū lái
中 用"＿＿＿"画出来。

配套练习4

duì yǐn shí wù jiǎn zé
对 饮 食 勿 拣 择

shí shì kě　　wù guò zé

食适可　勿过则

【说词解句】

jiǎn zé　　tiāo tiāo jiǎn jiǎn
拣 择：挑 挑 拣 拣。

guò zé　　guò liàng
过 则：过 量。

句意：

yǐn shí bú yào tiāo tiāo jiǎn jiǎn　 piān shí huì yíng yǎng bù liáng　 chī dōng xi
饮 食 不 要 挑 挑 拣 拣，偏 食 会 营 养 不 良；吃 东 西

yě yào shì kě ér zhǐ　 yǐn shí guò liàng huì sǔn shāng pí wèi
也 要 适 可 而 止，饮 食 过 量 会 损 伤 脾 胃。

【词语万花筒】

shì yí　　 shì hé　　 shì dàng　　 shū shì
适 宜　 适 合　 适 当　 舒 适

shì kě ér zhǐ　　 wú suǒ shì cóng
适 可 而 止　 无 所 适 从

> 比一比，看谁记得多。

【练习】

bǎ xià liè yīn jié bǔ chōng wán zhěng
1 把 下 列 音 节 补 充 完 整。

z＿＿＿　　　　z＿＿＿　　　　z＿＿＿
则　　　　　　择　　　　　　责

> 注意区别同音字哟!

qǐng nǐ lái kuò cí
2 请 你 来 扩 词。

过（　　　　　）（　　　　　）（　　　　　）

jiā bù tóng de bù shǒu chéng zì　 zài zǔ cí
3 加 不 同 的 部 首 成 字，再 组 词。

寸 {
＿＿＿（　　　　）
＿＿＿（　　　　）
＿＿＿（　　　　）
＿＿＿（　　　　）

dú yì dú　 wán chéng liàn xí
4 读 一 读，完 成 练 习。

服食养生

jī kāng shì sān guó shí qī zhù míng de wén xué jiā　 sī xiǎng jiā　 tā yì
嵇 康 是 三 国 时 期 著 名 的 文 学 家、思 想 家，他 一

生崇尚老庄思想学说，生活上恬静无为，特别注意养生。他曾经写过一篇文章叫《养生论》。在这篇文章中，嵇康讲述了人要有正确的生活态度，注意养生，只有做到这些，才可以达到健康长寿的目的。他在书中还特别提到，在饮食上要有节制，如果"饮食不节"，就会生百病。这些养生常识对我们今天的保健养生仍具有借鉴意义。

想一想"食适可 勿过则"这句话是什么意思？请在上面的短文中画出一个与此意思相近的句子来。

3 课标要求背诵的古诗

导读............

　　古诗是我国文学史上的瑰宝,唐诗宋词更是巅峰之作,是极其宝贵的文化遗产。诵读这些优秀的诗篇,有助于同学们形成良好的语感。《语文课程标准》中要求1~6年级学生背诵古今优秀诗文160篇(段),并推荐了70篇古诗文。为了帮助同学们更快更好地熟记这些古诗文,我们把70篇古诗文分编在本套六本书中进行赏析、理解、练习。

范例阅读 FANLIYUEDU

江 南
汉乐府

jiāng nán kě cǎi lián
江 南 可 采 莲,
lián yè hé tián tián
莲 叶 何 田 田。
yú xì lián yè jiān
鱼 戏 莲 叶 间。
yú xì lián yè dōng
鱼 戏 莲 叶 东,
yú xì lián yè xī
鱼 戏 莲 叶 西,
yú xì lián yè nán
鱼 戏 莲 叶 南,
yú xì lián yè běi
鱼 戏 莲 叶 北。

【说词解句】

yuè fǔ　　běn zhǐ hàn cháo zhǎng guǎn yīn yuè de xíng zhèng　jī gòu　　hòu
　　1. 乐府:本指汉朝 掌 管音乐的行 政机构,后
lái rén men bǎ yuè fǔ yǎn chàng de shī gē yě chēng wéi yuè fǔ
来人们把乐府演 唱 的诗歌也 称 为乐府。
hé　　hé děng　　duō me
　　2. 何:何 等,多么。

tián tián   hé yè   mào mì wàng shèng de yàng zi
3. 田 田 :(荷叶)茂密旺 盛 的 样子。

【解读】

zhè shì yì shǒu yuè fǔ mín gē   miáo xiě jiāng nán hé táng de xiù měi jǐng sè
这是一首乐府民歌,描写江南荷塘的秀美景色
hé rén men cǎi lián shí de huān lè qíng jǐng   qián miàn sān jù zǒng xiě hé táng de
和人们采莲时的欢乐情景。前面三句总写荷塘的
měi jǐng   cǎi lián rén fàng yǎn wàng qù   mǎn táng hé yè āi āi jǐ jǐ   shí fēn
美景。采莲人放眼望去,满塘荷叶挨挨挤挤,十分
mào mì   dī tóu yí kàn   cuì lǜ de hé yè xià hái yǒu xiǎo yú zài jìn qíng xī xì
茂密。低头一看,翠绿的荷叶下还有小鱼在尽情嬉戏。
zuì hòu sì jù shī yòng fǎn fù de shǒu fǎ   miáo xiě xiǎo yú zài hé yè jiān líng huó
最后四句诗用反复的手法,描写小鱼在荷叶间灵活
yóu dòng de yàng zi   àn shì le cǎi lián rén láo dòng shí huān lè de xīn qíng
游动的样子,暗示了采莲人劳动时欢乐的心情。
zhěng shǒu xiǎo shī jiǎn míng huān kuài   chōng mǎn jiāng nán fēng qíng
整 首小诗简明欢快,充 满江南风情。

【词语万花筒】

lǜ yè   nèn yè   luò yè   shù yè
绿叶   嫩叶   落叶   树叶

比一比,看谁记得多。

yè luò guī gēn   cū zhī dà yè
叶落归根   粗枝大叶

【练习】

bǎ xià liè yīn jié bǔ chōng wán zhěng
1 把下列音节补充 完整 。

j___āng t___án l___án j___ān
　　江　　田　　莲　　间

拼读三拼音节时别忘了中间的介母哟!

qǐng nǐ lái kuò cí
2 请你来扩词。

江(　　　)(　　　)(　　　)

qù yì bǐ chéng xīn zì   zài zǔ cí
3 去一笔 成 新字,再组词。

田——____(　　　) 　　　间——____(　　　)

dú yì dú wán chéng liàn xí
4 读一读,完 成 练习。

jiāng nán kě cǎi lián lián yè hé tián tián
江 南/可/采莲,莲叶/何田田 。

nǐ kàn jiàn guò lián yè ma　　tā shì shén me xíng zhuàng　shén me yán sè
你看见过莲叶吗？它是什么形状，什么颜色

de　qǐng nǐ xiān shuō yì shuō　zài dòng shǒu huà yí huà
的？请你先说一说，再动手画一画。

【答案】1.i i i i　2.江南　长江　江水　3.日　日月　问　提问

4.略

sān pīn yīn jié shì bǐ jiào nán zhǎng wò de bù fen　tā yóu shēng
【题析】三拼音节是比较难掌握的部分，它由声

mǔ　jiè mǔ　yùn mǔ sān bù fen zǔ chéng　pīn dú de shí hou　shēng qīng jiè kuài
母、介母、韵母三部分组成，拼读的时候，声轻介快

yùn mǔ xiǎng　yǒu de tóng xué cháng cháng bǎ jiè mǔ diū diào　nà jiù pīn bù
韵母响。有的同学常常把介母丢掉，那就拼不

zhǔn　dú bù zhǔn zì yīn la　tí de liàn xí jiù shì bāng zhù tóng xué men gǒng
准、读不准字音啦。题1的练习就是帮助同学们巩

gù sān pīn yīn jié　tí shì yí gè kuò cí liàn xí　shì tú bāng zhù tóng xué men
固三拼音节。题2是一个扩词练习，试图帮助同学们

zhǎng wò gèng duō de cí huì　fēng fù zì jǐ de yǔ yán　tí shì yùn yòng
掌握更多的词汇，丰富自己的语言。题3是运用

jiǎn yì jiǎn　de fāng fǎ shí jì xīn zì　tí shì yí dào zōng hé cāo zuò tí
"减一减"的方法识记新字。题4是一道综合操作题，

jì yào tóng xué men huí yì píng shí shēng huó zhōng guān chá dào de hé yè de
既要同学们回忆平时生活中观察到的荷叶的

yán sè　xíng zhuàng　hái yào tóng xué men dòng shǒu bǎ hé yè huà chū lái　zhè
颜色、形状，还要同学们动手把荷叶画出来，这

yàng xiǎng xiang　shuō shuo　huà hua　hé yè de shēng dòng xíng xiàng jiù zhā
样想想、说说、画画，荷叶的生动形象就扎

gēn yú tóng xué men de xīn dǐ le
根于同学们的心底了。

阅读训练 YUEDUXUNLIAN

配套练习1

敕勒歌
北朝民歌

chì lè chuān　yīn shān xià
敕勒川，阴山下，

tiān sì qióng lú　lǒng gài sì yě
天似穹庐，笼盖四野。

tiān cāng cāng　　yě máng máng
天 苍 苍，野 茫 茫 。

fēng chuī cǎo dī xiàn niú yáng
风 吹 草 低 见 牛 羊 。

【说词解句】

chì lè chuān　jiù shì chì lè zú jū zhù de píng yuán dì qū　zài jīn tiān de
1.敕 勒 川：就 是 敕 勒 族 居 住 的 平 原 地 区，在 今 天 的
shān xī běi bù jí gān sù　nèi měng gǔ nán bù yí dài
山 西 北 部 及 甘 肃、内 蒙 古 南 部 一 带 。

yīn shān　shān mài míng　dà bù fen zài jīn nèi měng gǔ zì zhì qū nèi
2.阴 山：山 脉 名，大 部 分 在 今 内 蒙 古 自 治 区 内，
quán cháng yuē　　qiān mǐ
全 长 约 1200 千 米 。

qióng lú　yóu mù mín zú jū zhù de yuán dǐng zhàng peng　jí měng gǔ bāo
3.穹 庐：游 牧 民 族 居 住 的 圆 顶 帐 篷，即 蒙 古 包 。

sì yě　sì miàn de yuán yě　wèi le yā yùn　kě dú gǔ yīn
4.四 野：四 面 的 原 野 。为 了 押 韵，可 读 古 音 “yǎ”。

xiàn tóng xiàn　xiǎn xiàn　lù chū　zhù yì bú yào dú chéng
5.见：同 “现”，显 现，露 出 。注 意 不 要 读 成
“jiàn”。

【解读】

zhè shì yì shǒu chì lè rén chàng de mín gē　miáo huì le běi fāng dà cǎo
这 是 一 首 敕 勒 人 唱 的 民 歌，描 绘 了 北 方 大 草
yuán tiān dì guǎng kuò　mù cǎo fēng shèng　niú yáng chéng qún de měi lì jǐng
原 天 地 广 阔、牧 草 丰 盛、牛 羊 成 群 的 美 丽 景
sè　biǎo dá le yóu mù mín zú duì yú jiā xiāng de rè ài　chì lè chuān wèi yú
色，表 达 了 游 牧 民 族 对 于 家 乡 的 热 爱 。敕 勒 川 位 于
gāo gāo de yīn shān jiǎo xià　zài yīn shān de chèn tuō xià　liáo kuò de cǎo yuán
高 高 的 阴 山 脚 下 。在 阴 山 的 衬 托 下，辽 阔 的 草 原
xiǎn de shí fēn xióng wěi　tiān kōng jiù xiàng jù dà de yuán dǐng zhàng peng　jí
显 得 十 分 雄 伟 。天 空 就 像 巨 大 的 圆 顶 帐 篷，极
mù yuǎn tiào　sì zhōu tiān dì xiāng jiē　yí piàn cāng máng　tiān kōng wú biān
目 远 眺，四 周 天 地 相 接，一 片 苍 茫 。天 空 无 边
wú jì　cǎo yuán liáo kuò wú yín　fēng chuī cǎo fú　niú yáng xiǎn xiàn　dà cǎo
无 际，草 原 辽 阔 无 垠，风 吹 草 伏，牛 羊 显 现 。大 草
yuán de jǐng xiàng shì duō me zhuàng kuò
原 的 景 象 是 多 么 壮 阔！

【词语万花筒】

tiān kōng　lán tiān　tiān dì　tiān cái
天 空　蓝 天　天 地　天 才
zuò jǐng guān tiān　tiān cháng dì jiǔ
坐 井 观 天　天 长 地 久

比一比，看谁记得多。

【练习】

bǎ xià liè yīn jié bǔ chōng wán zhěng
1 把 下 列 音 节 补 充 完 整。

___ǎo　　___ì　　___uān　　___ān
　草　　　四　　　川　　　山

平舌音、翘舌音，你分清楚了没有？

biàn zì zǔ cí
2 辨 字 组 词。

fēng　　　　　　niú　　　　　　chuī
风（　　　）　牛（　　　）　吹（　　　）

jǐ　　　　　　　shēng　　　　　cì
几（　　　）　生（　　　）　次（　　　）

cāi zì mí
3 猜 字 谜。

èr gè rén　　dǎ yí zì
二 个 人。（打 一 字）（　　　）

dú yì dú　wán chéng liàn xí
4 读 一 读，完 成 练 习。

fēng chuī cǎo dī　xiàn　niú yáng
风 吹 草 低／见／牛 羊。

nǐ néng yòng zì jǐ de huà shuō shuo shī jù suǒ miáo huì de jǐng xiàng ma
你 能 用 自 己 的 话 说 说 诗 句 所 描 绘 的 景 象 吗？

配套练习2

咏 鹅
骆宾王

é　é　é
鹅，鹅，鹅，
qū xiàng xiàng tiān gē
曲 项 向 天 歌。
bái máo fú lǜ shuǐ
白 毛 浮 绿 水，
hóng zhǎng bō qīng bō
红 掌 拨 清 波。

luò bīn wáng
骆宾王（约640—684），婺州义乌（今浙江省义

wù zhōu yì wū   jīn zhè jiāng shěng yì
wū rén táng chū zhù míng shī rén   chū táng sì jié zhī yī tā xiǎo shí hou
乌）人，唐初著名诗人，"初唐四杰"之一。他小时候

jiù néng xiě yì shǒu hǎo shī bèi chēng wéi shén tóng
就能写一手好诗，被称为"神童"。

【解读】

xiāng chuán xiě zhè shǒu shī de shí hou luò bīn wáng zhǐ yǒu qī suì   quán
相传写这首诗的时候，骆宾王只有七岁。全

shī shēng dòng chuán shén de kè huà le ér tóng yǎn zhōng dà bái é de xíng xiàng
诗生动传神地刻画了儿童眼中大白鹅的形象。

kāi tóu yì lián yòng sān gè   é shì zài mó fǎng é de huān jiào yě biǎo xiàn le
开头一连用三个"鹅"，是在模仿鹅的欢叫，也表现了

ér tóng kàn jiàn é hòu de jīng xǐ   hòu miàn liǎng jù shǐ yòng yì lián chuàn yán sè
儿童看见鹅后的惊喜。后面两句使用一连串颜色

cí bái lǜ hóng qīng gòu chéng le yì fú sè cǎi xiān míng de tú huà
词：白、绿、红、清，构成了一幅色彩鲜明的图画。

zhěng shǒu xiǎo shī yīn yùn qīng kuài huà miàn chún jìng fēng gé zì rán huó po
整首小诗音韵轻快、画面纯净、风格自然活泼。

【词语万花筒】

shuǐ guǒ   shān shuǐ   shuǐ píng   shuǐ shǒu
水果　山水　水平　水手

qīng shān lǜ shuǐ   shān qīng shuǐ xiù
青山绿水　山清水秀

比一比，看谁记得多。

【练习】

bǎ xià liè yīn jié bǔ chōng wán zhěng
1 把下列音节补充完整。

它们的韵母相同吗？

q＿＿　　l＿＿
　曲　　　绿

zhēn táo qì
j、q、x，真淘气，

tā men hé   lái xiāng pīn
它们和"ü"来相拼，

jiàn dào yǎn jìng jiù zhāi qù
见到"眼镜"就摘去。

gēn jù bù tóng de dú yīn zǔ cí

2 根据不同的读音组词。

曲 { qū（　　）（　　　）
　　qǔ（　　）（　　　）

xiě chū dài yǒu xià liè bù shǒu de zì zài zǔ cí

3 写出带有下列部首的字，再组词。

扌 { ___（　　　）
　　___（　　　）
　　___（　　　）

纟 { ___（　　　）
　　___（　　　）
　　___（　　　）

dú yì dú wán chéng liàn xí

4 读一读，完成练习。

bái máo fú lǜ shuǐ hóng zhǎng bō qīng bō

白毛／浮／绿水，红　掌／拨／清波。

nǐ hái néng xiě chū qí tā xíng róng yán sè de cí yǔ ma

你还能写出其他形容颜色的词语吗？

_____

配套练习3

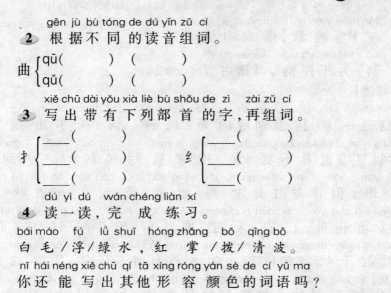

风

李　峤

xiè luò sān qiū yè

解落三秋叶，

néng kāi èr yuè huā

能开二月花。

guò jiāng qiān chǐ làng

过江千尺浪，

rù zhú wàn gān xiá

入竹万竿斜。

【说词解句】

lǐ qiáo zì jù shān zhào zhōu zàn huáng rén tā shì

1. 李峤（644—713），字巨山，赵州赞皇人。他是

táng cháo wǔ hòu zhōng zōng shí zhù míng de gōng tíng shī rén

唐朝武后、中宗时著名的宫廷诗人。

xiè dú zuò néng huì

2. 解：读做"xiè"，能，会。

sān qiū　　wǎn qiū　　zhǐ nóng lì jiǔ yuè
3. 三秋：晚秋，指农历九月。

xiá　 wèi le yā yùn　 kě dú gǔ yīn
4. 斜：为了押韵，可读古音"xiá"。

【解读】

zhè shì yì shǒu gòu sī bié zhì de yǒng fēng shī　 shī zhōng bù chū xiàn yí
这是一首构思别致的咏风诗。诗中不出现一

gè fēng zì yě kàn bú dào cháng yòng lái miáo xiě fēng de chuī guā
个"风"字，也看不到常用来描写风的"吹""刮"

děng zì yǎn dàn nǐ shí shí chù chù dōu néng gǎn shòu dào tā tā zài qiū tiān
等字眼，但你时时处处都能感受到它：它在秋天

néng chuī luò shù yè zài chūn tiān néng cuī fā xiān huā chuī guò jiāng miàn
能吹落树叶，在春天能催发鲜花。吹过江面

shí xiān qǐ qiān chǐ gāo de jù làng chuī rù zhú lín shí qiān gān wàn gān de zhú
时，掀起千尺高的巨浪；吹入竹林时，千竿万竿的竹

zi fēn fēn qīng xié dǎo fú rú guǒ bǎ tí mù gài zhù zhè sì jù shī qí shí jiù shì
子纷纷倾斜倒伏。如果把题目盖住，这四句诗其实就是

yí gè mí yǔ ér qiě měi jù shī zhōng hái qiǎo miào de qiàn rù yí gè shù zì
一个谜语。而且每句诗中还巧妙地嵌入一个数字，

xiǎn shì le shī rén gāo chāo de yǔ yán jì néng
显示了诗人高超的语言技能。

【词语万花筒】

qiū tiān　　qiū fēng　　zhōng qiū　　qiū jì
秋天　　秋风　　中秋　　秋季

qiān qiū wàn dài　　yí yè zhī qiū
千秋万代　　一叶知秋

> 比一比，看谁记得多。

【练习】

biàn zì zǔ cí
1 辨字组词。

kāi　　　　　guò　　　　　qiān　　　　　rén
开（　）　　过（　）　　千（　）　　人（　）

tiān　　　　　zhè　　　　　shí　　　　　rù
天（　）　　这（　）　　十（　）　　入（　）

bǔ chōng xià liè yīn jié de shēng diào
2 补充下列音节的声调。

hua　　　　neng　　　　chi　　　　guo
花　　　　能　　　　尺　　　　过

> 拼读时声母不带调哟！

dì yī shēng píng yòu píng
第一声平又平，

dì èr shēng cóng xià wǎng shàng yáng
第二声从下往上扬，

dì sān shēng xiān xià zài wǎng shàng
第三声先下再往上，

dì sì shēng zì shàng wǎng xià jiàng
第四声自上往下降。

cāi zì mí
3 猜字谜。

yǒu diǎn bú shì yuán wú diǎn duō yòu duō   dǎ yí zì
有点不是圆，无点多又多。（打一字）   （   ）

dú yì dú wán chéng liàn xí
4 读一读，完成练习。

guò jiāng qiān chǐ làng rù zhú   wàn gān xiá
过江∥千尺∕浪，入竹∥∕万竿∕斜。

nǐ néng shuō chū jǐ gè dài yǒu qiān hé wàn de cí yǔ ma
你能说出几个带有"千"和"万"的词语吗？

qiān   wàn   qiān   wàn   qiān   wàn
千___万___   千___万___   千___万___

配套练习4

咏 柳

贺知章

bì yù zhuāng chéng yí shù gāo
碧玉妆成一树高，

wàn tiáo chuí xià lǜ sī tāo
万条垂下绿丝绦。

bù zhī xì yè shuí cái chū
不知细叶谁裁出，

èr yuè chūn fēng sì jiǎn dāo
二月春风似剪刀。

【说词解句】

1. 贺知章(659—744),字季真,晚号四明狂客,越州永兴(今浙江省萧山市)人,生活于盛唐时期。他喜欢饮酒,被杜甫称为"酒中八仙"之一。

2. 碧玉:青绿色的玉,这里比喻柳树的树干。

3. 妆成:妆饰,打扮。

4. 丝绦:丝线编成的带子。这里形容随风飘拂的柳枝。

【解读】

春天来了,柳树开始发芽变绿。在经过了一个漫长灰暗的冬季之后,诗人看到柳树碧绿柔软的枝条在和煦的春风中摇曳,心中充满喜悦之情。他一连使用好几个比喻,来表达自己对于传递春天消息的柳树的喜爱:树干像碧玉,枝条像丝绦。而二月的春风,正是裁剪出这些纤柔嫩叶的剪刀。这些新颖贴切的比喻是本诗的重要特色。

【词语万花筒】

春风　春天　春季　早春

春暖花开　春回大地

比一比,看谁记得多。

【练习】

bǔ chōng xià liè yīn jié de shēng diào
1 补 充 下 列 音 节 的 声 调 。

标调歌，你记住了吗？

liu　　chui　　shui
柳　　垂　　谁

yì qǐ lái　shuí zài hòu miàn shuí dài　mào
i、u 一起来，谁在后 面 谁戴"帽"。

zhào yàng zi　tián shàng hé shì de liàng cí
2 照 样 子，填 上 合 适 的 量 词 。

一（棵）树

一（　）柳枝　　一（　）细叶　　一（　）剪刀

xiǎng yì xiǎng　xiě chū xià liè cí yǔ de fǎn yì cí
3 想 一 想，写 出 下 列 词 语 的 反 义 词 。

高（　　）　　细（　　）　　下（　　）

dú yì dú　wán chéng liàn xí
4 读 一 读，完 成 练 习 。

bù zhī　xì yè　　shuí cái chū　èr yuè　chūn fēng　　sì jiǎn dāo
不知／细叶／／谁裁出，二月／春 风／／似剪刀。

zhè jù shī zhōng de jiǎn dāo shì zhǐ
这句诗 中 的 剪 刀 是 指（　　　　）。

A．细叶　　　B．二月春风　　　C．柳树

配套练习5

凉 州 词

王 之 涣

huáng hé yuǎn shàng bái yún jiān
黄 河 远 上 白 云 间，

yí piàn gū chéng wàn rèn shān
一 片 孤 城 万 仞 山 。

qiāng dí hé xū yuàn yáng liǔ
羌 笛 何 须 怨 杨 柳，

chūn fēng bú dù yù mén guān
春 风 不 度 玉 门 关 。

【说词解句】

1. 王之涣(wáng zhī huàn)(688—742),字季凌(zì jì líng),并州晋阳(bìng zhōu jìn yáng)(今山西省太原市)(jīn shān xī shěng tài yuán shì)人,唐代诗人(rén táng dài shī rén)。他的描写西北边地风光的诗大气磅礴,音韵优美(tā de miáo xiě xī běi biān dì fēng guāng de shī dà qì páng bó,yīn yùn yōu měi)。

2. 孤城(gū chéng):孤零零的城(gū líng líng de chéng),这里指玉门关(zhè lǐ zhǐ yù mén guān)。

3. 万仞(wàn rèn):形容极高(xíng róng jí gāo)。一仞为八尺(yí rèn wéi bā chǐ)。

4. 羌笛(qiāng dí):古代羌族的一种乐器(gǔ dài qiāng zú de yì zhǒng yuè qì)。

5. 杨柳(yáng liǔ):指一种叫《折杨柳》的笛曲,曲调哀怨(zhǐ yì zhǒng jiào 《zhé yáng liǔ》de dí qǔ,qǔ diào āi yuàn)。

6. 度(dù):越过(yuè guò)。

7. 玉门关(yù mén guān):在今甘肃省敦煌市西北(zài jīn gān sù shěng dūn huáng shì xī běi)。

【解读】

这是一首边塞诗,描绘了西北边疆雄伟壮观而又苍凉的景象,表达了戍边将士对家乡的思念之情(zhè shì yì shǒu biān sài shī,miáo huì le xī běi biān jiāng xióng wěi zhuàng guān ér yòu cāng liáng de jǐng xiàng,biǎo dá le shù biān jiàng shì duì jiā xiāng de sī niàn zhī qíng)。在苍茫的大地上,九曲黄河蜿蜒流淌,仿佛是从天上白云间流来(zài cāng máng de dà dì shàng,jiǔ qǔ huáng hé wān yán liú tǎng,fǎng fú shì cóng tiān shàng bái yún jiān liú lái)。万仞高山之下,矗立着一座孤城(wàn rèn gāo shān zhī xià,chù lì zhe yí zuò gū chéng)。长年驻守边关的将士是多么的孤独和艰难(cháng nián zhù shǒu biān guān de jiàng shì shì duō me de gū dú hé jiān nán)。在这样的环境中听到了熟悉的羌笛声,所吹的曲调恰好是哀怨的《折杨柳》,这不能不勾起将士们的离愁(zài zhè yàng de huán jìng zhōng tīng dào le shú xī de qiāng dí shēng,suǒ chuī de qǔ diào qià hǎo shì āi yuàn de 《zhé yáng liǔ》,zhè bù néng bù gōu qǐ jiàng shì men de lí chóu)。但诗人并没有过多地流露出悲观和消沉,他用豁达的语调宽慰道:羌(dàn shī rén bìng méi yǒu guò duō de liú lù chū bēi guān hé xiāo chén,tā yòng huò dá de yǔ diào kuān wèi dào:qiāng)

dí hé bì lǎo shì chuī zòu nà āi shāng de zhé yáng liǔ ne yào zhī dào yù
笛何必老是吹奏那哀伤的《折杨柳》呢？要知道，玉

mén guān wài běn lái jiù shì chūn fēng chuī bú dào de dì fang a
门关外本来就是春风吹不到的地方啊！

【词语万花筒】

bái tiān　　bái yún　　jié bái　　xuě bái
白天　　白云　　洁白　　雪白

bái yī tiān shǐ　　míng míng bái bái
白衣天使　　明明白白

> 比一比，看谁记得多。

【练习】

dú yì dú　xiǎng yì xiǎng　tā men dōu shì shén
1 读一读，想一想，它们都是什

me yīn jié
么音节。

> 它们都是整体认读音节。

cí　　zhī　　yī　　yuǎn　　yún　　yù
词　　之　　一　　远　　云　　玉

bǎ xià liè hàn zì zǔ chéng cí yǔ xiě xià lái
2 把下列汉字组成词语写下来。

yáng　　bái　　fēng　　huáng　　chūn　　liǔ　　yún　　hé
杨　　白　　风　　黄　　春　　柳　　云　　河

＿＿＿＿＿＿　　＿＿＿＿＿＿　　＿＿＿＿＿＿　　＿＿＿＿＿＿

xiǎng yì xiǎng　liàn yí liàn
3 想一想，练一练。

jiā yì bǐ chéng xīn zì zài zǔ cí
加一笔成新字，再组词：

云——＿＿＿（　　　）　　　万——＿＿＿（　　　）

jiǎn yì bǐ chéng xīn zì zài zǔ cí
减一笔成新字，再组词：

风——＿＿＿（　　　）　　　白——＿＿＿（　　　）

dú yì dú　wán chéng liàn xí
4 读一读，完成练习。

huáng hé　yuǎn shàng　　bái yún jiān　yí piàn　gū chéng　　wàn rèn shān
黄河／远上／／白云间，一片／孤城／／万仞山。

wǒ guó yǒu liǎng tiáo zuì zhù míng de hé liú　　yì tiáo jiào huáng hé　lìng yì
我国有两条最著名的河流，一条叫黄河，另一

tiáo jiào shén me míng zi
条叫什么名字？＿＿＿＿＿

配套练习6

登鹳雀楼
王之涣

bái rì yī shān jìn
白 日 依 山 尽，

huáng hé rù hǎi liú
黄 河 入 海 流。

yù qióng qiān lǐ mù
欲 穷 千 里 目，

gèng shàng yì céng lóu
更 上 一 层 楼。

【说词解句】

yī　 āi zhe　tiē zhe
1. 依：挨着，贴着。

jìn　 xiāo shī　luò xià
2. 尽：消失，落下。

yù　 xiǎng yào
3. 欲：想要。

qióng　 qióng jìn
4. 穷：穷尽。

gèng　 zài
5. 更：再。

【解读】

zhè shǒu xiǎo shī suī rán zhǐ yǒu duǎn duǎn èr shí gè zì　 dàn shì què bāo hán
这 首 小 诗 虽 然 只 有 短 短 二 十 个 字，但 是 却 包 含
zhe shēn kè de zhé lǐ　 shī rén dēng shàng gāo gāo de guàn què lóu　 jí mù sì
着 深 刻 的 哲 理。诗 人 登 上 高 高 的 鹳 雀 楼，极 目 四
wàng　 kàn dào tài yáng màn màn xiàng xī shān luò qù　 huáng hé zhèng bēn liú
望，看 到 太 阳 慢 慢 向 西 山 落 去，黄 河 正 奔 流
bù xī　 zhǐ yǒu zhàn zài zhè gāo gāo de lóu shàng　 cái néng kàn dào rú cǐ
不 息。只 有 站 在 这 高 高 的 楼 上，才 能 看 到 如 此
zhuàng guān de jǐng sè　 shī rén yóu cǐ wù chū le yí gè dào lǐ　 zhǐ yǒu zhàn de
壮 观 的 景 色。诗 人 由 此 悟 出 了 一 个 道 理：只 有 站 得
gāo　 cái néng kàn de yuǎn　 rú guǒ xiǎng yào kàn dào gèng wéi guǎng kuò de
高，才 能 看 得 远。如 果 想 要 看 到 更 为 广 阔 的
fēng jǐng　 jiù bì xū nǔ lì zài shàng yì céng lóu　 zuò qí tā shì qing yě shì yí
风 景，就 必 须 努 力 再 上 一 层 楼。做 其 他 事 情 也 是 一

yàng　zhǐ yǒu bú duàn nǔ lì　bú duàn zhuī qiú jìn bù　rén shēng de jìng jiè cái huì
样，只有不断努力，不断追求进步，人生的境界才会

bú duàn kuò zhǎn shēng huá　　yù qióng qiān lǐ mù　gèng shàng yì céng lóu
不断扩展升华。"欲穷千里目，更上一层楼"

jiē shì le　zhàn de gāo cái néng wàng de yuǎn　de zhé lǐ　gěi rén yǐ wú qióng
揭示了"站得高才能望得远"的哲理，给人以无穷

de jī lì hé qǐ shì　chéng wéi qiān gǔ chuán sòng de míng jù　shī jù duì zhàng
的激励和启示，成为千古传诵的名句。诗句对仗

gōng zhěng　dú qǐ lái yì yáng dùn cuò fù yǒu yuè gǎn
工整，读起来抑扬顿挫，富有乐感。

【词语万花筒】

shān shuǐ　gāoshān　dēngshān　shānchuān
山水　高山　登山　山川

wànshuǐqiānshān　kāiménjiànshān
万水千山　开门见山

> 比一比，看谁记得多。

【练习】

bǔ chōng xià liè yīn jié de shēng diào
1 补充下列音节的声调。

bai　　qiong　　he
白　　穷　　河

> 标调歌帮助你正确标写声调。

标调歌

mǔ zài　　mǔ dài
a 母在，a 母戴；

mǔ bú zài zhǎo
a 母不在找 o、e；

yì qǐ lái　shuí zài hòu miàn shuí dài　mào
i、u 一起来，谁在后面谁戴"帽"。

qǐng nǐ lái kuò cí
2 请你来扩词。

海（　　）（　　）（　　　）

xiǎng yì xiǎng　jiē zhe xiě xià qù
3 想一想，接着写下去。

xī　chí táng　hé　hú
溪、池塘、河、湖、＿＿＿、＿＿＿、＿＿＿

dú yì dú　wán chéng liàn xí
4 读一读，完成练习。

yù qióng　qiān lǐ mù　gèng shàng　yì céng lóu
欲穷／千里目，更上／一层楼。

nǐ zhī dào zhè jù shī shuō míng le yí gè shén me dào lǐ ma
你 知 道 这 句 诗 说 明 了 一 个 什 么 道 理 吗？ _____

_____

配套练习7

春 晓

孟 浩 然

chūn mián bù jué xiǎo
春 眠 不 觉 晓，

chù chù wén tí niǎo
处 处 闻 啼 鸟。

yè lái fēng yǔ shēng
夜 来 风 雨 声，

huā luò zhī duō shǎo
花 落 知 多 少。

【说词解句】

mèng hào rán   xiāng zhōu xiāng yáng   jīn hú běi shěng
1. 孟 浩 然（689—740），襄 州 襄 阳（今湖北省
xiāng yáng rén   táng dài shī rén   tā shàn cháng xiě wǔ yán shī   yǔ wáng wéi
襄 阳）人，唐代诗人。他 擅 长 写 五 言 诗，与 王 维
bìng chēng wéi   wáng mèng   shì shān shuǐ tián yuán shī pài de dài biǎo
并 称 为"王 孟"，是 山 水 田 园 诗 派 的 代 表。

chūn xiǎo   chūn tiān de zǎo chén   xiǎo   zǎo chén
2. 春 晓：春 天 的 早 晨。晓，早 晨。

bù jué xiǎo   bù zhī bù jué de tiān liàng le   xiǎo   tiān liàng
3. 不 觉 晓：不 知 不 觉 地 天 亮 了。晓，天 亮。

wén   tīng
4. 闻：听。

tí niǎo   xiǎo niǎo míng jiào
5. 啼 鸟：小 鸟 鸣 叫。

yè lái   yè lǐ
6. 夜 来：夜 里。

【解读】

zhè shì yì shǒu qiān gǔ chuán sòng de yǒng chūn shī   shū fā le shī rén duì
这是一 首 千 古 传 诵 的 咏 春 诗，抒 发 了 诗 人 对

chūn guāng hé měi hǎo shì wù de rè ài zhī qíng　　zhěng shǒu shī qīng xīn kě ài
春 光 和 美 好 事 物 的 热爱之 情。 整 首 诗 清 新 可 爱。
chūn tiān lái le　 tiān liàng de yuè lái yuè zǎo　 shī rén yí jiào xǐng lái　 fā xiàn tiān
春 天 来 了, 天 亮 得 越 来 越 早, 诗 人 一 觉 醒 来, 发 现 天
yǐ jīng liàng le　 tīng jiàn dào chù yǒu niǎo er zài jī ji jiū jiū de tí jiào　 duō me
已 经 亮 了, 听 见 到 处 有 鸟 儿 在 唧 唧 啾 啾 地 啼 叫, 多 么
měi hǎo de chūn tiān de zǎo chén　 zhè shí shī rén tū rán xiǎng qǐ　 zuó yè yòu shì
美 好 的 春 天 的 早 晨! 这 时 诗 人 突 然 想 起, 昨 夜 又 是
guā fēng yòu shì xià yǔ　 xīn zhōng bù yóu de dān yōu　 nà xiē shèng kāi de xiān huā
刮 风 又 是 下 雨, 心 中 不 由 得 担 忧:那 些 盛 开 的 鲜 花
zěn me yàng le　　 huì bú huì zài fēng chuī yǔ dǎ xià diāo luò　 zuì hòu yí jù bú shì
怎 么 样 了? 会 不 会 在 风 吹 雨 打 下 凋 落? 最 后 一 句 不 是
yí wèn　 ér shì gǎn tàn　 liú lù chū shī rén xī chūn　 shāng chūn de xīn qíng　 shī
疑 问, 而 是 感 叹, 流 露 出 诗 人 惜 春 、 伤 春 的 心 情。 诗
zhōng méi yǒu zhí jiē xiě kàn dào de chūn sè　 ér shì xiě tīng de hé xiǎng de　 gěi rén
中 没 有 直 接 写 看 到 的 春 色,而 是 写 听 的 和 想 的,给 人
liú xià tǐ wèi hé xiǎng xiàng de yú dì　 dú hòu huí wèi wú qióng
留 下 体 味 和 想 象 的 余 地,读 后 回 味 无 穷 。

【词语万花筒】

tiān kōng　 lán tiān　 tiān dì　 tiān cái
天 空 蓝 天 天 地 天 才

zuò jǐng guān tiān　 tiān cháng dì jiǔ
坐 井 观 天 天 长 地 久

比一比，看谁记得多。

【练习】

bǎ xià liè yīn jié bǔ chōng wán zhěng
1 把 下 列 音 节 补 充 完 整 。

____iǎo　　　　____uò
鸟　　　　　落

pīn yì pīn　 xiě yì xiě
2 拼 一 拼, 写 一 写 。

wǎn　　　 lù　　　　 zuò
yè → ( ) 晚　　绿 ( )　　作 ( )

bù　　　　 yì　　 niǎo　 liǔ
zhī → 不 ( )　　一 ( ) 鸟　柳

qù bù shǒu chéng xīn zì　 zài zǔ cí
3 去 部 首 成 新 字,再 组 词 。

眠—— ____ ( )　　　　　 花—— ____ ( )

声母 n 和 l, 你 分 清 楚 了 没 有?

dú yì dú wán chéng liàn xí

4 读一读，完成练习。

chūn mián   bù jué xiǎo chù chù   wén tí niǎo

春 眠//不觉/晓，处处//闻/啼鸟 。

yè lái   fēng yǔ shēng huā luò   zhī duō shǎo

夜来//风雨/声 ，花落//知/多少 。

nǐ jī lěi le nǎ xiē miáo xiě chūn tiān jǐng sè de cí yǔ

你积累了哪些描写春天景色的词语？

　　　yǔ　　　xiāng　　　　　qí fàng　　　　　mián mián

（　）语（　）香 （　）（　）齐放 （　）（　）绵绵

配套练习8

凉 州 词

王 翰

pú táo měi jiǔ yè guāng bēi

葡萄美酒夜光杯，

yù yǐn pí pá mǎ shàng cuī

欲饮琵琶马上催。

zuì wò shā chǎng jūn mò xiào

醉卧沙场君莫笑，

gǔ lái zhēng zhàn jī rén huí

古来征战几人回。

【说词解句】

　wáng hàn　　　　　　　　zì zǐ yǔ bìng zhōu jìn yáng jīn shān xī

1. 王翰（685—?），字子羽，并州晋阳（今山西

shěng tài yuán rén táng dài shī rén　　　tā shàn yú miáo xiě biān sài shēng huó

省太原）人，唐代诗人。他善于描写边塞生活，

zhè shǒu liáng zhōu cí shì tā de dài biǎo zuò

这首《凉州词》是他的代表作。

　　yè guāng bēi bái yù zuò chéng de jiǔ bēi

2. 夜光杯:白玉做成的酒杯。

　　shā chǎng zhàn chǎng

3. 沙场：战场。

【解读】

zhè shì yì shǒu guǎng wéi liú chuán de biān sài shī shī rén yǐ háo fàng de

这是一首广为流传的边塞诗。诗人以豪放的

qíng diào miáo xiě jūn zhōng jiàng shì chū zhēng qián yǐn jiǔ zuò lè de qíng jǐng　biǎo
情 调 描 写 军 中 将 士 出 征 前 饮 酒 作 乐 的 情 景 ，表
xiàn le shù biān jiàng shì bēn fàng bù jī de jī qíng　qián liǎng jù xiě biān jiāng
现 了 戍 边 将 士 奔 放 不 羁 的 激 情 。 前 两 句 写 边 疆
yǒng shì tòng yǐn měi jiǔ　jìn qíng huān lè　jīng měi de yè guāng bēi lǐ zhēn mǎn
勇 士 痛 饮 美 酒 、尽 情 欢 乐 ：精 美 的 夜 光 杯 里 斟 满
le gān chún de měi jiǔ　yǒng shì men zài jī yuè de pí pá shēng de cuī cù xià kāi
了 甘 醇 的 美 酒 ，勇 士 们 在 激 越 的 琵 琶 声 的 催 促 下 开
huái chàng yǐn　hòu liǎng jù shì hān zuì shí de quàn jiǔ cí　jīn zhāo yǒu jiǔ jīn
怀 畅 饮 。 后 两 句 是 酣 醉 时 的 劝 酒 词 ：今 朝 有 酒 今
zhāo zuì　míng rì shā chǎng áo zhàn　shēng yě hǎo　sǐ yě bà　bié qù guǎn tā
朝 醉 ，明 日 沙 场 鏖 战 ，生 也 好 ，死 也 罢 ，别 去 管 它 。
zhè liǎng jù shī chōng fèn biǎo dá le jiàng shì men huò dá　bēi zhuàng de xīn qíng
这 两 句 诗 充 分 表 达 了 将 士 们 豁 达 、悲 壮 的 心 情 。

【词语万花筒】

měi jiǔ　měi lì　měi hǎo　měi miào
美 酒　美 丽　美 好　美 妙

比一比，看谁记得多。

měi bú shèng shōu　měi mèng chéng zhēn
美 不 胜 收　美 梦 成 真

【练习】

dú yì dú　xiǎng yì xiǎng
1 读 一 读 ，想 一 想 。

pú tao　　pí pa
葡 萄　　琵 琶

你发现了吗？

bǐ yì bǐ　tā men de bù shǒu yǒu shén me bù yí yàng　nǐ néng xiě
2 比 一 比 ，它 们 的 部 首 有 什 么 不 一 样 ？你 能 写
chū dài yǒu xià liè bù shǒu de zì ma
出 带 有 下 列 部 首 的 字 吗 ？

催　　　　征

亻：＿＿、＿＿、＿＿、＿＿　彳：＿＿、＿＿、＿＿、＿＿

shǔ yì shǔ　tián yì tián
3 数 一 数 ，填 一 填 。

mǎ gòng yǒu　　bǐ dì èr bǐ shì
马 共 有 ＿＿ 笔 ，第 二 笔 是 ＿＿；

huí gòng yǒu　　bǐ dì sān bǐ shì
回 共 有 ＿＿ 笔 ，第 三 笔 是 ＿＿；

jǐ gòng yǒu　　　 bǐ　 dì èr bǐ shì
几 共 有 ＿＿＿ 笔，第 二 笔 是 ＿＿＿。

dú yì dú　 wán chéng liàn xí
4 读一读，完 成 练 习。

zuì wò　 shā chǎng　　 jūn mò xiào　 gǔ lái　 zhēng zhàn　　 jǐ rén huí
醉卧／沙 场 ／／君 莫 笑，古 来／ 征 战 ／／几 人 回 。

nǐ néng yòng zì jǐ de huà shuō shuo shī jù de yì si ma
你 能 用 自 己 的 话 说 说 诗 句 的 意 思 吗？

配套练习9

出　塞
王昌龄

qín shí míng yuè hàn shí guān
秦 时 明 月 汉 时 关 ，

wàn　 lǐ　 cháng zhēng rén wèi huán
万 里 长 征 人 未 还 。

dàn shǐ lóng chéng fēi jiàng zài
但 使 龙 城 飞 将 在 ，

bú jiào hú mǎ dù yīn shān
不 教 胡 马 度 阴 山 。

【说词解句】

wáng chāng líng　　　　　　　　　　　 zì shào bó　 jīng zhào　 jīn shǎn
1. 王 昌 龄（约698—约757），字 少 伯，京 兆（今 陕
xī shěng xī ān　 rén　 yì shuō tài yuán rén　 táng dài zhù míng shī rén　 tā de
西 省 西 安）人，一 说 太 原 人，唐 代 著 名 诗 人。他 的
biān sài shī qì shì xióng hún　 gé diào gāo áng
边 塞 诗 气 势 雄 浑，格 调 高 昂。

dàn shǐ　 zhǐ yào
2. 但 使：只 要。

lóng chéng fēi jiàng　 zhǐ hàn cháo míng jiàng lǐ guǎng　 tā yīng yǒng shàn
3. 龙 城 飞 将：指 汉 朝 名 将 李 广，他 英 勇 善
zhàn　 jiàn fǎ gāo míng　 lǚ cì chū zhēng xiōng nú　 hào chēng　 fēi jiāng jūn
战 ，箭 法 高 明，屡 次 出 征 匈 奴，号 称“飞 将 军”。

bú jiào　 bú ràng
4. 不 教：不 让。

hú mǎ　dài zhǐ dí rén
5.胡马:代指敌人。

【解读】

　　zhè shì yì shǒu hòu rén tuī chóng bèi zhì de biān sài shī　　qín shí míng yuè
　　这是一首后人推崇备至的边塞诗。"秦时明月
hàn shí guān　wàn lǐ cháng zhēng rén wèi huán　cóng xiě jǐng rù shǒu　gōu lè
汉时关,万里长征人未还。"从写景入手,勾勒
chū lěng yuè zhào biān guān de cāng liáng jǐng xiàng　tóng shí cóng shí jiān de jiǎo
出冷月照边关的苍凉景象,同时从时间的角
dù　tū chū le zhàn zhēng zì qín hàn yǐ lái cóng wèi jiàn duàn　jiē zhe cóng
度,突出了战争自秦汉以来从未间断。接着从
kōng jiān de jiǎo dù　tū chū le jiàng shì men zhù shǒu yáo yuǎn de biān guān　bù
空间的角度,突出了将士们驻守遥远的边关,不
néng fǎn xiāng yǔ qīn rén tuán jù de chóu kǔ　shī jù rú tóng yì fú bēi zhuàng
能返乡与亲人团聚的愁苦。诗句如同一幅悲壮
de lì shǐ huà juàn　jīng liàn de zǒng jié chū zhàn zhēng dài gěi rén mín de kǔ nàn
的历史画卷,精练地总结出战争带给人民的苦难
yǔ bēi fèn　zuì hòu liǎng jù diǎn chū le quán shī de zhǔ zhǐ　jì gē sòng le gǔ
与悲愤。最后两句点出了全诗的主旨,既歌颂了古
dài míng jiàng　yě wěi wǎn de biǎo dá le duì xiàn shí de bù mǎn　gǎn tàn guó wú
代名将,也委婉地表达了对现实的不满,感叹国无
liáng jiàng　zhì shǐ biān huàn bù jué　zhè zhèng shì guǎng dà rén mín de xīn
良将,致使边患不绝。这正是广大人民的心
shēng　zài zhè lǐ shī rén fǎn duì zhàn zhēng　kě wàng hé píng de sī xiǎng hé
声。在这里诗人反对战争、渴望和平的思想和
duì rén mín de tóng qíng dōu biǎo xiàn le chū lái
对人民的同情都表现了出来。

【词语万花筒】

shí jiān	shí kōng	shí dài	shí jī
时间	时空	时代	时机
píng shí	shí guāng	shí zhuāng	xiǎo shí
平时	时光	时装	小时

比一比,看谁记得多。

【练习】

bǎ xià liè yīn jié bǔ chōng wán zhěng
1 把下列音节补充完整。

___ín　　___àn　　___ú　　___ù
　秦　　　但　　　不　　　度

声母 b、p、d、q 都是一竖加半个圆组成的,你分清楚了没有?

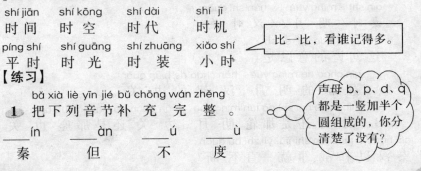

yòu xià bàn yuán
右 下 半 圆 bbb，

yòu shàng bàn yuán
右 上 半 圆 ppp，

zuǒ xià bàn yuán
左 下 半 圆 ddd，

zuǒ shàng bàn yuán
左 上 半 圆 qqq。

nǐ néng zhǎo dào duǒ cáng zài xià miàn tú xíng zhōng de
2 你 能 找 到 躲 藏 在 下 面 图 形 中 的 b、p、d、q

ma
吗 ？

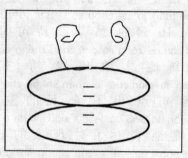

xiě chū xià liè gè zì de bù shǒu
3 写 出 下 列 各 字 的 部 首。

教（　　　　）　　　时（　　　　）　　　还（　　　　）

城（　　　　）　　　将（　　　　）　　　胡（　　　　）

dú yì dú wán chéng liàn xí
4 读 一 读，完 成 练 习。

qín shí míng yuè hàn shí guān
秦 时／明 月／／汉 时 关。

zhè jù shī de yì si shì
这 句 诗 的 意 思 是（　　　　）。

qín cháo de míng yuè hàn cháo de biān guān
A．秦 朝 的 明 月，汉 朝 的 边 关。

míng yuè hái shì nà lún míng yuè biān guān hái shì nà zuò biān guān zì
B．明 月 还 是 那 轮 明 月，边 关 还 是 那 座 边 关，自

qín hàn yǐ lái zhàn shì jiù yì zhí bú duàn
秦 汉 以 来 战 事 就 一 直 不 断。

第二单元 阅读名著

1

《安徒生童话》

导读

一、作家介绍

汉斯·克里斯汀·安徒生(1805—1875),丹麦人,出生于一个贫穷的鞋匠家庭,是世界著名的童话家、诗人、小说家、戏剧家、剪纸艺术家和著名的旅行家。他的童话故事神奇优美,赢得了全世界儿童和成人的喜爱,对世界儿童文学产生了极其深远的影响。1954年国际儿童读物联盟以"国际安徒生奖"命名"世界儿童文学大奖",1967年国际儿童图书评议会确定以安徒生的诞辰"4月2日"作为国际儿童图书日。

二、作品介绍

安徒生的童话不单是写给少年儿童读的,也是写给成年人读的。作品里面有许多东西,甚至在我们老年时也值得回味,值得我们多想想。这就是安徒生的童话独具的魅力和价值。他的童话不同于一般民间故事的转述,更多的是根据现实生活而作,表现出他对社会现象的深刻观察和分析,对社会阴暗面的揭露和批判,同时也有不少的篇章表现出他对人们的高尚品质的歌颂。作品充满了浓厚的浪漫主义气息和美丽的幻想,读起来像诗。此外,虽然他的童话创作不是民间故事的转述,但语言和风格却洋溢着民间的风趣,因而也使人感到非常亲切。

他的作品鲜明地表现出他的爱和憎:对于统治阶级的昏庸、腐朽和残酷、虚伪,他的揭露和讽刺是无情的。他希望人间出现一个幸福美满的世界,在这个世界里人们都具有高尚的品质和理想,都具有勇敢和舍己为人的献身精神。他在这方面创造出了不少令人难忘的形象:如"海的女儿"、《野天鹅》中的"艾丽莎"、"拇指姑娘"……这些崇高的理想赋予他的童话作品一种非凡的力量,那是一种生命壮大的力量,那是一种人类精神文明进步的力量。

三、要点提示

安徒生运用孩子的语言进行童话创作,充分体现了孩子似的思维方式,传达了孩子的惊奇和幻想。同时,安徒生也把大量的现实生活和人类普遍的情怀引入童话世界,因此,他那充满幻想的童话故事,不但使年幼的我们惊奇和迷恋,也使长大后的我们深思和感动。

《丑小鸭》给了多少身处困境的人以希望和成长的力量:遇到挫折不退缩,遇到困难不放弃,磨难使人坚强,使人脱胎换骨。

《拇指姑娘》:什么样的人是美丽善良的,什么样的人生是快乐幸福的,在拇指姑娘的经历中,你一定能找到答案。

《艾丽莎》身上集聚着人类情感的一种极致:善良之至,坚定之至。

《豌豆上的公主》出奇的夸张里展现的是出奇的想象力和幽默。

光着身子游大街的"皇帝"初看是愚蠢的代名词,让观者不禁喷饭。可是随着年岁的增长,你会惊讶地发现,自己也许身不由己地做了那个错误却又拼命维持自己权威的愚蠢皇帝或是那个人云亦云早已失去真我的可怜大臣,你才发现生活中那样天真又勇敢的孩子少之又少。

小人鱼为了追求人的灵魂,为了追求自己的爱情,可以抛却海底公主的身份、最美的声音、舒适的生活,宁愿忍受在尖刀上行走的痛苦。更可贵的是,当一切愿望就要化为泡影,王子就要与邻国的公主结婚的时候,小人鱼再次做出选择:即使自己毁灭,也要让心爱的人幸福。这样的爱情观、价值观是多么的高尚!读着这样的童话长大,心灵一定是善良的、纯洁的、勇敢的。

卖火柴的小女孩冻死时嘴角的微笑让每一个读完童话的人难忘,她是多么可怜,她又是多么可爱!寒冷、饥饿、孤独始终没能夺去她对美好事物的向往。有梦想就会有快乐,哪怕是死去……

安徒生的童话简洁明了,而又意味深长。其实,把安徒生童话和你的人生或者你的世界联系起来,你会有更多的惊奇与深思。

丑小鸭（节选）

"我要飞向他们，飞向这些高贵的鸟儿！可是他们会把我弄死的，因为我是这样丑，居然敢接近他们。不过这没有什么关系！被他们杀死，要比被鸭子咬、被鸡群啄、被看管养鸡场的那个女佣踢和在冬天受苦好得多！"于是他飞到水里，向这些美丽的天鹅游去；这些动物看到他，马上竖起羽毛向他游来。"请你们弄死我吧！"这只可怜的动物说。他把头低低地垂到水上，只等待着死。但是他在这清澈的水上看到了什么呢？他看到自己的倒影。但那不再是一只粗笨的、深灰色的、又丑又令人讨厌的鸭子，而是——一只天鹅！

只要你曾经在一只天鹅蛋里待过，就算你生在养鸭场里也没有什么关系。

对于他过去所受的不幸和苦恼，他现在感到

非常高兴。他现在清楚地认识到幸福和美好正在向他招手。许多大天鹅在他周围游泳，用嘴来亲他。

花园里来了几个小孩子。他们向水上抛来许多面包片和麦粒。最小的那个孩子喊道："你们看那只新天鹅！"别的孩子也兴高采烈地叫起来："是的，又来了一只新的天鹅！"于是他们拍着手，跳起舞来，向他们的爸爸和妈妈跑去。他们抛了更多的面包和糕饼到水里，同时大家都说：这新来的一只最美！那么年轻，那么好看！那些老天鹅不禁在他面前低下头来。

他感到非常难为情。他把头藏到翅膀里面去，不知道怎么办才好。他感到太幸福了，但他一点也不骄傲，因为一颗好的心是永远不会骄傲的。他想起他曾经怎样被人迫害和讥笑过，而他现在却听到大家说他是美丽的鸟中最美丽的一只鸟儿。紫丁香在他面前把枝条垂到水里

qù   tài yáng zhào de hěn wēn nuǎn   hěn yú kuài   tā shān dòng chì bǎng
去，太阳照得很温暖，很愉快。他扇动翅膀，

shēn zhí xì cháng de jǐng xiàng   cóng nèi xīn lǐ fā chū yí gè kuài lè de
伸直细长的颈项，从内心里发出一个快乐的

shēng yīn
声音：

dāng wǒ hái shì yì zhī chǒu xiǎo yā de shí hou   wǒ zuò mèng yě méi
"当我还是一只丑小鸭的时候，我做梦也没

yǒu xiǎng dào huì yǒu zhè me duō de xìng fú
有想到会有这么多的幸福！"

【练习】

dú yì dú   jì yí jì
1 读一读，记一记。

měi   chǒu   jiāo ào   qiān xū
美——丑   骄傲——谦虚

xìng fú   bēi cǎn   gāo guì   bēi jiàn
幸福——悲惨   高贵——卑贱

bǐ yì bǐ   zài zǔ cí
2 比一比，再组词。

高（　　） 关（　　） 受（　　） 令（　　）
亮（　　） 并（　　） 爱（　　） 今（　　）

chǒu xiǎo yā zuì zhōng biàn chéng le yì zhī   qí tā
3 丑小鸭最终变成了一只（　　　　　），其他

tiān é   hái zi men   dà jiā dōu shuō
天鹅（　　　　　），孩子们（　　　　　），大家都说

（　　　　　）。

dāng chǒu xiǎo yā biàn wéi yì zhī měi lì de tiān é hòu   shǐ zhōng méi
4 当丑小鸭变为一只美丽的天鹅后，始终没

yǒu wàng jì chéng zhǎng guò chéng zhōng jīng lì guò de nà xiē kǔ nàn   suǒ yǐ
有忘记成长过程中经历过的那些苦难。所以

tā gǎn dào tài xìng fú le   dàn tā   yǒu de
他感到太幸福了，但他（　　　　　　）。有的

shí hou kǔ nàn yě shì yì bǐ bǎo guì de cái fù
时候苦难也是一笔宝贵的财富。

nǐ xiǎng zhī dào chǒu xiǎo yā jīng lì guò shén me yàng de kǔ nàn ma
5 你想知道丑小鸭经历过什么样的苦难吗？

tā yòu shì rú hé jiān qiáng de huó xià lái de ne　 kuài qù dú yì dú　 chǒu xiǎo
他 又 是 如 何 坚 强 地 活 下 来 的 呢？ 快 去 读 一 读《 丑 小
yā　de gù shi ba　 gǎn shòu tā de kǔ nàn　 gǎn shòu tā de jiān qiáng　 nǐ huì
鸭》的 故 事 吧！ 感 受 他 的 苦 难， 感 受 他 的 坚 强，你 会
fā xiàn fèn dòu guò de shēng huó kě yǐ rú cǐ měi hǎo
发 现 奋 斗 过 的 生 活 可 以 如 此 美 好！

【答案】1.略 2.高兴 关门 接受 下令 明亮 并排 爱心
今天 3.美丽的天鹅 用嘴来亲他(喜欢他,欢迎他) 都喜欢他 这
新来的一只最美! 那么年轻,那么好看!　 4.一点也不骄傲

　　　　　　　　 tí　 shì yì zǔ fǎn yì cí　 yāo qiú tóng xué men dú yì dú　 jì
【题析】题1是一组反义词,要求同学们读一读,记
yí jì　 xī wàng tóng xué men zài yuè dú zhōng xué huì jī lěi　 ér bú shì jiǎn dān
一记。希望同学们在阅读中学会积累,而不是简单
de dú yì dú jīng cǎi de gù shi qíng jié　 tí　 shì yì zǔ xíng jìn zì de bǐ jiào
地读一读精彩的故事情节。题2是一组形近字的比较。
tóng xué men zài shí zì de shí hou　 yào zhù yì kàn qīng chu zì de měi yì bǐ　 bǐ
同学们在识字的时候,要注意看清楚字的每一笔,比
rú héng de duō shǎo　 cháng duǎn　 shù de wèi zhì　 cháng duǎn　 yǒu wú diǎn
如横的多少、长短,竖的位置、长短,有无点、
diǎn de wèi zhì　 rú guǒ xué xí de guò chéng zhōng jué de sì hū yǔ mǒu gè zì
点的位置。如果学习的过程中觉得似乎与某个字
hěn xiāng xiàng　 nà me jiù bǎ tā men zǐ xì de bǐ yì bǐ　 bǐ yì bǐ tā men de
很相像,那么就把它们仔细地比一比,比一比它们的
dú yīn　 yì si　 yòng fǎ　 zài xiǎng yì xiǎng zì jǐ yòng shén me hǎo bàn fǎ kě
读音、意思、用法,再想一想自己用什么好办法可
yǐ kuài sù de biàn rèn tā men　 tí　 tí　 dōu shì kǎo chá tóng xué men shì
以快速地辨认它们。题3、题4都是考查同学们是
bú shì dú dǒng le gù shi　 jiě dá zhè yàng de tí mù shí　 yào chōng fèn de yuè dú
不是读懂了故事,解答这样的题目时,要充分地阅读
gù shi　 zhǎo dào xiāng guān de nèi róng　 cái néng dá duì　 dá wán zhěng　 tí
故事,找到相关的内容,才能答对,答完整。题5
shì yǐn dǎo tóng xué men qù dú yuán zhù　 rèn hé gǎi biān　 jié xuǎn de gù shi dōu
是引导同学们去读原著,任何改编、节选的故事都
bù néng wán hǎo　 zhǔn què de biǎo dá chū zuò zhě suǒ yào biǎo dá de yì si　 zhǐ
不能完好、准确地表达出作者所要表达的意思,只
yǒu yuán zhù de yuè dú cái shì yuán zhī yuán wèi de
有原著的阅读才是原汁原味的。

配套练习1

海的女儿（节选）

现在她来到了森林中一块黏糊糊的空地。这儿又大又肥的水蛇在翻动着，露出它们淡黄色的、奇丑的肚皮。在这块地中央有一幢用死人的白骨砌成的房子。海的巫婆就正坐在这儿，用她的嘴喂一只癞蛤蟆，正如我们人用糖喂一只小金丝雀一样。她把那只奇丑的、肥胖的水蛇叫做她的小鸡，同时让它们在她肥大的、松软的胸口上爬来爬去。

"我知道你是来求什么的，"海的巫婆说，"你是一个傻东西！不过，我美丽的公主，我还是会让你达到你的目的的，因为这件事将会给你一个悲惨的结局。你想要去掉你的鱼尾，生出两根支柱，好叫你像人类一样能够行走。你想叫那个王子爱上你，使你得到他，因而也得到一个不灭的灵魂。"这时巫婆便可憎地大笑了一通，癞蛤蟆和水蛇都滚到地上来，在周围爬来爬去。"你来得正是时候，"巫婆说，"明天太阳出来以后，我就没有办法帮助你了，只有等待一年再说。我可以煎一服药给你喝。你带着这服药，在太阳出来以前，赶快游向陆地。你就坐在海滩上，把这服药吃掉，于是你的尾巴就可以分做两半，收缩成为人类所谓的漂亮的腿了。可是这是很痛的——这就好像有一把尖刀砍进你的身体。凡是看到你的人，一定会说你是他们所见到的最美丽的孩子！你将仍旧会保持你像游泳似的步子，任何舞蹈家也不会跳得像你那样轻柔。不过你的每一个步子将会使你觉得好像是在尖刀上行走，好像你的血在向外流。如果你能忍受得了这些苦痛的话，我就可以帮助你。"

"我可以忍受。"小人鱼用颤抖的声音说。这时她想起了那个王子和她要获得一个不

miè líng hún de zhìyuàn
灭灵魂的志愿。

kě shì yào jì zhù   wū pó shuō   nǐ yí dàn huò dé le yí gè
"可是要记住,"巫婆说,"你一旦获得了一个

rén de xíng tǐ   nǐ jiù zài yě bù néng biàn chéng rén yú le   nǐ jiù zài yě
人的形体,你就再也不能变成人鱼了;你就再也

bù néng zǒu xià shuǐ lái   huí dào nǐ jiě jie huò nǐ bà ba de gōng diàn lǐ
不能走下水来,回到你姐姐或你爸爸的宫殿里

lái le   tóng shí jiǎ rú nǐ dé bú dào nà gè wáng zǐ de ài qíng   jiǎ rú
来了。同时假如你得不到那个王子的爱情,假如

nǐ bù néng shǐ tā wèi nǐ ér wàng jì zì jǐ de fù mǔ   quán xīn quán yì
你不能使他为你而忘记自己的父母、全心全意

de ài nǐ   jiào mù shī lái bǎ nǐ men de shǒu fàng zài yì qǐ jié chéng fū
地爱你、叫牧师来把你们的手放在一起结成夫

fù de huà   nǐ jiù bú huì dé dào yí gè bú miè de líng hún le   zài tā
妇的话,你就不会得到一个不灭的灵魂了。在他

gēn bié rén jié hūn de tóu yì tiān zǎo chén   nǐ de xīn jiù huì liè suì   nǐ
跟别人结婚的头一天早晨,你的心就会裂碎,你

jiù huì biàn chéng shuǐ shàng de pào mò
就会变成水上的泡沫。"

wǒ bú pà   xiǎo rén yú shuō   dàn tā de liǎn xiàng sǐ yí yàng
"我不怕!"小人鱼说。但她的脸像死一样

cǎn bái
惨白。

dàn shì nǐ hái děi gěi wǒ chóu láo   wū pó shuō   ér qiě wǒ suǒ
"但是你还得给我酬劳!"巫婆说,"而且我所

yào de yě bìng bú shì yí jiàn wēi xiǎo de dōng xi   zài hǎi dǐ de rén men
要的也并不是一件微小的东西。在海底的人们

zhōng   nǐ de shēng yīn yào suàn shì zuì měi lì de le   wú yí de   nǐ
中,你的声音要算是最美丽的了。无疑地,你

xiǎng yòng zhè shēng yīn qù mí zhù tā   kě shì zhè gè shēng yīn nǐ děi jiāo
想用这声音去迷住他;可是这个声音你得交

gěi wǒ   wǒ bì xū dé dào nǐ zuì hǎo de dōng xi   zuò wéi wǒ de guì
给我。我必须得到你最好的东西,作为我的贵

zhòng yào wù de jiāo huàn pǐn　　wǒ děi bǎ wǒ zì jǐ de xiě fàng jìn zhè yào
重 药物的交换品！我得把我自己的血放进这药

lǐ　hǎo shǐ tā jiān ruì de xiàng yì bǐng liǎng miàn dōu kuài de dāo zi
里，好使它尖锐得像一柄两面都快的刀子！"

　　bú guò　rú guǒ nǐ bǎ wǒ de shēng yīn ná qù le　xiǎo rén yú
"不过，如果你把我的声音拿去了，"小人鱼

shuō　　nà me wǒ hái yǒu shén me dōng xi shèng xià ne
说，"那么我还有什么东西剩下呢？"

　　nǐ hái yǒu měi lì de shēn cái ya　wū pó huí dá shuō　nǐ hái
"你还有美丽的身材呀，"巫婆回答说，"你还

yǒu qīng yíng de bù zi hé fù yú biǎo qíng de yǎn jing ya　yǒu le zhè xiē
有轻盈的步子和富于表情的眼睛呀。有了这些

dōng xi　nǐ jiù néng hěn róng yì mí zhù yí gè nán zǐ de xīn le　　ńg
东西，你就能很容易迷住一个男子的心了。嗯，

nǐ yǐ jīng shī diào le yǒng qì ma　shēn chū nǐ xiǎo xiǎo de shé tou ba
你已经失掉了勇气吗？伸出你小小的舌头吧，

wǒ kě yǐ bǎ tā gē xià lái zuò wéi bào chou　nǐ yě kě yǐ dé dào zhè fù
我可以把它割下来作为报酬，你也可以得到这服

qiáng liè de yào jì le
强烈的药剂了。"

　　jiù zhè yàng bàn ba　xiǎo rén yú shuō　yú shì wū pó jiù bǎ yào
"就这样办吧。"小人鱼说。于是巫婆就把药

guàn zhǔn bèi hǎo　lái jiān zhè fù fù yǒu mó lì de yào le
罐准备好，来煎这服富有魔力的药了。

【练习】

pīn yì pīn　xiě yì xiě
1 拼一拼，写一写。

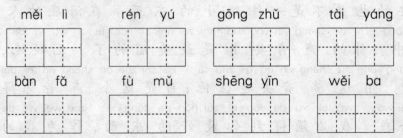

měi lì	rén yú	gōng zhǔ	tài yáng

bàn fǎ	fù mǔ	shēng yīn	wěi ba

dú yì dú   zài wén zhōng zhǎo yì zhǎo

2 读一读，在文中找一找。

bā yuè shí wǔ　　dǎ yí zì

八月十五。（打一字）　　　　　　　　　（　　　　）

yì tóu dà lái yì tóu xiǎo　　dǎ yí zì

一头大来一头小。（打一字）　　　　　（　　　　）

gěi xià liè jù zi jiā shàng hé shì de biāo diǎn

3 给下列句子加上合适的标点。

wǒ bú pà

A．我不怕

nǐ yǐ jīng shī diào le yǒng qì ma

B．你已经失掉了勇气吗

rú guǒ nǐ néng rěn shòu dé liǎo zhè xiē kǔ tòng de huà　　wǒ jiù kě yǐ

C．如果你能忍受得了这些苦痛的话　　我就可以

bāng zhù nǐ

帮助你

wèi le néng xiàng rén lèi yí yàng xíng zǒu　　xiǎo rén yú bú pà

4 为了能像人类一样行走，小人鱼不怕（

bú pà　　　　　　　　　　bú pà

），不怕（　　　　　　），不怕（　　　　　　）。

dú le shàng miàn de piàn duàn　　nǐ gǎn shòu dào le xiǎo rén yú de

5 读了上面的片段，你感受到了小人鱼的（　　）。

shàn liáng　　　　　　　　měi lì

A．善良　　　　　　　　B．美丽

qín láo　　　　　　　　　yǒng gǎn

C．勤劳　　　　　　　　D．勇敢

xiǎo rén yú zuì zhōng yǒu méi yǒu huò dé wáng zǐ de ài　　yǒu méi yǒu

6 小人鱼最终有没有获得王子的爱，有没有

huò dé rén de bú miè de líng hún ne　　hǎi de nǚ ér　　huì gěi nǐ dá àn

获得人的不灭的灵魂呢？《海的女儿》会给你答案。

配套练习2

拇指姑娘（节选）

yàn zi zài zhè er zhù le zhěng zhěng yí gè dōng tiān　　mǔ zhǐ gū

燕子在这儿住了整整一个冬天。拇指姑

niang dài tā hěn hǎo　　fēi cháng xǐ huan tā　　yǎn shǔ hé tián shǔ yì diǎn

娘待他很好，非常喜欢他。鼹鼠和田鼠一点

er yě bù zhī dào zhè shì   yīn wèi tā men bù xǐ huan zhè zhī kě lián de
儿也不知道这事，因为他们不喜欢这只可怜的、

gū dú de yàn zi
孤独的燕子。

dāng chūn tiān yí dào lái   tài yáng bǎ dà dì zhào de hěn wēn nuǎn
当春天一到来、太阳把大地照得很温暖

de shí hou   yàn zi jiù xiàng mǔ zhǐ gū niang gào bié le   tā bǎ yǎn shǔ
的时候，燕子就向拇指姑娘告别了。他把鼹鼠

zài dǐng shàng wā de nà gè dòng dǎ kāi   tài yáng fēi cháng měi lì de
在顶上挖的那个洞打开。太阳非常美丽地

zhào zhe tā men   yú shì yàn zi jiù wèn mǔ zhǐ gū niang yuàn yì bú yuàn
照着他们。于是燕子就问拇指姑娘愿意不愿

yì gēn tā yì qǐ lí kāi   tā kě yǐ qí zài tā de bèi shàng   zhè yàng tā
意跟他一起离开：她可以骑在他的背上，这样他

men jiù kě yǐ yuǎn yuǎn de fēi zǒu   fēi xiàng lǜ sè de shù lín lǐ qù
们就可以远远地飞走，飞向绿色的树林里去。

bú guò mǔ zhǐ gū niang zhī dào   rú guǒ tā zhè yàng lí kāi de huà   tián
不过拇指姑娘知道，如果她这样离开的话，田

shǔ jiù huì gǎn dào tòng kǔ de
鼠就会感到痛苦的。

bù chéng   wǒ bù néng lí kāi   mǔ zhǐ gū niang shuō
"不成，我不能离开！"拇指姑娘说。

nà me zài huì ba   zài huì ba   nǐ zhè shàn liáng de   kě ài de gū
"那么再会吧，再会吧，你这善良的、可爱的姑

niang   yàn zi shuō   yú shì tā jiù xiàng tài yáng fēi qù   mǔ zhǐ gū
娘！"燕子说。于是他就向太阳飞去。拇指姑

niang zài hòu miàn wàng zhe tā   tā de liǎng yǎn lǐ shǎn zhe lèi zhū   yīn
娘在后面望着他，她的两眼里闪着泪珠，因

wèi tā shì nà me xǐ huan zhè zhī kě lián de yàn zi
为她是那么喜欢这只可怜的燕子。

dī lì   dī lì   yàn zi chàng zhe gē   xiàng yí piàn lǜ sè de
"滴丽！滴丽！"燕子唱着歌，向一片绿色的

sēn lín fēi qù
森林飞去。

mǔ zhǐ gū niang gǎn dào fēi cháng nán guò　　tā dé bú dào xǔ kě zǒu
拇指姑娘感到非常难过。她得不到许可走
xiàng wēn nuǎn de yáng guāng zhōng qù　　zài tián shǔ wū dǐng shàng de tián
向温暖的阳光中去。在田鼠屋顶上的田
yě lǐ　mài zi yǐ jīng zhǎng de hěn gāo le　duì yú zhè gè kě lián de
野里，麦子已经长得很高了。对于这个可怜的
xiǎo nǚ hái lái shuō　zhè mài zi jiǎn zhí shì yí piàn nóng mì de sēn lín　yīn
小女孩来说，这麦子简直是一片浓密的森林，因
wèi tā jiū jìng bú guò zhǐ yǒu yí cùn lái gāo ya
为她究竟不过只有一寸来高呀。

【练习】
tián shàng hé shì de cí yǔ
1 填上合适的词语。
（　　　　）的燕子　　　　（　　　　）的大地
（　　　　）的姑娘　　　　（　　　　）的森林

bǎ jù zi xiě jù tǐ
2 把句子写具体。
mǔ zhǐ gū niang　　　　　　xǐ huan zhè zhī　　　　yàn zi
（1）拇指姑娘（　　　）喜欢这只（　　　）燕子。
mǔ zhǐ gū niang　　　　　kě wàng zǒu xiàng　　　　yáng
（2）拇指姑娘（　　　）渴望走向（　　　）阳
guāng zhōng qù
光中去。

mǔ zhǐ gū niang fēi cháng kě wàng zǒu xiàng yáng guāng zhōng qù　fēi cháng
3 拇指姑娘非常渴望走向阳光中去，非常
shě bu de yǔ yàn zi fēn lí　nà me tā wèi shén me bù hé yàn zi yì qǐ lí kāi ne
舍不得与燕子分离，那么她为什么不和燕子一起离开呢？

qǐng nǐ huà chū wén zhōng de yí jù huà lái píng jià mǔ zhǐ gū niang
4 请你画出文中的一句话来评价拇指姑娘。
mǔ zhǐ gū niang hòu lái yǒu méi yǒu zài jiàn dào nà zhī kě ài de yàn zi
5 拇指姑娘后来有没有再见到那只可爱的燕子
ne　tā yǒu méi yǒu zǒu xiàng wēn nuǎn de yáng guāng zhōng qù ne　kuài qù
呢？她有没有走向温暖的阳光中去呢？快去
dú yì dú　mǔ zhǐ gū niang　ba
读一读《拇指姑娘》吧！

2 《伊索寓言》

导读 ·

一、作家介绍

伊索,古希腊寓言作家。据古希腊著名历史学家希罗多德考证,伊索应是公元前6世纪小亚细亚的弗律基亚人,奴隶,最后在希腊的阿波罗圣地德尔斐遇害身亡。有其他材料称,伊索天资聪颖,解除奴籍后,曾游历希腊各地,给人们讲说寓言,很受欢迎。他的有些寓言讽刺神灵,得罪了德尔斐祭司,遭祭司报复。祭司利用他去德尔斐之机,诬陷他偷窃圣物,亵渎神灵,被罚推下山崖而死。

二、作品介绍

《伊索寓言》是古希腊文学中的一块瑰宝,传世的《伊索寓言》是后人汇集的,其中的寓言大部分可能为伊索本人所作或那个时期的人们所作,但此前此后出现的一些寓言也被汇集其中,记在令人推崇的伊索名下,从而使寓言集成为古代希腊寓言创作的一种总汇集。

《伊索寓言》的叙事技巧历来受人称道。基本特点是扼要、紧凑,重在交代动作和行为,提供教训的前提和背景,不做繁缛的描写和冗赘的叙述。语言简洁、朴实、自然。《伊索寓言》曾经对其后的欧洲寓言创作产生过不小的影响。

三、要点提示

《伊索寓言》大部分是动物寓言。作者对各种动物的行为观察得非常仔细,熟悉它们的心理和习性,从而得以形象地赋予动物像人一样的思维和语言能力,对它们进行拟人化的言行描写,在我们面前展示出一个非常丰富多彩的、如人类般互相交往的动物世界。需要强调说明的是在《伊索寓言》里,虽然各种动物表现出一定的性格特征,但并不完全定型,有时甚至表现出相反的性格特征,因此阅读《伊索寓言》时,不能以其在其他作家笔下基本定型了的性格特征先入为主,去看待《伊索寓言》中的动物形象,而应根据具体的故事情节去体会、理解。比如《伊索寓言》中狐狸这一动物形象，就不能简单地用好与坏、老实与狡猾来界定。

《伊索寓言》中每则故事后面都附有"教训"，这些"教训"显然是后人添加的，其中有的比较切题，有的并不切题，甚至牵强附会，阅读时不必受这些"教训"的束缚。这样更可以体会出语言所蕴含的智慧的丰富性。

范例阅读 FANLIYUEDU

渔夫和鳁鱼

yú fū xià wǎng   dǎ shàng lái yì wěi wēn yú   wēn yú qǐng qiú yú fū
渔夫下网，打上来一尾鳁鱼，鳁鱼请求渔夫
zàn qiě fàng diào tā   shuō zì jǐ hái xiǎo   děng rì hòu zhǎng dà le   zhuō zhù
暂且放掉他，说自己还小，等日后长大了，捉住
tā gèng yǒu lì   yú fū shuō dào   wǒ fàng qì shǒu zhōng xiàn yǒu de lì
他更有利。渔夫说道："我放弃手中现有的利
yì   ér qù zhuī qiú miǎo máng de xī wàng   jiù chéng le dà shǎ guā le
益，而去追求渺茫的希望，就成了大傻瓜了。"
zhè gù shi shì shuō   xiàn shí de lì yì suī xiǎo   zǒng bǐ xiǎng wàng
这故事是说，现实的利益虽小，总比想望
zhōng de dà lì yì gèng kě qǔ
中的大利益更可取。

【练习】

dú yì dú   nǐ néng kuài sù de qū bié xià miàn de liǎng gè zì ma
❶ 读一读，你能快速地区别下面的两个字吗？
yú   shì shēng huó zài shuǐ zhōng de jǐ zhuī dòng wù   yì bān shēn tǐ cè
鱼：是生活在水中的脊椎动物，一般身体侧
biǎn   yǒu lín hé qí   yòng sāi hū xī
扁，有鳞和鳍，用鳃呼吸。
yú   shì yì zhǒng dòng zuò   zhuān mén bǔ zhuō shuǐ zhōng de yú
渔：是一种动作，专门捕捉水中的鱼。

shì yí shì   xuǎn cí tián kòng
❷ 试一试，选词填空。

鱼　　　渔

（　）夫　打（　）　（　）船　（　）民

小（　） 热带（　） （　）苗 （　）火

lián cí chéng jù　bìng jiā shàng qià dàng de biāo diǎn fú hào
3 连词成句，并加上恰当的标点符号。
yú fū　yì wěi　dǎ shàng lái　wēn yú　xià wǎng
渔夫 一尾 打上来 鳁鱼 下网

_____

wēn yú qǐng qiú yú fū zàn qiě fàng diào tā　lǐ yóu shì
4 鳁鱼请求渔夫暂且放掉他，理由是 _____
yú fū bù
_____。渔夫不
kěn fàng diào wēn yú　lǐ yóu shì
肯放掉鳁鱼，理由是 _____
_____。

nǐ rèn wéi yú fū de zuò fǎ rú hé
5 你认为渔夫的做法如何？

_____

_____

【答案】 1.略 2.渔夫 打鱼 渔船 渔民 小鱼 热带鱼 鱼苗 渔火 3.渔夫下网，打上来一尾鳁鱼。 4.自己还小，等日后长大了，捉住他更有利 不肯放弃手中现有的利益。 5.认为渔夫做得对：及时把握手中现有的利益才是实的；认为渔夫做得不对：眼前的利益固然重要，但长远的利益也不能不考虑。如果把小鱼也捕完了，鱼儿就会绝迹，渔夫也就失去了生活的依靠。

tóng xué men zài xué xí hàn zì de shí hou　zuì chū yù dào de kùn
【题析】 同学们在学习汉字的时候，最初遇到的困
nan jiù shì xíng jìn zì　tóng yīn zì de qū bié hé shǐ yòng　tóng xué men zài shí
难就是形近字、同音字的区别和使用。 同学们在识
jì de shí hou yào jìn liàng zuò dào yīn xíng yì sān jié hé　yǒu yì shí jì zhè xiē hàn
记的时候要尽量做到音形义三结合，有意识记这些汉
zì　jiù néng jiǎn shǎo cuò bié zì tí　tí de chū tí yì tú jiù zài yú yǐn
字，就能减少错别字。题1、题2的出题意图就在于引
dǎo tóng xué men qū bié tóng yīn zì　yú hé yú　zhè shì yì zǔ hěn róng yì
导同学们区别同音字"鱼"和"渔"，这是一组很容易

混淆的字，同学们一方面可以从字本身的意思对它们加以区别，另一方面也可以自己发挥想象力，创造有个性的方法巧记这两个字。比如把渔左边的"氵"看做是一张撒向水面的网，撒网当然就是在捕鱼了。题3是检查同学们连词成句的能力，并学会使用基本的标点符号。在连词成句的时候，同学们可以第一个找谁或什么，再找干什么或怎么样，这样一个最简单的句子就搭起来了。然后看剩下的词语，如果是表示时间的词语，一般可以放在句子的开头，并用逗号隔开；如果是表示地点的词语一般放在谁或什么的后面。最后再看还有哪些词语，可以分别修饰什么，如（   ）的（谁或什么）、（   ）地（干什么）等。题3中渔夫应该排在句子前面，他连续做了两个动作，先下网，再打上来鳐鱼，多少鳐鱼呢？一尾鳐鱼。题4是检查同学们有没有读懂寓言故事。题5则是一个主观开放题，同学们可以有各自不同的看法和思考，不必人云亦云。

配套练习1

鹿和狮子

鹿口渴得难受，来到一处泉水边。他喝水时，望着自己在水里的影子，看见自己的角长而优美，扬扬得意，但看见自己的腿似乎细而无力，又闷闷不乐。鹿正自思量，出来一头狮子追他。他转身逃跑，把狮子落下好远，因为鹿的力量在腿上，而狮子的力量在心里。这样，在空旷的平原上，鹿一直跑在前头，保住了性命；到了丛林地带，他的角被树枝绊住，再也跑不动了，就被狮子捉住了。鹿临死时对自己说道："我真倒霉，我原以为会败坏我的，却救了我；我十分信赖的，却使我丧命。"

同样，在危难时，曾被怀疑的朋友往往成为救星，而十分信赖的朋友却往往成为叛逆者。

【练习】

dú yì dú　nǐ néng hěn kuài de biàn rèn xià miàn de liǎng gè zì ma
1 读一读，你能很快地辨认下面的两个字吗？

渴：想水（氵）就是"渴"。

喝：张嘴（口）就是"喝"。

shì yí shì　xuǎn zì tián kòng
2 试一试，选字填空。

渴　　　　　喝

chá
口（　　）　（　　）水　（　　）望　（　　）茶

望梅止（　　）　大吃大（　　）

zhào yàng zi　xiě cí yǔ
3 照样子，写词语。

例：扬扬得意

_____　_____　_____

lián cí chéng jù　bìng jiā shàng hé shì de biāo diǎn
4 连词成句，并加上合适的标点。

凶猛　美丽　的　的　吃掉　鹿　狮子　想

_____

鹿　跑　可怜　地　的　拼命

_____

lù xǐ huan zì jǐ de　　　　　　　　　que
5 鹿喜欢自己的（　　　　　），却（

lù bù xǐ huan zì jǐ de
　　　　　　　）；鹿不喜欢自己的（　　　　），

kě shì
可是（　　　　　　　　　　　　　　　）。

nǐ míng bai le shén me dào lǐ ne　qǐng nǐ yòng　　　　huà chū
6 你明白了什么道理呢？请你用"＿＿"画出
wén zhōng de jù zi lái huí dá　bìng fǎn fù duō dú jǐ biàn
文中的句子来回答，并反复多读几遍。

狮子和兔子

tù zi zhèng shuì jiào   shī zi pèng jiàn le   dǎ suàn bǎ tā chī diào
兔子 正 睡觉，狮子 碰 见 了，打 算 把 他 吃 掉。

zhè shí   shī zi kàn jiàn yì zhī lù cóng páng biān jīng guò   jiù diū xià tù zi
这时，狮子 看见 一 只 鹿 从 旁 边 经 过，就 丢 下 兔子

qù zhuī lù   tù zi tīng jiàn xiǎng shēng   zhàn qǐ lái táo zǒu le   shī zi
去 追鹿。兔子 听 见 响 声 ，站 起来 逃 走了。狮子

zhuī lù zhuī le hǎo jiǔ   méi yǒu zhuī shàng   yòu cháo tù zi zǒu lái   fā xiàn
追鹿 追 了 好 久 ，没 有 追 上 ，又 朝 兔子 走来，发 现

tù zi yě táo zǒu le   biàn shuō dào   wǒ pāo kāi shǒu tóu de shí wù   qù
兔子 也 逃 走了，便 说 道："我 抛 开 手头 的 食物，去

zhuī qiú gèng dà de xī wàng   huó gāi dǎo méi
追求 更 大 的 希 望 ，活 该 倒霉！"

tóng yàng   yǒu xiē rén bù mǎn zú yú jiào xiǎo de lì yì   bù zhī bù jué
同样，有些 人 不 满 足于 较 小 的 利益，不知不觉

de bǎ shǒu tóu de dōng xi yě shī qù le
地 把 手 头 的 东 西 也 失 去 了。

【练习】

xuǎn zé zhèng què de dú yīn
1 选 择 正 确 的 读音。

睡觉（ jiào   jué ）   不 知 不 觉（ jiào   jué ）

qǐng nǐ lái kuò cí
2 请 你 来 扩 词。

正（　　）（　　）（　　）

见（　　）（　　）（　　）

nǐ yǒu hǎo bàn fǎ jì zhù xià miàn de zì ma
3 你 有 好 办 法 记 住 下 面 的 字 吗？

去——丢　了——子　夫——失

lián cí chéng jù   bìng jiā shàng hé shì de biāo diǎn fú hào
4 连 词 成 句，并 加 上 合 适 的 标 点 符 号。

狮子　兔子　发现　逃走了

狮子　很　也　什么　得到　后悔　没有

---

nǐ rèn wéi zhè shì yì zhī zěn yàng de shī zi
5 你认为这是一只怎样的狮子？

驴和骡子

lú hé luó zi yì qǐ shàng lù　　lú jiàn tā liǎ tuó de huò wù yí yàng
驴和骡子一起上路。驴见他俩驮的货物一样

duō hěn shēng qì bào yuàn shuō luó zi zì yǐ wéi gāi chī jiā bèi de sì
多，很生气，抱怨说，骡子自以为该吃加倍的饲

liào què bù kěn duō tuó yì diǎn dōng xi　　tā men méi zǒu duō yuǎn gǎn
料，却不肯多驮一点东西。他们没走多远，赶

lú rén jiàn lú zhī chí bú zhù　　jiù bǎ lú tuó de huò wù qǔ xià yí bù fen
驴人见驴支持不住，就把驴驮的货物取下一部分，

fàng zài luó zi bèi shàng　　tā men yòu zǒu le yí duàn lù gǎn lú rén jiàn
放在骡子背上。他们又走了一段路，赶驴人见

lú yuè fā lèi de bù xíng biàn yòu qǔ xià yí bù fen zuì hòu bǎ suǒ yǒu de
驴越发累得不行，便又取下一部分，最后把所有的

huò wù dōu cóng lú bèi shàng qǔ xià lái fàng zài luó zi bèi shàng le zhè
货物都从驴背上取下来放在骡子背上了。这

shí luó zi huí tóu duì lú shuō wèi péng you nǐ hái rèn wéi wǒ duō chī
时，骡子回头对驴说："喂，朋友，你还认为我多吃

yí bèi de sì liào bù gōng píng ma
一倍的饲料不公平吗？"

suǒ yǐ wǒ men pàn duàn gè gè rén de qíng kuàng bù néng zhǐ kàn kāi
所以，我们判断各个人的情况，不能只看开

tóu hái yīng gāi kàn dào jié wěi
头，还应该看到结尾。

【练习】

pīn yì pīn xiě yì xiě
1 拼一拼，写一写。

zhī chí	gōng píng	péng you	shēng qì

jiā bù shǒu chéng zì zài zǔ cí
2 加部首 成字，再组词。

青 {＿＿（　　　）
＿＿（　　　）
＿＿（　　　）

亥 {＿＿（　　　）
＿＿（　　　）
＿＿（　　　）

xiě chū xià liè cí yǔ de fǎn yì cí
3 写出下列词语的反义词。

多——（　　　） 开头——（　　　） 生气——（　　　）

zhè shí luó zi huí tóu duì lǘ shuō wèi péng you nǐ hái rèn wéi
4 这时，骡子回头对驴说："喂，朋友，你还认为
wǒ duō chī yí bèi de sì liào bù gōng píng ma luó zi shuō zhè jù huà shì shén
我多吃一倍的饲料不公平吗？"骡子说这句话是什
me yì si ne
么意思呢？（　　　　　）

zì jǐ duō chī yí bèi de sì liào shì bù gōng píng de
A.自己多吃一倍的饲料是不公平的。

zì jǐ duō chī yí bèi de sì liào shì gōng píng de
B.自己多吃一倍的饲料是公平的。

nǐ zěn yàng kàn dài lǘ hé luó zi de zhēng lùn ne
5 你怎样看待驴和骡子的争论呢？

配套练习4

大树和芦苇

yǒu yì huí dà shù bèi fēng guā duàn le dà shù kàn jiàn lú wěi yì
有一回，大树被风刮断了。大树看见芦苇一
diǎn sǔn shāng yě méi yǒu biàn wèn lú wěi wèi shén me shù zhè me cū
点损伤也没有，便问芦苇，为什么树这么粗

zhuàng　chén zhòng　dōu bèi fēng guā duàn le　ér lú wěi zhè me xiān xì
壮、沉重，都被风刮断了，而芦苇这么纤细、

ruǎn ruò　què shén me shì yě méi yǒu　　lú wěi huí dá shuō　　wǒ men rèn
软弱，却什么事也没有？芦苇回答说："我们认

shi dào zì jǐ ruǎn ruò　xiàng fēng dī tóu ràng lù　yīn ér bì miǎn le chōng
识到自己软弱，向风低头让路，因而避免了冲

jī　nǐ men què xiāng xìn zì jǐ de lì liàng　jìn xíng dǐ kàng　yīn ér bèi
击；你们却相信自己的力量，进行抵抗，因而被

fēng guā duàn le
风刮断了。"

zhè gù shi shì shuō　zuò shì yù dào fēng xiǎn　tuì ràng bǐ yìng dǐng gèng
这故事是说，做事遇到风险，退让比硬顶更

wěn tuǒ
稳妥。

【练习】

zài wén zhōng zhǎo chū xià liè cí yǔ de fǎn yì cí
1 在文中找出下列词语的反义词。

粗壮——（　　　　）　　　　退让——（　　　　）

biàn zì zǔ cí
2 辨字组词。

粗（　　）　刮（　　）　已（　　）　免（　　）
组（　　）　乱（　　）　己（　　）　兔（　　）

xiǎng yì xiǎng　tián yì tián
3 想一想，填一填。

大树　　　　风

yǒu yì huí　　　　　bèi　　　　guā duàn le
有一回，（　　　）被（　　　）刮断了。

yǒu yì huí　　　　　bǎ　　　　guā duàn le
有一回，（　　　）把（　　　）刮断了。

lú wěi zhè me xiān xì　ruǎn ruò　wèi shén me méi yǒu bèi fēng guā
4 芦苇这么纤细、软弱，为什么没有被风刮

duàn ne
断呢？

cū zhuàng　chén zhòng de dà shù wèi shén me bèi fēng guā duàn le ne
5 粗 壮 、沉 重 的大树为什么被风刮 断 了呢？

配套练习5

孔雀和白鹤

　　kǒng què qiáo bu qǐ bái hè yǔ máo de yán sè　　　jī xiào bái hè shuō
孔 雀 瞧 不起白鹤羽毛的颜色，讥笑白鹤说：

wǒ pī jīn guà zǐ　nǐ de yǔ máo què yì diǎn yě bù huá lì　bái hè huí
"我披金挂紫，你的羽毛却一点也不华丽。"白鹤回

dá shuō　　　wǒ míng jiào yú xīng jì　fēi xiáng yú jiǔ xiāo　nǐ què tóng gōng
答说："我鸣叫于星际，飞翔于九霄，你却同 公

jī yǔ jiā qín wéi wǔ　zài dì shàng xíng zǒu
鸡与家禽为伍，在地 上 行走。"

zhè gù shi shì shuō　chuān dài pǔ sù ér yǒu shēng yù　shèng yú zì
这故事是说， 穿 戴朴素而有 声誉，胜于自

xǔ fù yǒu ér mò mò wú wén
诩富有而默默无闻。

【练习】

pīn yì pīn　xiě yì xiě
1 拼一拼，写一写。

kǒng què	yǔ máo	jī xiào	huá lì

yòng xià liè piān páng zǔ chéng zì　zài zǔ cí
2 用下列偏 旁组 成 字，再组词。
日 木 生 又 卜 古 鸟 攵
_____（ ） _____（ ） _____（ ） _____（ ）

kǒng què qiáo bu qǐ bái hè yǔ máo de yán sè　　nǐ zhī dào bái hè de yǔ
3 孔雀 瞧 不起白鹤羽毛的颜色。你知道白鹤的羽

máo zhǔ yào shì shén me yán sè ma　nǐ shì zěn me zhī dào de
毛主要是什么颜色吗？你是怎么知道的？

4 bái hè suī rán yǔ máo
白 鹤 虽 然 羽 毛（　　　　　），却 能（
què néng

）；孔 雀 虽 然 羽
kǒng què suī rán yǔ

máo
毛（　　　　　），却（　　　　　）。
què

5 dú wán zhè zé gù shi　nǐ xiǎng duì kǒng què shuō shén me ne
读 完 这 则 故 事，你 想 对 孔 雀 说 什 么 呢？

_____

配套练习6

野猪和狐狸

yě zhū zài shù shàng mó yá　，hú li wèn tā　wèi shén me yào zài méi
野猪在树上磨牙。狐狸问他，为什么要在没
yǒu liè rén huò wēi xiǎn de shí hou mó yá　yě zhū huí dá shuō　wǒ zhè
有猎人或危险的时候磨牙。野猪回答说："我这
yàng zuò bú shì méi yǒu dào lǐ de　yí dàn wēi xiǎn lín tóu　jiù lái bù jí
样做不是没有道理的，一旦危险临头，就来不及
mó le　nà shí jiù kě yǐ shǐ yòng mó hǎo le de yá
磨了，那时就可以使用磨好了的牙。"

zhè gù shi shì shuō　yīng fáng huàn yú wèi rán
这故事是说，应防患于未然。

【练习】

pīn yì pīn　xiě yì xiě
1 拼一拼，写一写。

hú　li　　　liè　rén　　　dào　lǐ　　　shǐ　yòng

huàn bù shǒu chéng xīn zì　zài zǔ cí
2 换部首 成 新字，再组词。

猎——____（　　　）　　　险——____（　　　）

样——____（　　　）　　　时——____（　　　）

标准新阅读 BIAOZHUNXINYUEDU

dú yì dú
3 读一读。

fáng huàn yú wèi rán   zài shì gù   zāi hài fā shēng zhī qián zuò hǎo fáng fàn
防 患 于 未 然：在 事 故、灾 害 发 生 之 前 做 好 防 范

zhǔn bèi
准 备。

yě zhū wèi shén me yào zài méi yǒu liè rén huò wēi xiǎn de shí hou mó yá
4 野 猪 为 什 么 要 在 没 有 猎 人 或 危 险 的 时 候 磨 牙？

dú wán zhè zé gù shi   nǐ yǒu shén me xiǎng fǎ
5 读 完 这 则 故 事，你 有 什 么 想 法？

配套练习7

狐狸和伐木人

hú li duǒ bì liè rén   kàn jiàn yí gè fá mù rén   biàn qǐng qiú fá mù
狐 狸 躲 避 猎 人，看 见 一 个 伐 木 人，便 请 求 伐 木

rén bǎ tā cáng qǐ lái   fá mù rén jiào hú li dào tā de máo wū lǐ qù duǒ
人 把 他 藏 起 来。伐 木 人 叫 狐 狸 到 他 的 茅 屋 里 去 躲

zhe   guò le bù jiǔ   liè rén gǎn dào le   wèn fá mù rén kàn jiàn hú li dǎ
着。过 了 不 久，猎 人 赶 到 了，问 伐 木 人 看 见 狐 狸 打

zhè lǐ jīng guò méi yǒu   fá mù rén yí miàn zuǐ lǐ shuō méi kàn jiàn   yí
这 里 经 过 没 有。伐 木 人 一 面 嘴 里 说 没 看 见，一

miàn dǎ shǒu shì   àn shì hú li cáng zài shén me dì fang   dàn shì   liè rén
面 打 手 势，暗 示 狐 狸 藏 在 什 么 地 方。但 是，猎 人

méi yǒu zhù yì dào tā de shǒu shì   què xiāng xìn le tā de huà   hú li jiàn
没 有 注 意 到 他 的 手 势，却 相 信 了 他 的 话。狐 狸 见

liè rén zǒu le   biàn cóng máo wū lǐ chū lái   bù dǎ zhāo hu jiù yào zǒu
猎 人 走 了，便 从 茅 屋 里 出 来，不 打 招 呼 就 要 走。

fá mù rén zé bèi hú li   shuō tā bǎo quán le xìng mìng   què lián yì diǎn xiè
伐 木 人 责 备 狐 狸，说 他 保 全 了 性 命，却 连 一 点 谢

yì dōu bù biǎo shì   hú li huí dá shuō   jiǎ rú nǐ de shǒu shì hé nǐ de
意 都 不 表 示。狐 狸 回 答 说："假 如 你 的 手 势 和 你 的

yǔ yán shì yí zhì de   wǒ jiù gāi gǎn xiè nǐ le
语言是一致的,我就该感谢你了。"

zhè gù shi shì yòng yú nà xiē zuǐ lǐ shuō yào xíng hǎo shì   shí jì shàng
这故事适用于那些嘴里说要行好事,实际上

zuò huài shì de rén
做坏事的人。

【练习】

xiě chū xià liè cí yǔ de fǎn yì cí
1 写出下列词语的反义词。

躲藏——(   )   相信——(   )

明——(   )   好事——(   )

jiā bù shǒu chéng xīn zì   zài zǔ cí
2 加部首成新字,再组词。

里 {
___(   )
___(   )
___(   )
}   昔 {
___(   )
___(   )
___(   )
}

xiǎng yì xiǎng   tián yì tián
3 想一想,填一填。

狐狸   伐木人

bǎ   cáng qǐ lái le
(   )把(   )藏起来了。

bèi   cáng qǐ lái le
(   )被(   )藏起来了。

zài zhè zé gù shi zhōng zuǐ lǐ shuō yào xíng hǎo shì   shí jì shàng zuò
4 在这则故事中嘴里说要行好事,实际上做

huài shì de rén shì   suǒ yǐ hú li lián yì diǎn xiè yì yě méi yǒu
坏事的人是(   ),所以狐狸连一点谢意也没有。

jiǎ rú nǐ de shǒu shì hé nǐ de yǔ yán shì yí zhì de   wǒ jiù gāi gǎn xiè
5 "假如你的手势和你的语言是一致的,我就该感谢

nǐ le   hú li shuō zhè jù huà de yì si shì
你了。"狐狸说这句话的意思是(   )

nǐ de shǒu shì hé nǐ de yǔ yán shì yí zhì de   wǒ gāi gǎn xiè nǐ
A.你的手势和你的语言是一致的,我该感谢你。

nǐ de shǒu shì hé nǐ de yǔ yán shì bù yí zhì de   wǒ bù gāi gǎn xiè nǐ
B.你的手势和你的语言是不一致的,我不该感谢你。

标准新阅读 BIAOZHUNXINYUEDU

第三单元 专题阅读训练

1 学会阅读诗歌

考点内涵解说

1. 借助汉语拼音阅读短小的诗歌,大体理解诗歌的意思。
2. 喜欢阅读诗歌,能在阅读中积累词语。
3. 初步感受诗歌的音韵之美,把握节奏,反复朗读体会。
4. 通过阅读展开想象,获得初步的情感体验。

答题技法点拨

诗歌感情强烈、语言精练、形象鲜明、音乐性强,一般分行排列,在诗歌分行处和韵脚处都会自然停顿。在一个句子中,也会根据意思、词性做相应的停顿。对于关键词语,我们要加重语气,读出重音,起到强调的作用。在朗读时,就应该抓住这些关键词语,理解它们的意思,挖掘它们在诗歌中的作用,体会诗歌的感情,领会诗歌的意境。另外,在阅读诗歌时要展开想象,在头脑中形成一幅幅色彩鲜明的图画,边读边想,提高自己的想象力,加深对诗歌的理解。

范例阅读1 FANLIYUEDU

雨 姑 娘

jīn zhēn zhen   yín xiàn xian
金 针 针 ,银 线 线 ,

yǔ gū niang   máng de huān
雨 姑 娘 ,忙 得 欢 。

qīng yí piàn   lǜ yí piàn
青 一 片 ,绿 一 片 ,

hóng de lǜ de dàng huā biān
红 的 绿 的 当 花 边 ,

xiù chū yí gè hǎo chūn tiān
绣 出 一 个 好 春 天。

【练习】

　　　　xiǎo péng yǒu　qǐng nǐ dú yì dú　xiàn piàn biān tiān　tā men
1 小 朋 友，请 你 读 一 读：线、片、边、天。它 们
de yùn mǔ dōu shì
的 韵 母 都 是 _____ 。

　　　　qǐng jiāng　xiàn piàn biān tiān　zài wén zhōng quān chū lái　nǐ
2 请 将 "线、片、边、天" 在 文 中 圈 出 来，你
fā xiàn tā men dōu zài shén me wèi zhì ma
发 现 它 们 都 在 什 么 位 置 吗？

_____

　　　　zhè shǒu ér gē xiě le shén me
3 这 首 儿 歌 写 了 什 么？（　　　　）

　　yǔ gū niang xià yǔ le
A. 雨 姑 娘 下 雨 了。

　　xiù huā gū niang zài xiù huā
B. 绣 花 姑 娘 在 绣 花。

　　　　xiǎo péng yǒu　fā huī nǐ de xiǎng xiàng　tiān shàng wèi shén me xià yǔ
4 小 朋 友，发 挥 你 的 想 象，天 上 为 什 么 下 雨
ne
呢？

_____

_____

【答案】1.ian 2.都在每一行的最后一个字，也叫韵脚。 3.A
4.可以随意想象，比如：可能是天上有两朵云在打架，云弟弟被云哥哥打
哭了，云妈妈回来了，他们和好了，雨停了；也可能是太阳公公让太阳奶奶
做饭，太阳奶奶把水龙头开得大大的，天就下雨了。菜洗好了，太阳奶奶
关好水龙头，雨就停了。太阳公公回来吃饭了，天上就有了彩虹。

　　　　　　　　dì　　tí jiù shì kǎo kao xiǎo péng yǒu men pīn yīn xué de zěn me
【解析】第1题就是考考小朋友们拼音学得怎么
yàng　yùn mǔ shì hàn zì zì yīn zhōng chú le shēng mǔ yǐ wài de nà bù fen yīn
样，韵母是汉字字音中除了声母以外的那部分音。

zhè jǐ gè zì dōu shì fù yùn mǔ　　dì 2 tí shì dì 1 tí de yán shēn yǔ tuò
这 几 个 字 都 是 复 韵 母 。 第 2 题 是 第 1 题 的 延 伸 与 拓

zhǎn　ràng xiǎo péng yǒu chū bù liǎo jiě yùn jiǎo　shī yùn shì měi yí jù shī zhōng
展 ， 让 小 朋 友 初 步 了 解 韵 脚 。 诗 韵 是 每 一 句 诗 中

tóng yàng de wèi zhì shàng hù xiāng yā yùn de zì　yě jiù shì hàn yǔ pīn yīn zhōng
同 样 的 位 置 上 互 相 押 韵 的 字 , 也 就 是 汉 语 拼 音 中

de yùn mǔ　hàn yǔ shī yùn yì bān fàng zài jù wěi　xí guàn shàng jiào yùn jiǎo
的 韵 母 , 汉 语 诗 韵 一 般 放 在 句 尾 , 习 惯 上 叫 韵 脚 。

dì 3 tí kǎo kao xiǎo péng yǒu dào dǐ yǒu méi yǒu dú dǒng shī yì　dì 4 tí shì
第 3 题 考 考 小 朋 友 到 底 有 没 有 读 懂 诗 意 。 第 4 题 是

yí dào kāi fàng shì de tí mù　zhǐ yào xiǎo péng yǒu men de xiǎng xiàng hé lǐ jiù
一 道 开 放 式 的 题 目 , 只 要 小 朋 友 们 的 想 象 合 理 就

xíng
行 。

范例阅读2 FANLIYUEDU

虫和鸟

舒 兰

wǒ bǎ mā ma xǐ hǎo de wà zi
我 把 妈 妈 洗 好 的 袜 子 ,

yì zhī yì zhī jiā zài shéng zi shàng
一 只 一 只 夹 在 绳 子 上 ,

shéng zi jiù biàn chéng le yì zhī duō zú chóng
绳 子 就 变 成 了 一 只 多 足 虫 ,

zài yáng guāng zhōng pá lái pá qù
在 阳 光 中 爬 来 爬 去 。

wǒ bǎ jiě jie xǐ hǎo de xiǎo shǒu pà
我 把 姐 姐 洗 好 的 小 手 帕 ,

yì tiáo yì tiáo jiā zài shéng zi shàng
一 条 一 条 夹 在 绳 子 上 ,

shéng zi jiù biàn chéng yì qún bái lù sī
绳 子 就 变 成 一 群 白 鹭 鸶 ,

zài wēi fēng zhōng fēi wǔ　fēi wǔ
在 微 风 中 飞 舞 , 飞 舞 。

【练习】

xiǎo péng yǒu　qǐng nǐ dú hòu tián shàng hé shì de liàng cí

1 小 朋 友 ，请 你 读 后 填 上 合 适 的 量 词。

一（　　）袜子　　　　　　一（　　）多足虫

一（　　）小手帕　　　　　一（　　）白鹭鸶

zhào yàng zi tián kòng

2 照 样 子 填 空。

例：一只多足虫（在阳光中）爬来爬去。

一群白鹭鸶（　　　　　　　　　）飞舞。

一群同学（　　　　　　　　　　）植树。

zuò zhě de xiǎng xiàng zhēn fēng fù　bǎ wà zi xiǎng xiàng chéng

3 作 者 的 想 象 真 丰 富，把袜子想 象 成 ＿＿＿

bǎ xiǎo shǒu pà xiǎng xiàng chéng

，把 小 手 帕 想 象 成 ＿＿＿＿＿。

nǐ néng fǎng zhào zuò zhě de huà yě xiě yí duàn ma

4 你 能 仿 照 作 者 的 话 也 写 一 段 吗？

wǒ bǎ　　　　　　xǐ hǎo de

我把＿＿＿＿＿＿洗好的＿＿＿＿＿＿，

jiā zàishéng zi shàng

＿＿＿＿＿＿＿＿夹在绳子上，

shéng zi jiù biànchéng le

绳子就变成了＿＿＿＿＿＿，

zài

在＿＿＿＿＿＿＿＿＿＿。

【答案】1.只　只　条　群　2.在微风中　在公园里（或其他地方）。　3.多足虫　白鹭鸶　4.略

dì　tí ràng xiǎo péng yǒu men jiē chù yí xià liàng cí　liàng cí

【解析】第1题让小 朋 友 们 接 触 一 下 量 词，量 词

shì yòng lái jì suàn shì wù huò dòng zuò de dān wèi de　jīng cháng yòng zài shù

是 用 来 计 算 事 物 或 动 作 的 单 位 的，经 常 用 在 数

cí huò zhǐ shì dài cí hòu miàn　bù shǎo liàng cí kě yǐ chóng dié　biǎo shì　měi

词 或 指 示 代 词 后 面，不 少 量 词 可 以 重 叠，表 示"每

yī de yì si　xiǎo péng yǒu men yào zài yuè dú zhōng fēng fù zì jǐ de cí yǔ

一"的 意 思。小 朋 友 们 要 在 阅 读 中 丰 富 自 己 的 词 语

jī lěi　dì　tí shì jiāng jù zi xiě wán zhěng　yào xiě chū biǎo shì chù suǒ de

积 累。第2题是 将 句 子 写 完 整，要 写 出 表 示 处 所 的

duǎn yǔ yòu yào yǔ jù zi tí gōng de qíng jìng xiāng fú   dì   tí kǎo yuè dú
短 语，又 要 与 句 子 提 供 的 情 境 相 符。第3题 考 阅 读
néng lì   dì   tí kǎo kao nǐ de xiǎng xiàng lì zhǐ yào hé lǐ jí kě
能 力。第4题 考 考 你 的 想 象 力，只 要 合 理 即 可。

范例阅读3 FANLIYUEDU

· 童言稚语 ·

豆豆学量词

mā ma kāi shǐ fēi zhèng shì de jiāo dòu dou xué liàng cí   mā ma zhǐ
妈 妈 开 始 非 正 式 地 教 豆 豆 学 量 词。妈 妈 指
zhe yí gè xiǎo péng yǒu shuō   zhè shì shén me a   yí gè xiǎo péng
着 一 个 小 朋 友 说：“这 是 什 么 啊？”“一 个 小 朋
yǒu   duì   hǎo guāi   zhǐ zhe yí liàng xiǎo qì chē shuō   zhè shì
友。”“对！好 乖！”指 着 一 辆 小 汽 车 说：“这 是
shén me ya   yí gè xiǎo qì chē   ng bú duì shì yí liàng xiǎo
什 么 呀？”“一 个 小 汽 车。”“嗯，不 对，是 一 辆 小
qì chē   zhè shì shén me   yí liàng shù   bú duì shì yì kē
汽 车。”“这 是 什 么？”“一 辆 树。”“不 对，是 一 棵
shù   zhè ne   yì kē mào zi   bú duì shì yì dǐng mào
树。”“这 呢？”“一 棵 帽 子。”“不 对，是 一 顶 帽
zi   zhè er   yì dǐng huā   bú shì yì duǒ huā   zhè
子。”“这 儿？”“一 顶 花。”“不 是，一 朵 花。”“这
ge   yì duǒ shū   bú duì shì yì běn shū   zhè ge   yì
个？”“一 朵 书。”“不 对，是 一 本 书。”“这 个？”“一
běn mā ma   bú duì shì yí wèi mā ma
本 妈 妈。”“不 对，是 一 位 妈 妈。”

范例阅读4 FANLIYUEDU

大海睡着了

刘饶民

fēng er bú nào le
风 儿 不 闹 了，
làng er bú xiào le
浪 儿 不 笑 了。

shēn yè lǐ
深 夜 里，

dà hǎi shuì jiào le
大 海 睡 觉 了。

tā bào zhe míng yuè
她 抱 着 明 月，

tā bēi zhe xīng xing
她 背 着 星 星。

nà qīng qīng de cháo shēng a
那 轻 轻 的 潮 声 啊，

shì tā shuì shú de hān shēng
是 她 睡 熟 的 鼾 声。

【练习】

nǐ néng gěi xià miàn de zì zǔ sān gè cí ma
1 你 能 给 下 面 的 字 组 三 个 词 吗？

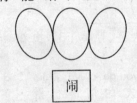

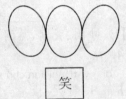

闹   笑

dú yì dú
2 读 一 读。

shēn yè   cháo shēng   shuì shú   hān shēng
深 夜   潮 声   睡 熟   鼾 声

zuò zhě jiāng dà hǎi dàng zuò rén lái xiě   shuō tā   míng
3 作 者 将 大 海 当 做 人 来 写，说 她 _____ 明

yuè   xīng xing   nà qīng qīng de cháo shēng a   shì tā
月，_____ 星 星，那 轻 轻 的 潮 声 啊，是 她 _____

xíng xiàng de miáo huì chū dà hǎi zhè wèi mǔ qīn shú shuì shí de
_____，形 象 地 描 绘 出 大 海 这 位 "母 亲" 熟 睡 时 的

yōu měi tǐ tài
优 美 体 态。

xiǎo péng yǒu　　nǐ néng xiǎng xiàng yí xià　hái kě yǐ jiāng shén me
4 小 朋 友，你 能 想 象 一 下，还 可 以 将 什 么

dàng chéng rén lái xiě
当 成 人 来 写？

shuì zháo le
睡 着 了

_____

_____

_____

_____

_____

_____

【答案】1. 吵闹、哭闹、热闹　微笑、大笑、可笑　3. 抱着　背着　睡熟的鼾声　4. 略

dì　　tí shì jiǎn chá xiǎo péng yǒu de cí yǔ jī lěi　　dì　　tí shì
【解析】第1题是检查小 朋 友的词语积累。第2题是

bāng zhù xiǎo péng yǒu jī lěi cí yǔ　　dì　　tí shì ràng dà jiā chū shí nǐ rén jù
帮 助 小 朋 友积累词语。第3题是让大家初识拟人句，

zhī dào nǐ rén jù shì fù yǔ shì wù rén de dòng zuò　　shén tài　yǔ yán děng　kě
知道拟人句是赋予事物人的动作、神态、语言等，可

yǐ shǐ jù zi gèng shēng dòng　　dì　　tí yào xiǎo péng yǒu jié hé shēng huó
以使句子更 生 动。第4题要小 朋 友结合生活

zhōng de suǒ jiàn suǒ wén fā huī xiǎng xiàng　hé qíng hé lǐ jí kě
中 的所见所闻发挥想 象，合情合理即可。

范例阅读5 FANLIYUEDU

蜡梅花

là méi huā　liǎn er huáng
蜡梅花，脸儿 黄，

shēn shàng bù chuān lǜ yī shang
身 上 不 穿 绿 衣 裳 。

dà xuě dàng mián ǎo
大 雪 当 棉 袄 ，

fēng lái tǐng xiōng táng
风 来 挺 胸 膛 。

bié de huā er pà fēng xuě
别 的 花 儿 怕 风 雪 ，

zhǐ yǒu là méi fàng yōu xiāng
只 有 蜡 梅 放 幽 香 。

【练习】

nǐ huì dú ma   zhèng què de shì
1 你 会 读 吗 ？ 正 确 的 是 （   ）

dà xuě   dàng mián ǎo   fēng lái   tǐng xiōng táng
A . 大雪 / 当 棉 袄 ，风来 / 挺 胸 膛 。

dà xuě dàng   mián ǎo   fēng lái tǐng   xiōng táng
B . 大雪 当 / 棉 袄 ，风来 挺 / 胸 膛 。

lǐ jiě zhèng què de shì
2 理 解 正 确 的 是 （   ）

là méi huā shì chūn tiān kāi fàng de
A . 蜡 梅 花 是 春 天 开 放 的 。

là méi huā shì huáng sè de
B . 蜡 梅 花 是 黄 色 的 。

là méi huā zhǐ kāi huā bù zhǎng yè
C . 蜡 梅 花 只 开 花 不 长 叶 。

là méi huā yǒu bú pà yán hán de pǐn zhì   nǐ cóng nǎ er kàn chū lái
3 蜡 梅 花 有 不 怕 严 寒 的 品 质 ，你 从 哪 儿 看 出 来

le   jiāng xiāng yìng de jù zi huà chū lái
了 ？ 将 相 应 的 句 子 画 出 来 。

【答案】1. A   2. B   3. 大雪当棉袄，风来挺胸膛。别的花儿怕风
雪,只有蜡梅放幽香。

dì   tí kǎo chá xiǎo péng yǒu dú shī jù shí jié zòu bǎ wò de shì
【解析】第 1 题考查小朋友读诗句时节奏把握得是

fǒu zhǔn què   zhèng què de tíng dùn jiù néng bǎ shī jù dú tōng shùn   ràng rén yī
否准确,正确的停顿就能把诗句读通顺,让人一

xià zi jiù míng bai shī jù yào biǎo dá de yì si   dì tí hé dì tí kǎo kao dà
下子就明白诗句要表达的意思。第 2 题和第 3 题考考大

jiā tōng guò yuè dú　shì fǒu néng tǐ huì shī gē de yì si　 là méi huā shì dōng tiān
家 通 过 阅 读，是 否 能 体 会 诗 歌 的 意 思，蜡 梅 花 是 冬 天
kāi fàng de　kāi huā shí bù zhǎng yè　 tā ào shuāng dòu xuě　 bú pà yán hán
开 放 的，开 花 时 不 长 叶，它 傲 霜 斗 雪，不 怕 严 寒。

范例阅读6 FANLIYUEDU

冬爷爷捏红了弟弟的鼻子

tiān kōng zhōng
天 空 中

yì duǒ duǒ xuě huā
一 朵 朵 雪 花

zài piāo
在 飘……

běi fēng lǐ
北 风 里

yì zhī zhī niǎo er
一 只 只 鸟 儿

zài jiào
在 叫……

dà shù xià
大 树 下

dì di jǔ qǐ le dàn gōng
弟 弟 举 起 了 弹 弓

zài miáo
在 瞄……

rě nǎo le dōng yé ye
惹 恼 了 冬 爷 爷

bǎ dì di de bí zi
把 弟 弟 的 鼻 子

niē hóng
捏 红……

【练习】

tián shàng hé shì de liàng cí
1 填 上 合 适 的 量 词。

① 一 _____ 雪花　　　② 一 _____ 鸟儿

③ 一 _____ 落叶　　　④ 一 _____ 竹子

zhè shì yì shǒu miáo xiě _____ de yōu měi xiǎo shī　dōng tiān
2 这 是 一 首 描 写 _____ 的 优美 小诗，冬 天，

piāo qǐ le _____ guā qǐ le _____ dòng hóng le _____
飘 起了 _____，刮 起了 _____，冻 红了 _____。

【答案】1.①朵朵　②只只　③片片　④节节　2.冬季
雪花　北风　弟弟的鼻子

dú xiàn dài ér tóng shī gē shí yào xué huì biān dú biān zài nǎo hǎi
【题析】读 现 代 儿 童 诗 歌 时 要 学 会 边 读 边 在 脑 海

zhōng zhǎn xiàn wén zì miáo xiě de huà miàn　zhè yàng　jiù néng jiào róng yì de
中 展 现 文 字 描 写 的 画 面，这 样，就 能 较 容 易 地

lǐng huì shī gē zì lǐ háng jiān de yì jìng　qiè jì yí dìng yào zài dú dǒng shī gē de
领 会 诗 歌 字 里 行 间 的 意境。切 记 一 定 要 在 读 懂 诗 歌 的

jī chǔ shàng qù wán chéng liàn xí tí　shì yǒu guān liàng cí de xùn liàn tí
基 础 上 去 完 成 练 习。题 1 是 有 关 量 词 的 训 练，题

shì àn zhào shī gē nèi róng tián kòng　cǐ zhǒng tí mù de dá àn duō bàn zài
2 是 按 照 诗 歌 内 容 填 空。此 种 题 目 的 答 案 多 半 在

wén zhōng　xiǎo péng yǒu men yào xiān zài wén zhōng zhǎo　zhǎo bú dào de zài
文 中，小 朋 友 们 要 先 在 文 中 找，找 不 到 的 再

kāi dòng nǎo jīn wán chéng
开 动 脑 筋 完 成。

阅读训练 YUEDUXUNLIAN

配套练习1

夏姑娘的信

袁 屹

xià gū niang gěi dà jiā xiě xìn
夏姑 娘 给大家 写信

yòng bì lǜ de hé yè zuò xìn zhǐ
用 碧绿 的 荷叶 做 信纸

yòng jiān jiān de hé bāo zuò máo bǐ
用 尖 尖 的 荷 苞 做 毛 笔

yòng měi rén jiāo de yè zi zuò xìn fēng
用 美 人 蕉 的 叶 子 做 信 封

yóu dì yuán fēng bó bo dào chù sǎ bō
邮 递 员 风 伯 伯 到 处 撒 播

zhī liǎo shōu dào le xìn
知 了 收 到 了 信

zhī liǎo zhī liǎo de jiào kāi le
"知 了 知 了"地 叫 开 了

yíng huǒ chóng shōu dào le xìn
萤 火 虫 收 到 了 信

tí zhe dēng long piān piān qǐ wǔ
提 着 灯 笼 翩 翩 起 舞

xiǎo péng yǒu shōu dào le xìn
小 朋 友 收 到 了 信

pū tōng pū tōng
"扑 通 ！扑 通 ！"

tiào jìn le yóu yǒng chí
跳 进 了 游 泳 池

【练习】

dú yì dú jì yí jì
1 读一读，记一记。

bì lǜ　　hé bāo　　měi rén jiāo　　yóu dì yuán　　sǎ bō
碧绿　　荷苞　　美人蕉　　邮递员　　撒播

yíng huǒ chóng　　dēng long　　piān piān qǐ wǔ　　pū tōng
萤火虫　　灯笼　　翩翩起舞　　扑通

yǒu gǎn qíng de dú du xià miàn de shī jù　zhù yì jié zòu a
2 有感情地读读下面的诗句，注意节奏啊！

xià gū niang　gěi dà jiā　xiě xìn
夏姑娘 / 给大家 / 写信

yòng　bì lǜ de hé yè　zuò xìn zhǐ
用 / 碧绿的荷叶 / 做信纸

yòng　jiān jiān de hé bāo　zuò máo bǐ
用 / 尖尖的荷苞 / 做毛笔

yòng　měi rén jiāo de yè zi　zuò xìn fēng
用 / 美人蕉的叶子 / 做信封

yóu dì yuán fēng bó bo　dào chù　sǎ bō
邮递员 风伯伯 / 到处 / 撒播

jī lěi cí yǔ
3 积累词语。

de hé yè
(　　　)的荷叶

de hé bāo
(　　　)的荷苞

de měi rén jiāo
(　　　)的美人蕉

de yíng huǒ chóng
(　　　)的萤火虫

dú du xià miàn de cí yǔ　xiǎng xiang tā men shì biǎo shì shén me de
4 读读下面的词语，想 想它们是表示什么的

shēng yīn　nǐ hái néng xiǎng chū yì xiē lái ma
声音，你还能 想出一些来吗？

zhī le zhī le　pū tōng pū tōng
知了知了　扑通扑通 ＿＿＿＿＿ ＿＿＿＿＿

xiǎng xiàng tián kòng
5 想 象填空。

xià tiān kě yǐ　　　　　　kě yǐ　　　　　　kě yǐ
夏天可以 ＿＿＿＿＿ ，可以 ＿＿＿＿＿ ，可以 ＿＿＿＿

hái kě yǐ　　　　　　zhēn yǒu yì si a
＿＿＿＿ ，还可以 ＿＿＿＿＿ ，真 有意思啊！

配套练习2

太阳会变脸

林文航

tài yáng kě zhēn huì biàn liǎn
太阳可真会变脸

gāng gāng qǐ chuáng shí
刚 刚起床时

tā liǎn er hóng rùn
它脸儿红润

xiàng hài xiū de mèi mei
像害羞的妹妹

zhōng wǔ shí tā nù mù yuán dèng
中 午 时 它 怒 目 圆 瞪

xiàng huǒ mào sān zhàng de bà ba
像 火 冒 三 丈 的 爸 爸

xià shān huí jiā shí
下 山 回 家 时

tā mǎn miàn hóng guāng
它 满 面 红 光

xiàng cí xiáng de yé ye
像 慈 祥 的 爷 爷

【练习】

dú yì dú   jì yí jì
1 读一读，记一记。

hóng rùn   hài xiū   nù mù yuán dèng   huǒ mào sān zhàng   cí xiáng
红 润   害 羞   怒 目 圆 瞪   火 冒 三 丈   慈 祥

yǒu gǎn qíng de dú du xià miàn de shī jù   zhù yì jié zòu a
2 有 感 情 地 读读下 面 的 诗 句，注 意 节 奏 啊！

gāng gāng   qǐ chuáng shí
刚 刚 / 起 床 时

tā   liǎn er   hóng rùn
它 / 脸 儿 / 红 润

xiàng   hài xiū de   mèi mei
像 / 害 羞 的 / 妹 妹

zhōng wǔ shí   tā   nù mù yuán dèng
中 午 时 / 它 / 怒 目 圆 瞪

xiàng   huǒ mào sān zhàng de   bà ba
像 / 火 冒 三 丈 的 / 爸 爸

xià shān   huí jiā shí
下 山 / 回 家 时

tā   mǎn miàn hóng guāng
它 / 满 面 红 光

xiàng   cí xiáng de   yé ye
像 / 慈 祥 的 / 爷 爷

jī lěi cí yǔ
3 积 累 词 语。

de mèi mei   de bà ba   de yé ye
（   ）的 妹 妹   （   ）的 爸 爸   （   ）的 爷 爷

4　同样是太阳发出的光芒，在不同时间段
tóng yàng shì tài yáng fā chū de guāng máng　zài bù tóng shí jiān duàn

却有不同的特点。刚刚起床时，它 ＿＿＿＿＿＿；
què yǒu bù tóng de tè diǎn　gāng gāng qǐ chuáng shí　tā

中午时，它＿＿＿＿＿＿；下山回家时，它＿＿＿＿＿＿。
zhōng wǔ shí　tā　　　　　　xià shān huí jiā shí　tā

太阳可真会变脸啊！
tài yáng kě zhēn huì biàn liǎn a

配套练习3

风

陈梦佳

风是一个大胖子
fēng shì yí gè dà pàng zi

钻进对面的树林里
zuān jìn duì miàn de shù lín　lǐ

挤得小树摇摇晃晃
jǐ　de xiǎo shù yáo yáo huàng huàng

累得它大口喘气
lèi de tā dà kǒu chuǎn　qì

我下楼去找它
wǒ xià lóu qù zhǎo tā

它摸摸我的头发
tā mō mo wǒ de tóu fa

扯扯我的衣服
chě che wǒ de yī　fu

等我想捉住它时
děng wǒ xiǎng zhuō zhù tā shí

它却跟我玩起了捉迷藏
tā què gēn wǒ wán qǐ le zhuō mí cáng

【练习】

lián lián kàn tài yáng zhào zài nǎ duǒ bái yún shàng ne
1 连连看，太阳照在哪朵白云上呢？

z uān   ch uǎn   l è i

钻   累   喘

zhào yàng zi   xiě cí yǔ
2 照样子，写词语。

摇摇晃晃 _____ _____ _____

yǒu gǎn qíng de dú du shī jù   zhù yì jié zòu a
3 有感情地读读诗句，注意节奏啊！

fēng   shì   yí gè dà pàng zi
风 / 是 / 一个大胖子

zuān jìn   duì miàn de   shù lín lǐ
钻进 / 对面的 / 树林里

jǐ de   xiǎo shù   yáo yáo huàng huàng
挤得 / 小树 / 摇摇晃晃

lèi de tā   dà kǒu chuǎn qì
累得它 / 大口喘气

wǒ   xià lóu   qù zhǎo tā
我 / 下楼 / 去找它

tā   mō mo   wǒ de tóu fa
它 / 摸摸 / 我的头发

chě che   wǒ de yī fu
扯扯 / 我的衣服

děng wǒ   xiǎng   zhuō zhù tā shí
等我 / 想 / 捉住它时

tā   què   gēn wǒ wán qǐ le   zhuō mí cáng
它 / 却 / 跟我玩起了 / 捉迷藏

fēng yuán běn shì kàn bú jiàn mō bù zháo de   dàn zuò zhě jū rán bǎ tā
4 风原本是看不见摸不着的，但作者居然把它

xíng róng chéng yí gè　dà pàng zi　　tā　　　　　　　de xiǎo shù yáo yáo
形 容 成 一 个 "大 胖 子"！它 _____ 得 小 树 摇 摇

huàng huàng　tā yí dòng jiù　　　de　hū hū　zhí chuǎn qì　kě bú shì
晃 晃 ，它 一 动 就 _____ 得 "呼 呼" 直 喘 气 ，可 不 是

gè dà pàng zi ma　tā　　　　　wǒ de tóu fa　　　　wǒ de yī fu
个 大 胖 子 吗 ？它 _____ 我 的 头 发 ，_____ 我 的 衣 服 ，

zhēn tiáo pí a
真 调 皮 啊 ！

配套练习4

<h1 style="text-align:center">耳 朵</h1>
希 文

shù yè shì xiǎo shù de ěr duo
树 叶 是 小 树 的 耳 朵

xǐ huan tōu tīng niǎo er de duì huà
喜 欢 偷 听 鸟 儿 的 对 话

xiǎo cǎo shì dà dì de ěr duo
小 草 是 大 地 的 耳 朵

xǐ huan tōu tīng zhǒng zi de xīn shì
喜 欢 偷 听 种 子 的 心 事

yǔ diǎn shì chūn tiān de ěr duo
雨 点 是 春 天 的 耳 朵

xǐ huan tōu tīng huā er de gē shēng
喜 欢 偷 听 花 儿 的 歌 声

dà xuě shì dōng tiān de ěr duo
大 雪 是 冬 天 的 耳 朵

xǐ huan tōu tīng mài miáo de qiè yǔ
喜 欢 偷 听 麦 苗 的 窃 语

【练习】

dú yì dú　xiě yì xiě
1 读一读，写一写。

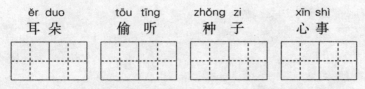

ěr duo　　tōu tīng　　zhǒng zi　　xīn shì
耳朵　　偷听　　种子　　心事

yǔ diǎn　　　　gē shēng　　　　qiè yǔ
雨 点　　　　歌 声　　　　窃 语

yǒu gǎn qíng de dú du shī jù　zhù yì jié zòu a
2 有 感 情 地 读 读 诗 句，注 意 节 奏 啊！

shù yè　　shì　xiǎo shù de ěr duo
树 叶 / 是 / 小 树 的 耳 朵

xǐ huan　　tōu tīng　niǎo er de duì huà
喜 欢 / 偷 听 / 鸟 儿 的 对 话

xiǎo cǎo　　shì　　dà dì de ěr duo
小 草 / 是 / 大 地 的 耳 朵

xǐ huan　　tōu tīng　zhǒng zi de xīn shì
喜 欢 / 偷 听 / 种 子 的 心 事

yǔ diǎn　　shì　　chūn tiān de ěr duo
雨 点 / 是 / 春 天 的 耳 朵

xǐ huan　　tōu tīng　huā er de gē shēng
喜 欢 / 偷 听 / 花 儿 的 歌 声

dà xuě　　shì　　dōng tiān de ěr duo
大 雪 / 是 / 冬 天 的 耳 朵

xǐ huan　　tōu tīng　mài miáo de qiè yǔ
喜 欢 / 偷 听 / 麦 苗 的 窃 语

xiě chū jìn yì cí
3 写 出 近 义 词。

心 事（　　）　　喜 欢（　　）　　窃 语（　　　　）

shù yè xǐ huan　　　　　　　　　　xiǎo cǎo xǐ huan
4 树 叶 喜 欢 _____，小 草 喜 欢 _____

yǔ diǎn xǐ huan　　　　　　　　　　dà xuě xǐ huan
_____，雨 点 喜 欢 _____，大 雪 喜 欢 _____

zuò zhě zhēn ài dòng nǎo jīn　xǐ huan
_____，作 者 真 爱 动 脑 筋，喜 欢 _____。

配套练习5

我心中的月亮

吴　优

wǒ xīn zhōng yǒu gè yuè liang
我 心 中 有 个 月 亮

yǒu shí tā xiàng gè hài xiū de xiǎo gū niang
有 时 它 像 个 害 羞 的 小 姑 娘

wǒ yí kàn tā
我 一 看 它

tā biàn liāo qǐ méng lóng de miàn shā zhē zhù liǎn
它 便 撩 起 朦 胧 的 面 纱 遮 住 脸

wǒ xīn zhōng yǒu gè yuè liang
我 心 中 有 个 月 亮

yǒu shí tā xiàng gè jiǎng gù shi de lǎo nǎi nai
有 时 它 像 个 讲 故 事 的 老 奶 奶

mǎn tiān de xīng xing tīng de bì shàng le yǎn jing
满 天 的 星 星 听 得 闭 上 了 眼 睛

ò yí dìng shì tā men yǐ jīng tīng guò hěn duō cì le ba
哦，一 定 是 它 们 已 经 听 过 很 多 次 了 吧

【练习】

dú yì dú xiě yì xiě
1 读一读，写一写。

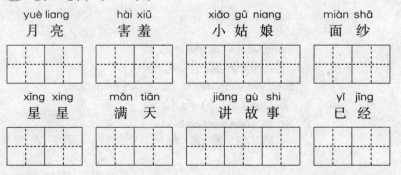

yuè liang	hài xiū	xiǎo gū niang	miàn shā
月 亮	害 羞	小 姑 娘	面 纱

xīng xing	mǎn tiān	jiǎng gù shi	yǐ jīng
星 星	满 天	讲 故 事	已 经

xiě chū jìn yì cí
2 写出近义词。

害羞（　　　　）　朦胧（　　　　　）　很多（　　　　　）

yòng zì jǐ de huà jiě shì xià liè cí yǔ
3 用自己的话解释下列词语。

害羞：_____。

撩起：_____。

朦胧：_____。

yì qiān gè rén yǎn zhōng jiù yǒu yì qiān gè yuè liang　dāng fú yún zhē
4 一千个人眼中就有一千个月亮。当浮云遮
zhù le yuè liang shí　yuè liang biàn chéng le zuò zhě xīn mù zhōng　hài xiū de xiǎo
住了月亮时，月亮变成了作者心目中"害羞的小
gū niang　dāng yuè guāng míng liàng　xīng guāng jiào àn de shí hou　yuè liang
姑娘"；当月光明亮、星光较暗的时候，月亮
jiù biàn chéng le tā xīn mù zhōng　jiǎng gù shi de lǎo nǎi nai　zài nǐ de xīn
就变成了他心目中"讲故事的老奶奶"。在你的心
zhōng　yuè liang shì shén me yàng zi de ne
中，月亮是什么样子的呢？

_____

_____

_____

配套练习6

冬

陈　飞

dōng yé ye qí zhe máo lú
冬爷爷骑着毛驴

cóng yáo yuǎn de xī bó lì yà píng yuán
从遥远的西伯利亚平原

yí lù yáng zhe hán biān
一路扬着寒鞭

lái dào le wǒ men shēn biān
来到了我们身边

dà dì biàn chéng le jù dà de bīng xiāng
大地变成了巨大的冰箱

wǒ shì bīng xiāng lǐ de yì zhī
我是冰箱里的一支

guǒ zhe huā yī de xuě gāo
裹着花衣的雪糕

wú tóng biàn chéng le huī sè de shān hú
梧桐变成了灰色的珊瑚

má què shì shān hú zhōu wéi yì qún
麻雀是珊瑚周围一群

kuài lè chuān suō de yú er
快乐穿梭的鱼儿

chuāng hu biàn chéng le měi lì de píng fēng
窗户变成了美丽的屏风

shuāng huā shì píng fēng shàng miàn zhī zhī
霜花是屏风上面只只

xiū mián rù shuì de hú dié
休眠入睡的蝴蝶

【练习】

dú yì dú jì yí jì
1 读一读，记一记。

yáo yuǎn yáng zhe hán biān guǒ zhe huā yī xuě gāo chuān suō
遥远 扬着寒鞭 裹着花衣 雪糕 穿梭

huī sè de shān hú měi lì de píng fēng xiū mián rù shuì de hú dié
灰色的珊瑚 美丽的屏风 休眠入睡的蝴蝶

yǒu gǎn qíng de dú du shī jù zhù yì jié zòu a
2 有感情地读读诗句，注意节奏啊！

dà dì biàn chéng le jù dà de bīng xiāng
大地／变成了／巨大的冰箱

wǒ shì bīng xiāng lǐ de yì zhī
我／是／冰箱里的／一支

guǒ zhe huā yī de　　xuě gāo
裹 着 花 衣 的 / 雪 糕

chuāng hu　　biàn chéng le　　měi lì de píng fēng
窗 户 / 变 成 了 / 美 丽 的 屏 风

shuāng huā　　shì　　píng fēng shàng miàn　　zhī zhī
霜 花 / 是 / 屏 风 上 面 / 只 只

xiū mián rù shuì de　　hú dié
休 眠 入 睡 的 / 蝴 蝶

xiě chū jìn yì cí
3 写 出 近 义 词。

巨 大（　　　　）　遥 远（　　　　）　周 围（　　　　）

快 乐（　　　　）　美 丽（　　　　）　休 眠（　　　　）

zài nǐ yǎn lǐ　　dōng shì shén me ne　　qǐng nǐ yòng yí duàn huà lái
4 在 你 眼 里，冬 是 什 么 呢？请 你 用 一 段 话 来

miáo xiě dōng tiān de jǐng sè
描 写 冬 天 的 景 色。

_____

_____

_____

配套练习7

时间是个调皮鬼

王　霞

shí jiān shì gè tiáo pí guǐ
时 间 是 个 调 皮 鬼

guō lǐ de mǐ bǎo bao bèi tā qì de gǔ gǔ de
锅 里 的 米 宝 宝 被 它 气 得 鼓 鼓 的

tóu shàng de biàn zi bèi tā lā de cháng cháng de
头 上 的 辫 子 被 它 拉 得 长 长 的

jiān shàng de shū bāo bèi tā zhuāng de chén chén de
肩上的书包被它装得沉沉的

bà ba mā ma guāng huá de é tóu bèi tā niē de zhòu zhòu de
爸爸妈妈光滑的额头被它捏得皱皱的

jīn tiān
今天

shí jiān zǒu guò wǒ de chuāng qián
时间走过我的窗前

jiàn wǒ zhèng zài shuì jiào
见我正在睡觉

jiù qiāo qiāo de qù le hòu yuàn
就悄悄地去了后院

děng wǒ xǐng lái hòu
等我醒来后

kàn jiàn xiǎo cǎo bèi bá gāo le
看见小草被拔高了

huā bàn bèi zhǎn kāi le
花瓣被展开了

shí jiān a zhēn shì gè tiáo pí guǐ
时间啊！真是个调皮鬼

【练习】

dú yì dú xiě yì xiě
1 读一读，写一写。

shí jiān	tiáo pí guǐ	qiāo qiāo de	bá gāo
时间	调皮鬼	悄悄地	拔高

bǐ yì bǐ nǎ er bù yí yàng
2 比一比，哪儿不一样？

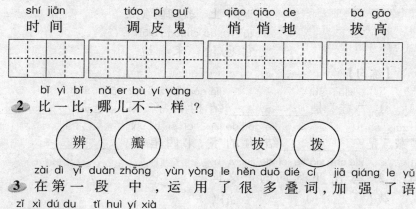

辨　瓣　　　拔　拨

zài dì yī duàn zhōng yùn yòng le hěn duō dié cí jiā qiáng le yǔ
3 在第一段中，运用了很多叠词，加强了语

yì zǐ xì dú du tǐ huì yí xià
意。仔细读读，体会一下。

guō lǐ de mǐ bǎo bao bèi tā qì de gǔ gǔ de
锅 里 的 米 宝 宝 被 它 气 得 鼓 鼓 的

tóu shàng de biàn zi bèi tā lā de cháng cháng de
头 上 的 辫 子 被 它 拉 得 长 长 的

jiān shàng de shū bāo bèi tā zhuāng de chén chén de
肩 上 的 书 包 被 它 装 得 沉 沉 的

bà ba mā ma guāng huá de é tóu bèi tā niē de zhòu zhòu de
爸 爸 妈 妈 光 滑 的 额 头 被 它 捏 得 皱 皱 的

xiǎo péng yǒu shí jiān zhēn shì gè tiáo pí guǐ zhǎ yǎn jiān tā jiù guò
4 小 朋 友 ，时 间 真 是 个 调 皮 鬼，眨 眼 间，它 就 过

qu le nǐ néng xiě yí jù zhēn xī shí jiān de huà ma
去 了。你 能 写 一 句 珍 惜 时 间 的 话 吗？

_____

配套练习8

鞋

liǎng zhī xiǎo xiǎo chuán
两 只 小 小 船，

měi tiān zài wǒ wán
每 天 载 我 玩，

wǎn shàng wǒ shuì jiào
晚 上 我 睡 觉，

tā yě bó chuáng biān
它 也 泊 床 边。

【练习】

　　　xié shì　　　　　　jié gòu de zì　dì bā bǐ shì
1 "鞋" 是 _____ 结 构 的 字，第 八 笔 是 _____。

zài　shì　　　　　　jié gòu de zì　dì sì bǐ shì
"载" 是 _____ 结 构 的 字，第 四 笔 是 _____。

　　xiě chū xià liè cí de jìn yì cí
2 写 出 下 列 词 的 近 义 词。

载（　　　）　　　　　泊（　　　　）

zuò zhě bǎ xié bǐ chéng le　　　　　　　 wén zhāng zhōng de liǎng
3 作者把鞋比成了＿＿＿＿，文章中的两
gè zì　　　　　　　hé　　　　　　yí dòng yí jìng　ràng rén huí
个字"＿＿＿＿"和"＿＿＿＿"，一动一静，让人回
wèi wú qióng
味无穷。

xiǎo péng yǒu　 nǐ hái yǒu zhè yàng qīn nì de péng you ma　 xiě xie tā
4 小朋友，你还有这样亲昵的朋友吗？写写它
men ba
们吧！

＿＿＿＿＿＿＿＿＿＿＿＿＿＿＿＿＿＿＿＿

＿＿＿＿＿＿＿＿＿＿＿＿＿＿＿＿＿＿＿＿

＿＿＿＿＿＿＿＿＿＿＿＿＿＿＿＿＿＿＿＿

配套练习9

鞋

wǒ huí jiā　 bǎ xié tuō xià
我回家，把鞋脱下
jiě jie huí jiā　 bǎ xié tuō xià
姐姐回家，把鞋脱下
gē ge　 bà ba huí jiā
哥哥、爸爸回家
yě dōu bǎ xié tuō xià
也都把鞋脱下
dà dà xiǎo xiǎo de xié shì yì jiā rén
大大小小的鞋是一家人
yī wēi zài yì qǐ shuō zhe yì tiān de jiàn wén
依偎在一起说着一天的见闻

dà dà xiǎo xiǎo de xié
大大小小的鞋

jiù xiàng dà dà xiǎo xiǎo de chuán
就 像 大 大 小 小 的 船

huí dào ān jìng de gǎng wān
回 到 安 静 的 港 湾

xiǎng shòu jiā de wēn nuǎn
享 受 家 的 温 暖

【练习】

dú yì dú xiě yì xiě
1 读一读，写一写。

tuō xià	yī wēi	jiàn wén	xiǎng shòu	wēn nuǎn
脱 下	依 偎	见 闻	享 受	温 暖

yòng zì jǐ de huà jiě shì cí yǔ de yì si
2 用 自 己 的 话 解 释 词 语 的 意 思。

依偎：_____。

见闻：_____。

享受：_____。

cóng dà dà xiǎo xiǎo de xié jiù xiàng dà dà xiǎo xiǎo de chuán zhè
3 从 "大 大 小 小 的 鞋／就 像 大 大 小 小 的 船" 这

jù huà zhōng lián xiǎng dào zhǎng yòu yǒu xù gāo ǎi bù tóng de jiā rén bǎ
句 话 中，联 想 到 长 幼 有 序、高 矮 不 同 的 家 人，把

bǐ chéng le xíng xiàng shēng dòng
_____ 比 成 了 _____，形 象 生 动。

dà dà xiǎo xiǎo de xié shì yì jiā rén yī wēi zài yì qǐ shuō zhe yì tiān
4 "大 大 小 小 的 鞋 是 一 家 人／依 偎 在 一 起 说 着 一 天

de jiàn wén zhōng jiāng xié fù yǔ le rén de gǎn qíng xié zi jiù shì yì jiā rén tā
的 见 闻" 中 将 鞋 赋 予 了 人 的 感 情，鞋 子 就 是 一 家 人，他

men yī wēi zài yì qǐ shuō zhe yì tiān de jiàn wén bú lù hén jì de bǎ dú zhě yǐn
们 依 偎 在 一 起 说 着 一 天 的 见 闻，不 露 痕 迹 地 把 读 者 引

lǐng dào yí gè měi miào de qíng jìng yóu cǐ nǐ xiǎng dào le shén me ne
领 到 一 个 美 妙 的 情 境。由 此 你 想 到 了 什 么 呢？

_____

_____

秋天的信

qiū tiān yào gěi dà jiā xiě xìn
秋天要给大家写信

yòng yè zi zuò xìn fēng
用叶子做信封

qǐng fēng dāng yóu chāi
请风当邮差

tōu lǎn de yóu chāi
偷懒的邮差

měi dào yí gè dì fang
每到一个地方

jiù bǎ xìn yì pāo
就把信一抛

yǒu de xìn　luò zài sōng shǔ tóu shàng
有的信，落在松鼠头上

yǒu de xìn　diào zài qīng wā shēn páng
有的信，掉在青蛙身旁

gǎn lù de yàn　yě xián le yí yè huí jiā
赶路的雁，也衔了一页回家

chí táng lǐ　cǎo cóng lǐ
池塘里、草丛里

dào chù dōu yǒu qiū tiān de xìn
到处都有秋天的信

dòng wù men jí máng zhǔn bèi guò dōng
动物们急忙准备过冬

【练习】

1 zhǎo péng you lián shàng xiàn　dú yì dú　xiě xià lái
找 朋 友 联 上 线，读一读，写下来。

xìn	yóu	tōu	sōng	chí
信	邮	偷	松	池

chāi	lǎn	fēng	táng	shǔ
差	懒	封	塘	鼠

_____　_____　_____　_____　_____

2 chāi shì
"差"是 _____ jié gòu de zì 结构的字，dì liù bǐ shì 第六笔是 _____ 。它 tā
shì yí gè duō yīn zì zài zhè er dú tā hái kě yǐ dú
是一个多音字，在这儿读 _____ ，它还可以读 _____ ，
zǔ cí hái kě yǐ dú zǔ cí
组词 _____ ；还可以读 _____ ，组词 _____ 。

3 qiū tiān gěi dà jiā xiě xìn shì xìn fēng shì yóu
秋天给大家写信， _____ 是信封， _____ 是邮
chāi qiū tiān yào gào su dà jiā
差。秋天要告诉大家 _____ 。

4 qiū dào yè luò shì yì zhǒng zì rán xiàn xiàng kě shì zuò zhě de
"秋到叶落"是一种自然现象，可是作者的
xiǎng xiàng duō qí miào a nǐ huì xiě nǎ gè jì jié de shī ne
想象多奇妙啊！你会写哪个季节的诗呢？

_____

_____

_____

_____

配套练习11

月　亮

tiān shàng yuè liang yuán yòu yuán
天　上　月　亮　圆　又　圆，

zhào zài hǎi lǐ xiàng yù pán
照　在　海　里　像　玉　盘。

yì qún yú er yóu guò lái
一　群　鱼　儿　游　过　来，

yù pán suì chéng liǎng sān piàn
玉　盘　碎　成　两　三　片。

yú er xià de kuài táo kāi
鱼　儿　吓　得　快　逃　开，

yì zhí táo dào yán shí biān
一　直　逃　到　岩　石　边。

huí guò tóu lái kàn yí kàn
回　过　头　来　看　一　看，

yuè liang hái shì yuán yòu yuán
月　亮　还　是　圆　又　圆。

【练习】

nǐ néng gěi xià liè zì huàn gè bù shǒu zài zǔ cí ma　hǎo hǎo xiǎng
❶ 你　能　给　下　列　字　换　个　部　首　再　组　词　吗？　好　好　想

。
哦！

圆——（　　）（　　　　　）　逃——（　　　）（　　　　　）

yǒu gǎn qíng de dú du shī jù　zhù yì jié zòu a
❷ 有　感　情　地　读　读　诗　句，注　意　节　奏　啊！

tiān shàng yuè liang　　yuán yòu yuán
天　上　月　亮／　圆　又　圆，

zhào zài hǎi lǐ　　xiàng yù pán
照　在　海　里／　像　玉　盘。

yì qún yú er　　yóu guò lái
一　群　鱼　儿／　游　过　来，

yù pán suì chéng　　liǎng sān piàn
玉　盘　碎　成　／　两　三　片。

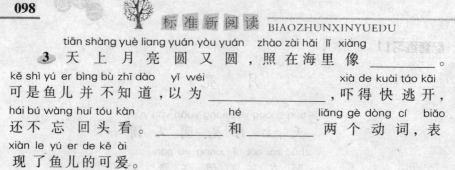

3 tiān shàng yuè liang yuán yòu yuán zhào zài hǎi lǐ xiàng
天上月亮圆又圆，照在海里像_____。

kě shì yú er bìng bù zhī dào yǐ wéi xià de kuài táo kāi
可是鱼儿并不知道，以为_____，吓得快逃开，

hái bú wàng huí tóu kàn hé liǎng gè dòng cí biǎo
还不忘回头看。_____和_____两个动词，表

xiàn le yú er de kě ài
现了鱼儿的可爱。

4 zài nǐ yǎn lǐ yuè liang hái xiàng shén me ne fā huī xiǎng xiàng xiě
在你眼里，月亮还像什么呢？发挥想象写

yì xiě
一写。

_____

_____

_____

_____

配套练习12

<h1 align="center">小弟和小猫</h1>

柯 岩

wǒ jiā yǒu gè xiǎo dì di
我家有个小弟弟，

cōng míng yòu táo qì
聪明又淘气，

měi tiān pá gāo yòu pá dī
每天爬高又爬低，

mǎn tóu mǎn liǎn dōu shì ní
满头满脸都是泥。

mā ma jiào tā lái xǐ liǎn
妈妈叫他来洗脸，

zhuāng méi tīng jiàn tā jiù pǎo
装 没听见他就跑；

bà ba ná jìng zi bǎ tā zhào
爸爸拿镜子把他照，

tā bì shàng yǎn jing gē gē de xiào
他闭上 眼睛咯咯地笑。

jiě jie bào lái gè xiǎo huā māo
姐姐抱来个小花猫，

pāi pai zhuǎ zi tiǎn tian máo
拍拍爪子舔舔毛，

liǎng yǎn yì mī miào miào miào
两眼一眯"妙，妙，妙，

shuí gēn wǒ wán shuí bǎ wǒ bào
谁跟我玩，谁把我抱？"

dì di shēn chū xiǎo hēi shǒu
弟弟伸出小黑手，

xiǎo māo lián máng wǎng hòu tiào
小猫连忙 往后跳，

hú zi yì juē tóu yì yáo
胡子一撅头一摇，

bú miào bú miào tài zāng tài zāng wǒ bú yào
"不妙不妙！太脏太脏我不要！"

jiě jie tīng jiàn hā hā xiào
姐姐听见哈哈笑，

bà ba mā ma zhòu méi mao
爸爸妈妈皱眉毛，

xiǎo dì tīng le zhēn hài sào
小弟听了真害臊：

mā mā kuài kuài gěi wǒ xǐ gè zǎo
"妈！妈！快快给我洗个澡！"

【练习】

　　dú yì dú　jì yí jì

1 读一读，记一记。

cōng míng yòu táo qì　　mǎn tóu mǎn liǎn　　gē gē de xiào　　tiǎn tian máo

聪明又淘气　　满头满脸　　咯咯地笑　　舔舔毛

zhòu méi mao　　hú zi yì juē　　hài sào

皱眉毛　　胡子一撅　　害臊

　　yǒu gǎn qíng de dú du shī jù　　zhù yì jié zòu a

2 有感情地读读诗句，注意节奏啊！

　　　　dì di　　shēn chū　　xiǎo hēi shǒu

　　　　弟弟／伸出／小黑手，

　　　　xiǎo māo　　lián máng　　wǎng hòu tiào

　　　　小猫／连忙／往后跳，

　　　　hú zi yì juē　　tóu yì yáo

　　　　胡子一撅／头一摇，

　　　　bú miào bú miào　　tài zāng tài zāng　　wǒ bú yào

　　　　"不妙不妙！太脏太脏／我不要！"

xiě chū jìn yì cí

3 写出近义词。

害臊（　　　）　聪明（　　　）　淘气（　　　　）

　　xiǎo dì di cōng míng yòu táo qì · mā ma jiào tā lái xǐ liǎn　tā

4 小弟弟聪明又淘气，妈妈叫他来洗脸，他 ＿＿＿

　　　　　　bà ba ná jìng zi bǎ tā zhào　tā

＿＿＿＿＿＿＿＿＿；爸爸拿镜子把他照，他＿＿＿＿＿

　　　　　jiě jie bào lái gè xiǎo huā māo　tā

＿＿＿＿＿＿；姐姐抱来个小花猫，他

　　　　　xiǎo huā māo hú zi yì juē tóu yì yáo　zuì hòu dì di hěn hài

＿＿＿＿＿；小花猫胡子一撅头一摇，最后弟弟很害

sào　yīn wèi tā dǒng de le

臊，因为他懂得了＿＿＿＿＿＿＿＿＿＿＿＿。

配套练习13

捞月亮

yuè liang yuè liang diào xià hé

月亮月亮掉下河，

dì di ná lái táo mǐ luó
弟弟拿来淘米箩，

lāo ya lāo
捞呀捞，

lāo dào yì zhī dà tián luó
捞到一只大田螺。

yuè liang yuè liang diào xià gōu
月亮月亮掉下沟，

mèi mei ná lái jīn zhú lǒu
妹妹拿来金竹篓，

lāo ya lāo
捞呀捞，

lāo qǐ yì tiáo xiǎo ní qiū
捞起一条小泥鳅。

tián luó ní qiū ná huí jiā
田螺泥鳅拿回家，

yí yuè liang hái zài tiān shàng guà
咦，月亮还在天上挂！

【练习】

měi měi de dú du zhè shǒu chōng mǎn tóng qù de shī gē
1 美美地读读这首 充 满 童 趣的诗歌。

zhǎo chū shī gē zhōng biǎo shì dòng zuò de zì cí
2 找出诗歌中 表示动作的字词。

xuǎn zé hé shì de cí yǔ zài héng xiàn shàng tián shàng xù hào
3 选择合适的词语，在 横 线 上 填 上 序号。

①弟弟 ②淘米箩 ③河 ④月亮 ⑤沟 ⑥一只大
田螺 ⑦金竹篓 ⑧一条小泥鳅 ⑨妹妹

diào xià le   ná lái le
（1）_____掉下了_____，_____拿来了_____

lāo dào le   diào xià le
__,捞到了_____。_____掉下了_____，_____

ná lái le   lāo dào le
拿来了_____,捞到了_____。

zhè shǒu shī gē biǎo dá le xiǎo shī rén
（2）这 首 诗 歌 表 达 了 小 诗 人 ＿＿＿＿＿＿＿＿＿＿

de gǎn qíng
＿＿＿＿＿＿＿＿的 感 情 。

xiǎo péng yǒu　　nǐ lāo guò yuè liang ma　　nǐ yòu lāo dào le shén me ne
4 小 朋 友 , 你 捞 过 月 亮 吗 ? 你 又 捞 到 了 什 么 呢 ?

yuè liang yuè liang diào xià
月 亮 月 亮 掉 下 ＿＿＿＿＿ ,

wǒ ya ná lái
我 呀 拿 来 ＿＿＿＿＿＿ ,

lāo ya lāo
捞 呀 捞 ,

lāo dào
捞 到 ＿＿＿＿＿＿＿ 。

配套练习14

春,我悄悄告诉你

chūn
春

wǒ qiāo qiāo gào su nǐ
我 悄 悄 告 诉 你

nǐ de lǐ wù wǒ shōu dào le
你 的 礼 物 我 收 到 了

nà wēn nuǎn ér róu hé de chūn fēng
那 温 暖 而 柔 和 的 春 风

chūn
春

wǒ qiāo qiāo gào su nǐ
我 悄 悄 告 诉 你

nǐ de xìn wǒ shōu dào le
你 的 信 我 收 到 了

nà xiě mǎn le shēng jī de bì lǜ yuán yě
那 写 满 了 生 机 的 碧 绿 原 野

chūn
春

wǒ qiāo qiāo gào su nǐ
我 悄 悄 告 诉 你

nǐ de zhào piàn wǒ shōu dào le
你 的 照 片 我 收 到 了

nà fú xiàn zhe nǐ de xiào liǎn de xiān huā yǔ nèn yá
那 浮 现 着 你 的 笑 脸 的 鲜 花 与 嫩 芽

yuán lái chūn huì sòng chū zhè me duō tè bié de lǐ wù ya
原 来 春 会 送 出 这 么 多 特 别 的 礼 物 呀

nán guài rén rén jiàn le tā dōu lè kāi le yán xiào kāi le huā
难 怪 人 人 见 了 她 都 乐 开 了 颜 、 笑 开 了 花 !

【练习】

zuò zhě shōu dào le chūn de   hé
1 作 者 收 到 了 春 的 _____ 、 _____ 和 _____

gǎn shòu dào le   kàn dào le
__ , 感 受 到 了 _____ , 看 到 了 _____

hé
_____ 和 _____ 。

àn shī gē tián kòng
2 按 诗 歌 填 空 。

(   ) 的 春 风   (   ) 的 草 原

xiǎo péng yǒu   nǐ hái shōu dào le chūn gū niang de shén me lǐ wù
3 小 朋 友 , 你 还 收 到 了 春 姑 娘 的 什 么 礼 物 ?

zhào zhe yàng zi xiě yì xiě ba
照 着 样 子 写 一 写 吧 !

chūn   chūn
春   春

wǒ qiāo qiāo gào su nǐ   wǒ qiāo qiāo gào su nǐ
我 悄 悄 告 诉 你   我 悄 悄 告 诉 你

nǐ de   nǐ de
你 的 _____   你 的 _____

_____   _____

配套练习15

四季的脚步悄悄

chūn tiān de jiǎo bù qiāo qiāo
春天的脚步悄悄，

qiāo qiāo de　tā xiào zhe zǒu lái
悄悄地，她笑着走来——

xī shuǐ chàng qǐ le gē er
溪水唱起了歌儿

dīng dōng　　dīng dōng
——叮咚，叮咚，

lǜ cǎo hé xiān huā gǎn lái bào dào
绿草和鲜花赶来报到。

xià tiān de jiǎo bù qiāo qiāo
夏天的脚步悄悄，

qiāo qiāo de　tā xiào zhe zǒu lái
悄悄地，她笑着走来——

jīn chán chàng qǐ le gē er
金蝉唱起了歌儿

zhī liǎo　　zhī liǎo
——知了，知了，

gěi shì jiè dài lái huān nào
给世界带来欢闹。

qiū tiān de jiǎo bù qiāo qiāo
秋天的脚步悄悄，

qiāo qiāo de　tā xiào zhe zǒu lái
悄悄地，她笑着走来——

luò yè chàng qǐ le gē er
落叶唱起了歌儿

huā cā　　huā cā
——哗嚓，哗嚓，

pū xià yì tiáo tiáo jīn sè de xiǎo dào
铺 下 一 条 条 金 色 的 小 道。

dōng tiān de jiǎo bù qiāo qiāo
冬 天 的 脚 步 悄 悄，

qiāo qiāo de   tā xiào zhe zǒu lái
悄 悄 地，她 笑 着 走 来——

běi fēng chàng qǐ le gē er
北 风 唱 起 了 歌 儿

hū lā   hū lā
—— 呼 啦，呼 啦，

xuě huā tiào qǐ huān kuài de wǔ dǎo
雪 花 跳 起 欢 快 的 舞 蹈。

【练习】

qǐng zài biǎo shì shēng yīn de cí yǔ xià huà
1 请 在 表 示 声 音 的 词 语 下 画 "〰〰"。

tián shàng hé shì de cí yǔ
2 填 上 合 适 的 词 语。

（　　　）的 小 道　　（　　　）的 舞 蹈

zhè shǒu shī gē xiě le   jì jié de
3 这 首 诗 歌 写 了 ＿＿＿（季 节）的 ＿＿＿＿＿，＿＿＿

jì jié de   jì jié de   hé   jì jié
（季 节）的 ＿＿＿＿，＿＿＿（季 节）的 ＿＿＿＿＿ 和 ＿＿＿（季 节）

de   wǒ zuì xǐ huan   yīn wèi
的 ＿＿＿＿＿。我 最 喜 欢 ＿＿＿＿＿，因 为 ＿＿＿＿

＿＿＿＿＿＿＿＿＿＿＿＿＿。

配套练习16

海上的风

刘饶民

hǎi shàng de fēng shì huā shén   tā yì lái   jiù zhàn kāi wàn duǒ làng
海 上 的 风 是 花 神，她 一 来，就 绽 开 万 朵 浪

huā
花；

hǎi shàng de fēng shì qín shī　tā yì lái　jiù zòu chū wàn zhǒng gē

海 上 的 风 是 琴 师 ，她 一 来 ，就 奏 出 万 种 歌

shēng

声 ；

hǎi shàng de fēng shì dà lì shì　tā yì lái　jiù sòng zǒu wàn piàn yú

海 上 的 风 是 大 力 士 ，他 一 来 ，就 送 走 万 片 渔

fān

帆 ；

hǎi shàng de fēng shì shī zi　tā yì hǒu　jiù xiān qǐ bō làng tāo

海 上 的 风 是 狮 子 ，它 一 吼 ，就 掀 起 波 浪 滔

tiān

天 ……

【练习】

zài　　　　　　　lǐ tián shàng hé shì de cí yǔ

1 在（　　　）里 填 上 合 适 的 词 语 。

（　　　）的 浪 花　　　　（　　　　）的 歌 声

（　　　）的 狮 子　　　　（　　　　）的 波 涛

wén zhōng jiāng hǎi shàng de fēng bǐ zuò

2 文 中 将 海 上 的 风 比 做（　　　）、（　　　　）、

（　　）、（　　　　）。

hǎi shàng de fēng hái xiàng shén me　xiě xià lái　zài huà yí huà

3 海 上 的 风 还 像 什 么 ，写 下 来 ，再 画 一 画 。

hǎi shàng de fēng hái xiàng　　　　　　　tā tā tā

海 上 的 风 还 像 _____，他（她 、它）_____，____

_____ 。

2 学会阅读童话

考点内涵解说

按照新课标要求,童话类文章阅读的考点主要有:

1. 借助拼音,阅读浅显的童话故事,了解故事的大意。

2. 能够正确、流利、有感情地朗读自己喜欢的章节,不添字、不丢字、不换字,做到字字落实,句句通顺,培养良好的语感。

3. 在阅读中识字、写字。

4. 结合上下文和生活实际了解文中词句的意思。

5. 在阅读中积累词语。

6. 认识课文中出现的常用标点符号。

7. 在阅读中,体会句号、问号、感叹号所表达的不同语气。

8. 学习使用逗号、句号、问号、感叹号。

9. 能够就童话中的人物,发表自己的看法和评价。

答题技法点拨

考点1、2主要是考查同学们最基本的阅读能力和理解能力。同学们在完成这样的考题时要在充分阅读的基础上进行,切忌一目十行,走马观花。要一句一句地读,一小节一小节地读。每读完一小节要问一问自己:这一小节写谁干什么或写什么怎么样?如果允许的话,可以读出声来;考试的时候也应该在心中默读,这样有助于理解。考试的时候通常会出一些填空题或简单的问答题来检查同学们是否读懂。同学们要根据题目中的关键词语或句子,找到短文中的相关章节,反反复复地读,然后再答题。有些题目甚至可以用短文中的原句来解答。

考点3、4、5主要是考查同学们在阅读中识字解词的能力。在平时的阅读中遇到生字生词等拦路虎,可以查阅工具书,也可以向别人请教。但考试的时候则必须自己独立思考,最常用的方法是结合上下文和生活实

际来理解。答题时可以这样表达"在文中指……"。在阅读中要注意积累词语。一些表示实际事物名称的词语,同学们在生活中可能就已经掌握了,但怎样修饰这些词语,使表达更加生动,就是同学们要注意学习、注意积累的地方。如大山,高耸入云的大山,连绵起伏的大山,白雪皑皑的大山……

考点6、7、8主要是考查同学们标点符号的掌握情况。逗号、句号、问号、感叹号,是最常用的、最基本的标点符号。逗号是用在句中停顿的,它不能表示一个完整的句子。句号、问号、感叹号,都是用在句尾的,它们往往可以表示一个完整的句子。句号写做"。",用在一般陈述句的结尾;问号写做"?",一般用在问句的结尾,表疑问;感叹号写做"!",一般用在感叹句的结尾,表感叹。考试的时候往往会把这些标点符号省去,让同学们来补充。同学们可以反复朗读,仔细体会,还可以寻找一些有提示作用的词语,问句一般会出现一些疑问词,如吗、呢、什么、怎么、多少……感叹句中常常也会出现感叹词,如多么、真、啊……

考点9主要是考查同学们的领悟能力、表达能力。考试的时候常常以问答题的形式出现,如你喜欢故事中的人物吗?为什么?同学们在回答的时候一要充分阅读故事,对故事人物有一个比较全面、比较准确的看法;二要大胆亮明自己的看法。有个性的看法,是最宝贵的。

范例阅读1 FANLIYUEDU

想飞的乌龟

yì tiān wū guī tīng jiàn yì qún xiǎo niǎo zài hǎn wǒ men zǒu ba
一天,乌龟听见一群小鸟在喊:"我们走吧!

wǒ men zǒu ba wū guī máng wèn nǐ men yào qù nǎ er
我们走吧!"乌龟忙问:"你们要去哪儿?"

xiǎo niǎo shuō wǒ men yào qù yí gè měi lì de dì fang wū guī
小鸟说:"我们要去一个美丽的地方。"乌龟

wèn wǒ néng hé nǐ men yì qǐ qù ma xiǎo niǎo shuō kě nǐ bú
问:"我能和你们一起去吗?"小鸟说:"可你不

huì fēi ya
会飞呀!"

xiǎo niǎo xiǎng chū yí gè bàn fǎ   ràng wū guī diāo zhe yì gēn gùn zi
小鸟想出一个办法：让乌龟叼着一根棍子，

liǎng zhī xiǎo niǎo diāo zhe gùn zi de liǎng duān   yú shì   xiǎo niǎo dài zhe wū
两只小鸟叼着棍子的两端。于是，小鸟带着乌

guī fēi qǐ lái le
龟飞起来了。

xiǎo niǎo yuè fēi yuè gāo   bái yún zài wū guī shēn biān piāo zhe   fēng er
小鸟越飞越高，白云在乌龟身边飘着，风儿

cóng ěr biān chuī guò   wū guī hěn xǐ huan zhè zhǒng fēi de gǎn jué
从耳边吹过，乌龟很喜欢这种飞的感觉。

xià miàn shì lǜ sè de tián yě   lán sè de xiǎo hé   dì shàng de fáng
下面是绿色的田野、蓝色的小河，地上的房

zi dōu biàn de hěn xiǎo hěn xiǎo   wū guī kāi xīn jí le   rěn bú zhù hǎn qǐ
子都变得很小很小。乌龟开心极了，忍不住喊起

lái   tài měi le   a
来："太美了！啊——"

wū guī cóng tiān shàng diào xià lái le   tā zhòng zhòng de diào zài dì
乌龟从天上掉下来了！他重重地掉在地

shàng   guāng huá de guī jiǎ shàng shuāi chū hǎo duō liè wén
上，光滑的龟甲上摔出好多裂纹。

【练习】

tián shàng hé shì de liàng cí
1 填上合适的量词。

一（　　）小鸟　一（　　）棍子　一（　　）办法

一（　　）乌龟　一（　　）风儿　一（　　）白云

bǐ yì bǐ zài zǔ cí
2 比一比，再组词。

乌（　　）　哪（　　）　欢（　　）　飞（　　）

鸟（　　）　那（　　）　吹（　　）　非（　　）

gěi xià liè jù zi jiā shàng hé shì de biāo diǎn fú hào
3 给下列句子加上合适的标点符号。

nǐ men yào qù nǎ er
A.你们要去哪儿

jǐng sè tài měi le
B.景色太美了

xiǎo niǎo dài zhe wū guī fēi qǐ lái le
C．小 鸟 带 着 乌 龟 飞 起 来 了

wū guī wèi shén me huì cóng tiān shàng diào xià lái ne
4 乌 龟 为 什 么 会 从 天 上 掉 下 来 呢？

___

nǐ zuì xiǎng duì shuāi zài dì shàng de wū guī shuō shén me huà ne
5 你 最 想 对 摔 在 地 上 的 乌 龟 说 什 么 话 呢？

___

【答案】1.群(只) 根 个 只 阵 朵 2.乌鸦 小鸟 哪里 那边 欢乐 吹风 飞行 非常 3.？！。 4.因为在飞行的时候,乌龟开心极了,忍不住喊起来。嘴一张开,它就掉下来了。5.乌龟呀乌龟,你怎么能得意忘形呢?

tí shì xùn liàn tóng xué men zhǔn què shǐ yòng liàng cí liàng
【解析】题1是训练同学们准确使用量词。量
cí de shǐ yòng yì bān shì shēng huó zhōng yuē dìng sú chéng de zhī cháng
词的使用一般是生活中约定俗成的。"只"常
cháng yòng lái biǎo shì dòng wù rú yì zhī niǎo yì zhī tù zi yì zhī mǎ yǐ
常用来表示动物,如一只鸟,一只兔子,一只蚂蚁;
shēn tǐ bǐ jiào cháng de dòng wù cháng shǐ yòng tiáo rú yì tiáo máo mao
身体比较长的动物常使用"条",如一条毛毛
chóng yì tiáo shé yì tiáo yú yǒu de dòng wù yǒu zhuān mén de liàng cí rú
虫,一条蛇,一条鱼;有的动物有专门的量词,如
yì pǐ mǎ yì tóu niú tóng xué men zài píng shí de shēng huó zhōng yào duō liú
一匹马,一头牛。同学们在平时的生活中要多留
yì jī lěi yì xiē liàng cí tí shì yì zǔ xíng jìn zì de bǐ jiào tóng xué men
意,积累一些量词。题2是一组形近字的比较,同学们
yào zhù yì kàn qīng chu zì de bù shǒu zài xiǎng xiang zì de yì si rán hòu zǔ
要注意看清楚字的部首,再想想字的意思,然后组
cí tí shì liàn xí jù hào wèn hào gǎn tàn hào de shǐ yòng tóng xué
词。题3是练习句号、问号、感叹号的使用。同学
men zài jiā biāo diǎn qián yào duō dú jǐ biàn jù zi zhǔn què de bǎ wò jù zi de
们在加标点前要多读几遍句子,准确地把握句子的
yì si hé qíng gǎn tí shì jiǎn chá tóng xué men yǒu méi yǒu dú dǒng jù zi
意思和情感。题4是检查同学们有没有读懂句子。

tí zài yú yǐn dǎo tóng xué men dà dǎn shuō chū zì jǐ dú wán quán wén hòu de
题 5 在于引导同学们大胆说出自己读完全文后的

xiǎng fǎ
想法。

范例阅读2 FANLIYUEDU

小母鸡种稻子

yǒu yì tiān xiǎo mǔ jī wèn xiǎo yā nǐ yuàn yì hé wǒ yì qǐ
有一天，小母鸡问小鸭："你愿意和我一起

zhòng dào zi ma xiǎo yā shuō wǒ pà wān yāo xiǎo mǔ jī zhǐ hǎo
种稻子吗？"小鸭说："我怕弯腰！"小母鸡只好

zì jǐ zhòng dào zi
自己种稻子。

hé miáo zhǎng gāo le xiǎo mǔ jī wèn xiǎo māo nǐ yuàn yì hé wǒ
禾苗长高了，小母鸡问小猫："你愿意和我

yì qǐ chú cǎo ma xiǎo māo shuō wǒ pà shǒu qǐ pào pao xiǎo mǔ
一起锄草吗？"小猫说："我怕手起泡泡！"小母

jī zhǐ hǎo zì jǐ chú cǎo
鸡只好自己锄草。

dào zi shóu le xiǎo mǔ jī wèn xiǎo zhū nǐ yuàn yì hé wǒ yì qǐ
稻子熟了，小母鸡问小猪："你愿意和我一起

shōu dào zi ma xiǎo zhū shuō wǒ pà nòng de mǎn shēn tǔ xiǎo
收稻子吗？"小猪说："我怕弄得满身土！"小

mǔ jī zhǐ hǎo zì jǐ shōu dào zi
母鸡只好自己收稻子。

xiǎo mǔ jī bǎ dào zi dǎ chéng mǐ zuò le yòu xiāng yòu tián de bái mǐ
小母鸡把稻子打成米，做了又香又甜的白米

fàn sòng gěi xiǎo yā xiǎo yā dī xià le tóu sòng gěi xiǎo māo xiǎo
饭。送给小鸭，小鸭低下了头。送给小猫，小

māo xiū hóng le liǎn sòng gěi xiǎo zhū xiǎo zhū shuō míng nián wǒ men
猫羞红了脸。送给小猪，小猪说："明年我们

yào gēn nǐ yì qǐ zhòng dào zi
要跟你一起种稻子！"

标准新阅读 BIAOZHUNXINYUEDU

【练习】

pīn yì pīn   xiě yì xiě
1 拼一拼，写一写。

xiǎo   yā   zì   jǐ   hé   miáo   mǐ   fàn

xiě chū xià liè hàn zì de bù shǒu
2 写出下列汉字的部首。

稻（   ） 鸭（   ） 猫（   ） 送（   ）

xué yì xué   yòng yí yòng
3 学一学，用一用。

例：你愿意和我一起种稻子吗？

rú guǒ nǐ xiǎng yāo qǐng xiǎo péng yǒu hé nǐ yì qǐ zhuō mí cáng   nǐ kě yǐ
如果你想邀请小朋友和你一起捉迷藏，你可以
zhè yàng shuō
这样说：

"_____"

rú guǒ nǐ xiǎng yāo qǐng xiǎo hóng hé nǐ yì qǐ lǎng dú kè wén   nǐ kě yǐ
如果你想邀请小红和你一起朗读课文，你可以
zhè yàng shuō
这样说：

"_____"

xiǎo yā bú yuàn yì hé xiǎo mǔ jī yì qǐ zhòng dào zi   shì yīn wèi
4 小鸭不愿意和小母鸡一起种稻子，是因为（

xiǎo māo bú yuàn yì hé xiǎo mǔ jī yì qǐ
　　　　　　　　　　　　　　　　　　　　）；小猫不愿意和小母鸡一起
chú cǎo   shì yīn wèi
锄草，是因为（　　　　　　

xiǎo zhū bú yuàn yì
　　　　　　　　　　　）；小猪不愿意
hé xiǎo mǔ jī yì qǐ shōu dào zi   shì yīn wèi
和小母鸡一起收稻子，是因为（　　　　　　　　）。

qǐng nǐ kuā kua xiǎo mǔ jī
5 请你夸夸小母鸡。

_____

【答案】1.小鸭　自己　禾苗　米饭　2.禾　鸟　犭　辶　3.你愿意和我一起捉迷藏吗？　小红，你愿意和我一起朗读课文吗？　4.它怕弯腰　它怕手起泡泡　它怕弄得满身土　5.小母鸡，你真勤劳！真能干！

tí shì jiǎn chá tóng xué men kàn pīn yīn xiě hàn zì de néng lì
【解析】题1是检查同学们看拼音写汉字的能力。

tóng xué men zài zuò zhè lèi tí mù de shí hou yào zuò dào liǎng gè wán zhěng
同学们在做这类题目的时候，要做到两个完整：

yī shì bǎ shēng mǔ yùn mǔ hé shēng diào kàn wán zhěng èr shì bǎ yí gè cí
一是把声母、韵母和声调看完整，二是把一个词

yǔ zhōng de jǐ gè yīn jié pīn wán zhěng yǒu de tóng xué zài zuò zhè lèi tí mù
语中的几个音节拼完整。有的同学在做这类题目

de shí hou zhǐ dà gài de kàn le yì yǎn jiù xiǎng dāng rán de tián shàng le yí
的时候，只大概地看了一眼，就想当然地填上了一

gè cí yǔ nà yàng de huà shì hěn róng yì chū cuò wù de tí shì ràng tóng
个词语，那样的话是很容易出错误的。题2是让同

xué men jì zhù jǐ gè bù shǒu yǐ hòu yù dào shēng zì de shí hou kě yǐ lì yòng
学们记住几个部首，以后遇到生字的时候可以利用

bù shǒu chá zì fǎ zì jǐ xué xí tí shì yí dào yùn yòng tí tí mù zhōng
部首查字法自己学习。题3是一道运用题，题目中

chuàng shè le jù tǐ de yǔ jìng ràng tóng xué men xué xí duǎn wén zhōng de jù
创设了具体的语境，让同学们学习短文中的句

zi liàn xí shuō huà xiě huà tóng xué men zài jiě dá zhī qián yào dú dǒng tí
子，练习说话写话。同学们在解答之前要读懂题

mù de yì si bù néng zì jǐ xiǎng zěn me xiě jiù zěn me xiě xiǎng xiě shén me
目的意思，不能自己想怎么写就怎么写，想写什么

jiù xiě shén me nà yàng de huà kě néng huì chū xiàn wén bú duì tí de qíng
就写什么。那样的话，可能会出现文不对题的情

kuàng tí shì jiǎn chá tóng xué men shì fǒu dú dǒng duǎn wén yì bān qíng
况。题4是检查同学们是否读懂短文，一般情

kuàng xià dá àn dōu kě yǐ zài duǎn wén zhōng zhǎo dào zhǐ yào tóng xué men
况下，答案都可以在短文中找到，只要同学们

nài xīn xì xīn de qù dú tí réng shì yǐn dǎo tóng xué men xué huì yòng zì jǐ
耐心、细心地去读。题5仍是引导同学们学会用自己

de huà yǔ píng jià gù shì zhōng de rén wù
的话语评价故事中的人物。

范例阅读3 FANLIYUEDU

野鸭回家

春天来了，野鸭爸爸和野鸭妈妈从南方飞回来了。

他们在空中盘旋了几圈，找不到家了。低矮的平房不见了，宽阔的马路旁，耸立着高楼大厦。

野鸭爸爸和野鸭妈妈原来居住的池塘，变成了一个人工湖，湖边是翠绿的草地。大人们在草地上散步，小朋友在玩耍。

"咦，那是什么？"野鸭爸爸惊喜地问。他在湖边发现了一座漂亮的小房子，上面写着"欢迎野鸭回家"。

野鸭爸爸和野鸭妈妈高兴地住进了新家。不久，他们的小宝宝出世了，他们常常带着小宝宝在湖边散步。

【练习】

1 写出下面两个字的部首，比一比它们有什么不同，再写出几个带有这些部首的字。

空（　　　）　　宝（　　　）

穴：_____　_____　_____

宀：_____　_____　_____

tián shàng hé shì de cí yǔ
2 填上合适的词语。

（　　　　）的平房　　（　　　　）的马路

（　　　　）的草地　　（　　　　）的小房子

lián cí chéng jù　bìng jiā shàng hé shì de biāo diǎn fú hào
3 连词成句，并加上合适的标点符号。

在　他们　小宝宝　散步　常常　湖边　带着

_____

yě yā bà ba hé yě yā mā ma wèi shén me zhǎo bú dào jiā le
4 野鸭爸爸和野鸭妈妈为什么找不到家了？

_____

nǐ rèn wéi yě yā bà ba hé yě yā mā ma de xīn jiā zěn me yàng
5 你认为野鸭爸爸和野鸭妈妈的新家怎么样？

_____

【答案】1.穴：窝　突　穷　究　宀：家　完　安　它　2.低矮　宽阔　翠绿　漂亮　3.他们常常带着小宝宝在湖边散步。4.因为他们原来居住的地方发生了很大的变化。5.我认为野鸭爸爸和野鸭妈妈的新家真漂亮！

tí　bǎ liǎng gè xíng jìn de bù shǒu fàng zài yì qǐ bǐ jiào　shǐ
【解析】题1把两个形近的部首放在一起比较，使
tóng xué men zài shí jì zhè xiē hàn zì de shí hou gèng jiā zhǔn què　xué zì bù
同学们在识记这些汉字的时候更加准确。穴字部
bǐ bǎo gài er duō liǎng diǎn　dài yǒu xué zì bù de zì yǒu hěn duō yǔ dòng xué de
比宝盖儿多两点，带有穴字部的字有很多与洞穴的
yì si yǒu guān　tí　shì bāng zhù tóng xué men jī lěi yì xiē xíng róng cí　tā
意思有关。题2是帮助同学们积累一些形容词，它
men kě yǐ yòng lái xiū shì hòu miàn cí yǔ suǒ biǎo shì de shì wù　shǐ tā men de
们可以用来修饰后面词语所表示的事物，使它们的
tè diǎn gèng xiān míng　tí　shì yí dào lián cí chéng jù de tí mù　bāng zhù
特点更鲜明。题3是一道连词成句的题目，帮助

同学们建立句子的概念。题4、题5在于检查同学
们是否读懂了这篇短文，并学会评价。

范例阅读4 FANLIYUEDU

珍贵的纪念

动物们在山坡上盖了一间小亭子。大家围
着亭子唱啊、跳啊，真高兴。

小熊说："亭子是我们建的，我们应该留个
纪念。"他搬来一块大石头，刻下一个"熊"字。

猴子把自己的名字刻在柱子上。其他小动
物也纷纷在座位上、台阶上写下自己的名字。

小花鹿问小刺猬："你为什么不写啊？"小刺
猬说："乱写乱画是不对的，我在想，什么样的
纪念才是最珍贵的。"

第二年春天，动物们又到小亭子来玩。啊！
亭子周围开满了五颜六色的鲜花，多美啊！梅
花鹿说："这才是最珍贵的纪念啊！"小刺猬在一
旁甜甜地笑了。

【练习】

pīn yì pīn　xiě yì xiě

1 拼一拼，写一写。

jì niàn　　míng zi　　　zuò wèi　　　tái jiē

zhēn guì　　zhōu wéi　　　wǔ yán liù sè

shǔ yì shǔ　tián yì tián

2 数一数，填一填。

jì gòng yǒu　　　　　bǐ dì liù bǐ shì
"纪"共有 _____ 笔，第六笔是 _____。

xiě gòng yǒu　　　　　bǐ dì sì bǐ shì
"写"共有 _____ 笔，第四笔是 _____。

bǎ jù zi xiě jù tǐ

3 把句子写具体。

dòng wù men　　　　　　gài le　　　　　　tíng zi
（1）动物们（　　　　　）盖了（　　　　　）亭子。

zhōu wéi kāi mǎn le　　　　　　xiān huā
（2）（　　　　　）周围开满了（　　　　　）鲜花。

zhè cái shì zuì zhēn guì de jì niàn a　　zhè zhǐ shén me wèi

4 "这才是最珍贵的纪念啊！""这"指什么？为

shén me zhè cái shì zuì zhēn guì de jì niàn ne

什么"这"才是最珍贵的纪念呢？

_____

【答案】1.纪念 名字 座位 台阶 珍贵 周围 五颜六色 2.
六乚 五乛 3.(1)在山坡上 一间小 (2)亭子 五颜六色的 4.
"这"指亭子周围的五颜六色的鲜花。因为在这些美丽的鲜花的装扮下，
亭子更加美丽了。小动物们做了一件非常有意义的事情。

tí shì jiǎn chá tóng xué men hàn zì shū xiě de jī běn bǐ shùn

【解析】题2是检查同学们汉字书写的基本笔顺

shì fǒu zhèng què　hàn zì shū xiě yǒu yí dìng de jǐ běn yuán zé　rú xiān héng
是 否 正 确。汉字书写有一定的基本原则,如先横

hòu shù　cóng zuǒ dào yòu　zì shàng ér xià　xiān lǐ miàn hòu fēng kǒu　děng
后 竖,从左到右,自上而下,先里面后封口,等

děng　tóng xué men yào jì zhù zhè xiē yuán zé　zhēng qǔ bù dǎo bǐ　bǎ hàn
等。同学们要记住这些原则,争取不倒笔,把汉

zì xiě zhèng què　xiě měi guān　tí　réng shì yǐn dǎo tóng xué men jiàn lì jù
字写正确、写美观。题3仍是引导同学们建立句

zi de gài niàn　bìng cháng shì zhe bǎ jù zi xiě jù tǐ　tí　zhōng de yí jù
子的概念,并尝试着把句子写具体。题4中的一句

huà shì wén zhōng de zhōng xīn jù　guān jiàn cí shì　zuì zhēn guì　shén me zuì
话是文中的中心句,关键词是"最珍贵",什么最

zhēn guì　wèi shén me zuì zhēn guì　tóng xué men kě yǐ tōng guò zì jǐ xiàng
珍贵?为什么最珍贵?同学们可以通过自己向

zì jǐ tí wèn tí bìng jiě dá de fāng fǎ lǐ jiě zhè gè jù zi
自己提问题并解答的方法理解这个句子。

阅读训练 YUEDUXUNLIAN

配套练习1

电话里传来的暖气

jīn nián dōng tiān lái de gé wài zǎo
今年 冬 天来得格外早。

dà xuě zǎo yǐ gài mǎn le yuán yě　fēng zhù le měi yì tiáo xiǎo dào
大雪早已盖满了原野,封住了每一条小道。

háo zhū xiān sheng yǐ jīng sān tiān méi jiàn dào xiǎo bái tù le
豪猪先生已经三天没见到小白兔了。

tā fēi cháng xiǎng niàn zì jǐ de hǎo péng yǒu　tā zhī dào xiǎo bái tù
他非常想念自己的好朋友,他知道小白兔

shì fēi cháng pà lěng de　yě xǔ　cǐ kè tā zhèng duǒ zài fáng zi de jiǎo
是非常怕冷的。也许,此刻他正躲在房子的角

luò lǐ　suǒ suǒ zhí dǒu ne
落里,索索直抖呢。

háo zhū xiān sheng zì yán zì yǔ de shuō　wǒ yīng gāi gěi xiǎo tù
豪猪先生自言自语地说:"我应该给小兔

sòng qù yì diǎn nuǎn qì
送去一点 暖 气。"

xiǎo bái tù jiā de diàn huà líng xiǎng le
小白兔家的电话铃 响了。

tā ná qǐ diàn huà   diàn huà lǐ chuán lái háo zhū xiān sheng wēn hé de
他拿起电话，电话里 传 来豪猪先 生 温和的

yǔ qì   tā zhèng zài dú yì piān wén zhāng
语气，他 正 在读一篇 文章：

nà yì nián   wǒ lái dào rè dài sēn lín lǐ   tóu shàng shì huǒ là là de
"那一年，我来到热带森林里，头 上 是火辣辣的

tài yáng   rén men dà hàn lín lí   sì zhōu dào chù shì lǜ shù hóng huā
太 阳，人们大汗淋漓，四周到处是绿树红花……"

xiǎo bái tù zài yě bù lěng de fā dǒu le
小白兔再也不冷得发抖了。

jǐn tiē ěr duo de diàn huà tǒng   gěi tā sòng lái yí zhèn zhèn nuǎn qì
紧贴耳朵的电话 筒，给他送来一阵 阵 暖气。

【练习】

bǎ xià liè cí yǔ bǔ chōng wán zhěng
1 把下列词语补 充 完 整。

zì   zì   lín lí
自（   ）自（   ） （   ）（   ）淋漓

lǜ   hóng
绿（   ）红（   ）

qǐng nǐ lái kuò cí
2 请你来扩词。

雪（   ）（   ）（   ）

电（   ）（   ）（   ）

xuǎn cí tián kòng
3 选词填空。

温和   温暖

diàn huà lǐ chuán lái háo zhū xiān sheng   de yǔ qì
电话里 传 来豪猪先 生（   ）的语气。

chūn tiān dào le   tiān qì biàn de
春 天到了，天气变得（   ）。

nǐ zhī dào wèi shén me xiǎo bái tù jiē dào háo zhū de diàn huà   jiù zài
4 你知道为什么小白兔接到豪猪的电话，就再

yě bù lěng de fā dǒu le ma
也不冷得发抖了吗？

rú guǒ nǐ shì xiǎo bái tù   nǐ zài diàn huà lǐ huì duì háo zhū xiān sheng
5 如果你是小白兔，你在电话里会对豪猪先 生
shuō xiē shén me ne
说些什么呢？

配套练习2

学讨好的猴子

　　hú li cóng wū yā nà er piàn lái yí kuài ròu   zhèng zài jīn jīn yǒu wèi
　　狐狸从乌鸦那儿骗来一块肉，正在津津有味
de chī zhe   hóu zi zǒu shàng qián xiàn mù de duì hú li shuō   wū yā wèi
地吃着。猴子走上前羡慕地对狐狸说："乌鸦为
hé duì nǐ zhè yàng hǎo hái gěi nǐ ròu chī   hú li zì háo de jǔ qǐ shǒu
何对你这样好，还给你肉吃？"狐狸自豪地举起手
zhōng de ròu shuō   zhè gè dào lǐ ma hěn jiǎn dān   dāng jīn de shì dào jiù
中的肉说："这个道理嘛很简单，当今的世道就
shì yào huì tǎo hǎo   huì shuō fèng cheng huà   nǐ kàn   zhè jiù shì shuō hǎo
是要会讨好，会说奉承话。你看，这就是说好
huà de bào chou   hóu zi bǎ hú li de huà láo láo de jì zhù le
话的报酬。"猴子把狐狸的话牢牢地记住了。

　　hóu zi kàn dào yì zhī sōng shǔ zài shù zhī shàng tiào lái tiào qù   máng
　　猴子看到一只松鼠在树枝上跳来跳去，忙
shuō   sōng shǔ   wǒ de hǎo péng yǒu   nǐ de wěi ba máo róng róng de
说："松鼠，我的好朋友，你的尾巴毛茸茸的，
piào liang jí le   sōng shǔ tīng le hóu zi de huà fēi cháng gāo xìng   rēng
漂亮极了。"松鼠听了猴子的话非常高兴，扔
xià liǎng gè lì zi gěi hóu zi
下两个栗子给猴子。

yì tiān hóu zi zǒu dào yì tiáo hé biān zhèng chóu méi fǎ dù hé
一天，猴子走到一条河边，正愁没法渡河。

zhè shí tā kàn dào hé lǐ yǒu yì zhī dà wū guī máng tǎo hǎo de shuō
这时，它看到河里有一只大乌龟，忙讨好地说：

wū guī ya nǐ zhēn liǎo bu qǐ shàng cì sài pǎo dà xiǎn shén wēi bǎ
"乌龟呀，你真了不起，上次赛跑大显神威，把

xiǎo bái tù shuǎi de yuǎn yuǎn de
小白兔甩得远远的。"

wū guī tīng le hóu zi de huà shí fēn dé yì tā ràng hóu zi dūn zài zì
乌龟听了猴子的话十分得意，它让猴子蹲在自

jǐ de bèi shàng miǎn fèi bǎ hóu zi sòng dào le duì àn
己的背上，免费把猴子送到了对岸。

lǎo hǔ de wài pó sǐ le yì jiā zi kū de sǐ qù huó lái hóu zi zhī
老虎的外婆死了，一家子哭得死去活来，猴子知

dào le máng zǒu dào dà lǎo hǔ miàn qián tǎo hǎo de shuō hǔ dà ren
道了，忙走到大老虎面前，讨好地说："虎大人，

nǐ men de kū shēng zhēn shì hǎo tīng jí le dà lǎo hǔ yì tīng nù dào
你们的哭声真是好听极了。"大老虎一听，怒道：

xiǎo chù sheng wǒ jiā sǐ le rén nǐ què xìng zāi lè huò wǒ yào bǎ nǐ
"小畜生，我家死了人，你却幸灾乐祸，我要把你

huó huó dǎ sǐ shuō zhe bā zhang xiàng yǔ diǎn yí yàng zòu zài hóu zi de
活活打死。"说着，巴掌像雨点一样揍在猴子的

pì gu shàng hóu zi zhuǎn shēn jiù táo kě shì pì gu yǐ bèi dǎ de xiě lín
屁股上。猴子转身就逃，可是屁股已被打得血淋

lín de liú xià liǎng kuài hóng bā
淋的，留下两块红疤。

cóng cǐ wèi le bú ràng bié rén zhī dào tā zhè bù guāng cǎi de lì
从此，为了不让别人知道它这不光彩的历

shǐ hóu zi zǒng shì xǐ huan zuò zhe
史，猴子总是喜欢坐着。

【练习】

dú yì dú jì yí jì
1 读一读，记一记。

xiě   xuè   xiě   xiě   xuè
血淋淋 鲜血 冒血了 吐血 血液

bǎ xià miàn de cí yǔ bǔ chōng wán zhěng
2 把 下 面 的 词 语 补 充 完 整 。

津津（ ）（ ） （ ）（ ）神威
（ ）灾（ ）祸

bā zhang xiàng yǔ diǎn yí yàng zòu zài hóu zi de pì gu shàng shì
3 "巴 掌 像 雨 点 一 样 揍 在 猴 子 的 屁 股 上 "是

shuō
说（ ）

luò zài hóu zi pì gu shàng de bā zhang duō
A. 落 在 猴 子 屁 股 上 的 巴 掌 多 。

luò zài hóu zi pì gu shàng de bā zhang dà
B. 落 在 猴 子 屁 股 上 的 巴 掌 大 。

luò zài hóu zi pì gu shàng de bā zhang qīng
C. 落 在 猴 子 屁 股 上 的 巴 掌 轻 。

hóu zi wèi shén me yào xué tǎo hǎo ne tā xué tǎo hǎo de jié guǒ zěn yàng
4 猴 子 为 什 么 要 学 讨 好 呢？它 学 讨 好 的 结 果 怎 样？

_____

_____

配套练习3

蚂蚁看牛

liǎng zhī mǎ yǐ zhēng lùn niú de dà xiǎo yì zhī mǎ yǐ pá dào niú de
两 只 蚂 蚁 争 论 牛 的 大 小 。 一 只 蚂 蚁 爬 到 牛 的

tí zi shàng shuō niú bǐ wǎn dà bù liǎo duō shǎo
蹄 子 上 ，说："牛 比 碗 大 不 了 多 少 。"

lìng yì zhī pá dào niú jiǎo shàng de mǎ yǐ shuō bú duì niú wān
另 一 只 爬 到 牛 角 上 的 蚂 蚁 说："不 对，牛 弯

wān de cháng duǎn gēn huáng guā chà bu duō
弯 的， 长 短 跟 黄 瓜 差 不 多 。"

niú tīng le xiào le xiào shuō qǐng nǐ men duō zǒu zou duō kàn
牛 听 了， 笑 了 笑， 说："请 你 们 多 走 走， 多 看

kan zài xià jié lùn ba
看，再 下 结 论 吧 。"

liǎng zhī mǎ yǐ zài niú shēn shàng pá lái pá qù　pá le hǎo yí huì er hái

两只蚂蚁在牛身上爬来爬去,爬了好一会儿还

méi yǒu pá biàn niú de quán shēn　tā men shuō　niú zhēn gāo zhēn dà a

没有爬遍牛的全身。他们说:"牛真高真大啊!"

【练习】

你发现什么规律了吗?

xiě chū jǐ gè dài yǒu chóng zì páng de zì

1 写出几个带有 虫 字旁的字。

_____ _____ _____ _____

xiǎng yì xiǎng xiě yì xiě

2 想一想,写一写。

弯弯的(　　　) 弯弯的(　　　　) 弯弯的(　　　)

yì zhī mǎ yǐ pá dào　　　　　　　rèn wéi　　　　lìng

3 一只蚂蚁爬到(　　　　　　),认为(　　　);另

yì zhī mǎ yǐ pá dào　　　　　rèn wéi

一只蚂蚁爬到(　　　　　　),认为(　　　

zuì hòu tā men　　　　　　　　　　rèn

);最后它们(　　　　　　),认

wéi

为(　　　　　　)。

dú wán zhè zé gù shi　nǐ shòu dào le shén me qǐ fā

4 读完这则故事,你受到了什么启发?

_____

配套练习4

破旧的小木桥

钱欣葆

dà shān de shān gǔ lǐ yǒu yì tiáo hé　hé shàng yǒu yí zuò pò jiù de

大山的山谷里有一条河,河上有一座破旧的

xiǎo mù qiáo　qiáo shàng de mù bǎn yǐ diào le xǔ duō　qiáo de yì gēn zhù

小木桥。桥上的木板已掉了许多,桥的一根柱

zi yě kuài duàn liè le

子也快断裂了。

máo lǘ zài huàng huàng yōu yōu de qiáo shàng zǒu guò　mán yuàn dào

毛驴在晃晃悠悠的桥上走过,埋怨道:

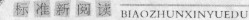
zhè qiáo huài le hěn jiǔ le　zhè yàng xià qù hěn kuài huì tā diào de　hēi
"这桥坏了很久了,这样下去很快会塌掉的。"黑

xióng zài zhī zhī gā gā xiǎng de qiáo shàng zǒu guò　fèn fèn de shuō　qiáo
熊在吱吱嘎嘎响的桥上走过,愤愤地说:"桥

huài chéng zhè gè yàng zi yě méi rén lái guǎn　méi rén lái xiū　hóu zi zài
坏成这个样子也没人来管,没人来修。"猴子在

bǎi kǒng qiān chuāng de qiáo shàng zǒu guò　tàn le kǒu qì shuō　xiàn zài
百孔千疮的桥上走过,叹了口气说:"现在

dà jiā dōu zhǐ gù zì jǐ　jìng méi yǒu shuí kěn lái xiū qiáo
大家都只顾自己,竟没有谁肯来修桥!"

máo lǘ　hēi xióng　hóu zi měi tiān zǒu guò zhè zuò pò mù qiáo　měi
毛驴、黑熊、猴子每天走过这座破木桥。每

cì jīng guò shí dōu yào fā biǎo yì fān yì lùn
次经过时都要发表一番议论。

yí rì tū rán kuáng fēng hū xiào　xià qǐ le qīng pén dà yǔ　máo
一日突然狂风呼啸,下起了倾盆大雨。毛

lǘ　hēi xióng　hóu zi jí máng wǎng jiā lǐ bēn　yì qí bēn shàng le yáo
驴、黑熊、猴子急忙往家里奔,一齐奔上了摇

yáo yù zhuì de pò mù qiáo　zǒu dào qiáo zhōng jiān　qiáo hōng lōng yì shēng
摇欲坠的破木桥。走到桥中间,桥轰隆一声

tā rù hé zhōng
塌入河中。

máo lǘ　hēi xióng　hóu zi pá shàng àn lái　lěng de sè sè fā dǒu
毛驴、黑熊、猴子爬上岸来,冷得瑟瑟发抖,

zuǐ lǐ hái nán nán de shuō　dòng kǒu de duō　dòng shǒu de shǎo　wǒ
嘴里还喃喃地说:"动口的多,动手的少,我

men dǎo dà méi le
们倒大霉了。"

【练习】

pīn yì pīn　xiě yì xiě
1 拼一拼,写一写。

shān gǔ　　　mù qiáo　　　máo lǘ　　　yì lùn

fā biǎo	tū rán	dà yǔ	zhōng jiān

zài wén zhōng zhǎo chū xià liè cí yǔ de fǎn yì cí

2 在 文 中 找 出 下 列 词 语 的 反 义 词。

崭新（　　　）　暖（　　　）

lián cí chéng jù　bìng jiā shàng hé shì de biāo diǎn fú hào

3 连 词 成 句，并 加 上 合 适 的 标 点 符 号。

一座　有　河上　的　木桥　破旧　小

_____

每天　毛驴　这座　走过　黑熊　猴子　木桥　破

_____

dòng kǒu de duō　dòng shǒu de shǎo　wǒ men dǎo dà méi le　nǐ

4 "动 口 的 多，动 手 的 少，我 们 倒 大 霉 了。"你

rèn wéi wén zhōng zhè yàng de rén yīng gāi zhǐ shuí ne

认 为 文 中 这 样 的 人 应 该 指 谁 呢？

_____

nǐ xiǎng duì máo lú　hēi xióng hé hóu zi shuō xiē shén me

5 你 想 对 毛 驴、黑 熊 和 猴 子 说 些 什 么？

_____

配套练习5

风娃娃的故事

fēng wá wa zhǎng dà le　fēng mā ma shuō　dào tián yě shàng qù

风 娃 娃 长 大 了，风 妈 妈 说："到 田 野 上 去

ba　dào nà lǐ　nǐ kě yǐ bāng zhù rén men zuò xǔ duō hǎo shì

吧，到 那 里，你 可 以 帮 助 人 们 做 许 多 好 事。"

fēng wá wa lái dào tián yě shàng　kàn jiàn yí gè dà fēng chē zhèng zài

风 娃 娃 来 到 田 野 上，看 见 一 个 大 风 车 正 在

màn màn zhuàn dòng　fēng chē xià biān　yì gǔ juān juān xì liú duàn duàn xù

慢 慢 转 动，风 车 下 边，一 股 涓 涓 细 流 断 断 续

xù de liú zhe fēng wá wa shēn shēn xī le yì kǒu qì gǔ qǐ sāi shǐ jìn
续地流着。风娃娃深深吸了一口气，鼓起腮，使劲

xiàng fēng chē chuī qù hā hā fēng chē zhuàn kuài le fēng chē xià de
向风车吹去。哈哈，风车转快了！风车下的

shuǐ liú lì kè biàn dà le bēn pǎo zhe tiào yuè zhe xiàng tián lǐ liú qù
水流立刻变大了，奔跑着、跳跃着，向田里流去。

yāng miáo er tǐng qǐ le yāo diǎn zhe tóu xiào fēng wá wa gāo xìng jí le
秧苗儿挺起了腰，点着头笑，风娃娃高兴极了。

hé biān xǔ duō chuán gōng zhèng lā zhe yì sōu chuán qián jìn
河边，许多船工正拉着一艘船前进。

chuán gōng men wān zhe yāo liú zhe hàn hǎn zhe hào zi kě shì chuán
船工们弯着腰，流着汗，喊着号子，可是，船

jǐ hū bú dòng fēng wá wa kàn jiàn le gǎn máng duì zhe chuán fān chuī le
几乎不动。风娃娃看见了，赶忙对着船帆吹了

jǐ kǒu qì chuán lì kè zài shuǐ miàn shàng fēi kuài de pǎo qǐ lái chuán
几口气，船立刻在水面上飞快地跑起来，船

gōng men xiào le yí gè gè dōu huí guò tóu lái xiàng fēng wá wa biǎo shì
工们笑了，一个个都回过头来，向风娃娃表示

gǎn xiè
感谢。

fēng wá wa xiǎng bāng zhù rén men zuò hǎo shì zhēn róng yì yǒu lì
风娃娃想：帮助人们做好事真容易，有力

qì jiù xíng
气就行。

tā zhè me xiǎng zhe bù zhī bù jué lái dào yí gè cūn zi lǐ nà
他这么想着，不知不觉来到一个村子里。那

lǐ jǐ gè hái zi zhèng zài fàng fēng zhēng fēng wá wa kàn jiàn le gǎn
里，几个孩子正在放风筝。风娃娃看见了，赶

jǐn guò qù bāng zhe chuī tā xiàng chuī fēng chē nà yàng yòng lì xiàng
紧过去帮着吹。他像吹风车那样用力，像

chuī chuán fān nà yàng shǐ jìn jié guǒ fēng zhēng xiàn chuī duàn le jǐ
吹船帆那样使劲。结果，风筝线吹断了，几

zhī fēng zhēng dōu ràng tā chě de fěn suì fēi de wú yǐng wú zōng le
只风筝都让他扯得粉碎，飞得无影无踪了。

jiù zhè yàng fēng wá wa chuī pǎo le rén men liàng de yī fu zhé duàn
就这样，风娃娃吹跑了人们 晾的衣服，折断

le lù biān xīn zāi de xiǎo shù cūn zi lǐ yí piàn zé mà shēng dōu
了路边新栽的小树……村子里一片责骂声，都

shuō fēng wá wa tài kě wù le
说 风娃娃太可恶了！

fēng wá wa bù gǎn zài qù bāng zhù rén men zuò shì le tā zài tiān
风娃娃不敢再去帮助人们做事了，他在天

shàng zhuàn zhe xiǎng zhe xiǎng lái xiǎng qù zhōng yú míng bai le zuò
上 转着、想着，想来想去，终于明白了：做

hǎo shì bú dàn yào yǒu hǎo de yuàn wàng hái děi yǒu hǎo de bàn fǎ
好事，不但要有好的愿 望，还得有好的办法。

【练习】

pīn yì pīn xiě yì xiě
1 拼一拼，写一写。

fēng chē	shǐ jìn	shuǐ liú	bēn pǎo

tiào yuè	gāo xìng	qián jìn	yī fu

zhào yàng zi xiě cí yǔ
2 照 样子写词语。

例：无(影)无(踪)

无( )无( )　无( )无( )

无( )无( )

fēng wá wa kàn jiàn jǐ gè hái zi gǎn jǐn
3 风娃娃看见几个孩子(　　　　　　　)，赶紧

guò qù tā xiàng chuī fēng chē nà yàng xiàng
过去(　　　　)。他像吹风车那样(　　　　)，像

chuī chuán fān nà yàng jié guǒ
吹 船帆那样(　　　)。结果，(　　　

　　　)。

4 村子里的人为什么要责骂想做好事的风娃

wa ne
娃呢？

配套练习6

厚皮的马屁股

金 江

lǎo hǔ dù zi è de huāng cóng dòng lǐ chū lái zhǎo shí chī zǒu
老虎肚子饿得慌，从洞里出来找食吃。走

dào shān gāng shàng kàn jiàn yì pǐ mǎ lǎo hǔ dà hǒu yì shēng měng
到山冈上，看见一匹马。老虎大吼一声，猛

pū guò qù cháo mǎ pì gu shàng kěn le yì kǒu
扑过去，朝马屁股上啃了一口。

shuí zhī dào méi yǒu kěn zháo mǎ niǔ zhe pì gu pǎo le lǎo hǔ zhuī
谁知道没有啃着，马扭着屁股跑了。老虎追

shàng qù yòu cháo mǎ pì gu shàng hěn kěn yì kǒu yòu méi yǒu kěn zháo
上去，又朝马屁股上狠啃一口，又没有啃着。

lǎo hǔ qí guài le mǎ de pì gu zhè me féi dà zěn me kěn bú jìn
老虎奇怪了，马的屁股这么肥大，怎么啃不进？

bù jīn dà shēng wèn dào
不禁大声问道：

wèi mǎ ya zěn me nǐ de pì gu lián wǒ lǎo hǔ de yá chǐ yě kěn
"喂，马呀！怎么你的屁股连我老虎的牙齿也啃

bú jìn
不进？"

nà pǐ mǎ huí guò tóu lái bù huāng bù máng de huí dá yīn wèi pāi
那匹马回过头来，不慌不忙地回答："因为拍

mǎ pì de rén tài duō le tiān tiān pāi yuè yuè pāi nián nián pāi pāi de wǒ
马屁的人太多了，天天拍，月月拍，年年拍，拍得我

pì gu shàng zhǎng le yòu hòu yòu yìng de jiǎn pí nǐ xiǎng kěn wǒ de pì
屁股上长了又厚又硬的茧皮。你想啃我的屁

gǔ zhēn shì bái rì zuò mèng
股，真是白日做梦！"

lǎo hǔ bù xiāng xìn yòu cuān shàng qù cháo mǎ pì gu yì kěn shuí
老虎不相信，又蹿上去朝马屁股一啃。谁
zhī zhè yí xià yòng lì tài měng bù jǐn méi kěn jìn lián yá chǐ yě pèng
知这一下，用力太猛，不仅没啃进，连牙齿也碰
diào le
掉了。

lǎo hǔ yáo yao tóu shuō āi yā pāi mǎ pì zhēn lì hai bù jǐn rén
老虎摇摇头说："哎呀！拍马屁真厉害，不仅人
shòu tā de hài lián wǒ lǎo hǔ yě chī le tā de kuī
受它的害，连我老虎也吃了它的亏！"

【练习】

jiāng xià liè hàn zì fēn bié zǔ chéng cí yǔ
1 将下列汉字分别组成词语。
齿 老 相 虎 厉 信 牙 害

_____ _____ _____

xuǎn zé zhèng què de dú yīn
2 选择正确的读音。
shuí zhī dào méi yǒu kěn mǎ niǔ
谁知道没有啃着（zháo zhe zhuó），马扭着（zháo zhe
pì gu pǎo le lǎo hǔ zhuī shàng qù yòu cháo mǎ pì gu shàng hěn kěn
zhuó）屁股跑了。老虎追上去，又朝马屁股上 狠啃
yì kǒu yòu méi yǒu kěn
一口，又没有啃着（zháo zhe zhuó）。

zhào yàng zi xiě cí yǔ
3 照样子写词语。

例：不(慌)不(忙)
不( )不( ) 不( )不( ) 不( )不( )

zhè shì yí gè fēi cháng yǒu qù de gù shi nǐ rèn wéi zuò zhě shì zài
4 这是一个非常有趣的故事，你认为作者是在
fěng cì nǎ yì zhǒng rén
讽刺哪一种人？（ ）

xiàng lǎo hǔ yí yàng qiáng dà de rén
A．像老虎一样强大的人。

xiàng mǎ yí yàng pí hòu de rén
B. 像 马 一 样 皮 厚 的 人。

nà xiē zhuān mén pāi mǎ pì de rén
C. 那 些 专 门 拍 马 屁 的 人。

配套练习7

谁的脚受了伤

dāi xiǎo zhū yǒu gè pí qi　bié rén yǒu shén me　tā yě fēi yào yǒu shén
呆 小 猪 有 个 脾 气，别 人 有 什 么，它 也 非 要 有 什
me
么。

zěn me xiǎo yáng de　yì　zhī jiǎo yòng　yì　zhāng cháng cháng de　yè zi bāo
怎 么 小 羊 的 一 只 脚 用 一 张 长 长 的 叶 子 包
le qǐ lái　tǐng hǎo wán de
了 起 来？挺 好 玩 的。

dāi xiǎo zhū jiù yòu qù chán mā ma　yě yào yòng cháng yè zi bāo jiǎo
呆 小 猪 就 又 去 缠 妈 妈，也 要 用 长 叶 子 包 脚。
mā ma shuō　　shǎ hái zi　xiǎo yáng de jiǎo shì yīn wèi shòu le shāng cái
妈 妈 说："傻 孩 子，小 羊 的 脚 是 因 为 受 了 伤 才
bāo qǐ lái de ya
包 起 来 的 呀。"

xiǎo yáng tīng le zhí yáo tóu　shuō　　cái bú shì ne　　wǒ shì kàn jiàn
小 羊 听 了 直 摇 头，说："才 不 是 呢！我 是 看 见
xiǎo mǎ zhè yàng bāo zhe　cái xué tā yàng de
小 马 这 样 包 着，才 学 他 样 的。"

zhū mā ma pāi le　yí　xià xiǎo yáng de tóu　shuō　　nǐ yě shì gè shǎ
猪 妈 妈 拍 了 一 下 小 羊 的 头，说："你 也 是 个 傻
hái zi　zhè me shuō　yí dìng shì xiǎo mǎ de jiǎo shòu le shāng
孩 子，这 么 说，一 定 是 小 马 的 脚 受 了 伤 。"

zhèng hǎo xiǎo mǎ zǒu lái le　shuō　　shuí shuō wǒ de jiǎo shòu shāng
正 好 小 马 走 来 了，说："谁 说 我 的 脚 受 伤
la　wǒ shì xué xiǎo niú de yàng zi
啦？我 是 学 小 牛 的 样 子。"

nà yí dìng shì xiǎo niú shòu le shāng
那 一 定 是 小 牛 受 了 伤 。

dà jiā lái dào xiǎo niú jiā de mén wài　　xiǎo niú　xiǎo niú　nǐ zài
大 家 来 到 小 牛 家 的 门 外 。"小 牛 ，小 牛 ，你 在

jiā ma
家 吗 ？"

jiào wǒ gàn má　　xiǎo niú cóng wū lǐ zǒu le chū lái
"叫 我 干 吗 ？"小 牛 从 屋 里 走 了 出 来 。

dà jiā yí kàn　yí　xiǎo niú de jiǎo shàng gēn běn méi yǒu bāo zhe yè zi
大 家 一 看 ：咦 ，小 牛 的 脚 上 根 本 没 有 包 着 叶 子 。

xiǎo mǎ wèn xiǎo niú　　nǐ jiǎo shàng de yè zi ne
小 马 问 小 牛 ："你 脚 上 的 叶 子 呢 ？"

xiǎo niú shuō　　wǒ jiǎo shàng de shāng yǐ jīng hǎo le　bú yòng bāo
小 牛 说 ："我 脚 上 的 伤 已 经 好 了 ，不 用 包

zhe yè zi la　　yí　　xiǎo niú qí guài de kàn zhe xiǎo mǎ　xiǎo
着 叶 子 啦 。——咦 ？"小 牛 奇 怪 地 看 着 小 马 、小

yáng　xiǎo zhū de jiǎo　　nǐ men de jiǎo dōu shòu shāng le ma
羊 、小 猪 的 脚 ，"你 们 的 脚 都 受 伤 了 吗 ？"

xiǎo mǎ　xiǎo yáng hé xiǎo zhū　nǐ kàn kan wǒ　wǒ kàn kan nǐ　bù
小 马 、小 羊 和 小 猪 ，你 看 看 我 ，我 看 看 你 ，不

zhī shuō shén me hǎo
知 说 什 么 好 。

【练习】

pīn yì pīn　xiě yì xiě
1 拼 一 拼 ，写 一 写 。

hǎo wán　　　shòu shāng　　　　qí guài　　　　gēn běn
好 玩　　　受 伤　　　　奇 怪　　　　根 本

gěi xià miàn de jù zi jiā shàng hé shì de biāo diǎn fú hào
2 给 下 面 的 句 子 加 上 合 适 的 标 点 符 号 。

nǐ zài jiā ma
（1）你 在 家 吗

nǐ jiǎo shàng de yè zi ne
（2）你 脚 上 的 叶 子 呢

nǐ men de jiǎo dōu shòu shāng le ma
（3）你们的脚都受伤了吗

dào dǐ shì shuí de jiǎo shòu le shāng ne
3 到底是谁的脚受了伤呢？（　　）

xiǎo mǎ　　　　xiǎo yáng　　　　xiǎo zhū　　　　xiǎo niú
A．小马　　B．小羊　　C．小猪　　D．小牛

xiǎo mǎ　xiǎo yáng hé xiǎo zhū wèi shén me yě yào yòng cháng yè zi
4 小马、小羊和小猪为什么也要用长叶子

bāo zhù jiǎo
包住脚？

配套练习8

做好梦的种子

邓旺山

láng zǒng ài qī fu xiǎo dòng wù　　jié guǒ měi wǎn dōu zuò è mèng
狼总爱欺负小动物，结果每晚都做噩梦，

tā fán nǎo jí le
他烦恼极了。

yì tiān　hú li lái dào láng jiā　duì láng shuō　　tù zi jiā yǒu　zuò
一天，狐狸来到狼家，对狼说："兔子家有'做

hǎo mèng de zhǒng zi　nǐ chī yì kē　bǎo zhǔn zuò hǎo mèng
好梦的种子'，你吃一颗，保准做好梦！"

láng qù zhǎo tù zi　　tù lǎo dì　qǐng kāi mén　láng hé qi de
狼去找兔子。"兔老弟，请开门。"狼和气地

qiāo tù zi jiā de mén　　nǐ yǒu shén me shì　tù zi duǒ zài mén hòu
敲兔子家的门。"你有什么事？"兔子躲在门后

wèn　　tīng shuō nǐ yǒu　zuò hǎo mèng de zhǒng zi　néng gěi wǒ yì
问。"听说你有'做好梦的种子'，能给我一

kē ma　láng wēn róu de shuō
颗吗？"狼温柔地说。

tù zi xiǎng　wǒ nǎ lǐ yǒu shén me　zuò hǎo mèng de zhǒng zi
兔子想：我哪里有什么"做好梦的种子"，

yí dìng shì hú li gǎo de guǐ   xiǎng ràng wǒ rě nù láng   ràng láng chī diào
一 定 是 狐 狸 搞 的 鬼， 想 让 我 惹 怒 狼， 让 狼 吃 掉

wǒ   zěn me bàn ne   tù zi xiǎng le gè bàn fǎ   tā zhuàng zhe dǎn zi
我 。 怎 么 办 呢？ 兔 子 想 了 个 办 法，他 壮 着 胆 子

duì láng shuō   láng gē ge   nǐ bǎ cài yuán lǐ de cǎo chú gān jìng   wǒ jiù
对 狼 说：" 狼 哥 哥，你 把 菜 园 里 的 草 锄 干 净， 我 就

gěi nǐ   zuò hǎo mèng de zhǒng zi
给 你 ' 做 好 梦 的 种 子 '。"

láng tīng le tù zi de huà   zhěng zhěng gàn le yì tiān   lín zǒu shí
狼 听 了 兔 子 的 话， 整 整 干 了 一 天。 临 走 时，

tù zi gěi le láng yì kē dòu zi   láng bǎ dòu zi tūn jìn dù zi lǐ   guǒ rán
兔 子 给 了 狼 一 颗 豆 子。 狼 把 豆 子 吞 进 肚 子 里，果 然

zuò le yí gè hǎo mèng
做 了 一 个 好 梦 。

láng lái gǎn xiè tù zi   tù zi shuō   wǒ gēn běn méi yǒu   zuò hǎo
狼 来 感 谢 兔 子。 兔 子 说：" 我 根 本 没 有 ' 做 好

mèng de zhǒng zi   gěi nǐ de zhǐ shì yì kē pǔ tōng de dòu zi   nǐ néng
梦 的 种 子 '，给 你 的 只 是 一 颗 普 通 的 豆 子，你 能

zuò hǎo mèng shì yīn wèi nǐ zuò le duì bié rén yǒu yì de shì   duì zì jǐ yě
做 好 梦 是 因 为 你 做 了 对 别 人 有 益 的 事， 对 自 己 也

shì yǒu hǎo chu de   láng tīng le tù zi de huà   yǐ hòu zài yě bù qī fu
是 有 好 处 的。" 狼 听 了 兔 子 的 话，以 后 再 也 不 欺 负

xiǎo dòng wù le
小 动 物 了 。

【练习】

qǐng nǐ xuǎn zé qià dàng de liàng cí
1 请 你 选 择 恰 当 的 量 词。

棵　　　　　颗

一（　　）树　　　一（　　）种子　　　一（　　）豆子

qǐng nǐ lái kuò cí
2 请 你 来 扩 词。

动（　　）　（　　）　（　　）

果（　　）　（　　）　（　　）

tù zi gěi láng de qí shí jiù shì yì kē pǔ tōng de dòu zi　kě shì zhè

3 兔子给狼的其实就是一颗普通的豆子，可是这

tiān wǎn shàng　láng wèi shén me zuò le yí gè hǎo mèng ne

天 晚 上，狼 为 什 么 做 了 一 个 好 梦 呢？

---

zuò hǎo mèng de zhǒng zi　qí shí shì yì kē shén me zhǒng zi ne

4 "做 好 梦 的 种 子"其实是一颗什么 种 子呢？

配套练习9

一只孵不出小鸟的蛋

chūn tiān　shù lín lǐ kě zhēn rè nao　niǎo er men fēi lái fēi qù máng

春天，树林里可真热闹，鸟儿们飞来飞去忙

zhe zuò zì jǐ de wō

着做自己的窝。

yí duì nián qīng de huáng lí zài shù zhī shàng hěn kuài zuò le yí gè

一对年轻的黄鹂在树枝上很快做了一个

wō　bù jiǔ　cí huáng lí shēng xià le sì gè xiǎo xiǎo de dàn

窝。不久，雌黄鹂生下了四个小小的蛋。

nà tiān　huáng lí mā ma chū qù zhǎo shí wù　yǒu rén tōu tōu de cóng

那天，黄鹂妈妈出去找食物，有人偷偷地从

tā de wō lǐ diào huàn le yí gè dàn

它的窝里调换了一个蛋。

huáng lí mā ma xiǎo xīn de fū zhe dàn　jǐ tiān yǐ hòu　sì gè dàn

黄鹂妈妈小心地孵着蛋，几天以后，四个蛋

yǒu sān gè dàn fū chū le xiǎo huáng lí　huáng lí mā ma kàn le kàn

有三个蛋孵出了小黄鹂。黄鹂妈妈看了看，

zhēn shì gāo xìng jí le

真是高兴极了。

suǒ yǒu de mā ma dōu ài zì jǐ de hái zi　huáng lí mā ma tiān tiān

所有的妈妈都爱自己的孩子。黄鹂妈妈天天

máng zhe gěi sān gè hái zi wèi shí　hái děi zhào gù nà gè dàn　měi cì huí
忙 着 给 三 个 孩 子 喂 食， 还 得 照 顾 那 个 蛋， 每 次 回

lái zǒng yào dūn yí huì er wō
来 总 要 蹲 一 会 儿 窝。

yì tiān zǎo shàng　huáng lí mā ma gāng gāng fēi chū wō qù zhǎo shí
一 天 早 上， 黄 鹂 妈 妈 刚 刚 飞 出 窝 去 找 食

wù　yǒu rén biàn qiāo qiāo de cóng wō lǐ qǔ zǒu le nà gè fū bù chū xiǎo
物， 有 人 便 悄 悄 地 从 窝 里 取 走 了 那 个 孵 不 出 小

niǎo de dàn　fàng jìn le yì zhī rén gōng fū chū lái de xiǎo huáng lí
鸟 的 蛋， 放 进 了 一 只 人 工 孵 出 来 的 小 黄 鹂。

wō lǐ fā shēng le sāo dòng　sān zhī xiǎo huáng lí dōu shuō xīn lái de
窝 里 发 生 了 骚 动， 三 只 小 黄 鹂 都 说 新 来 的

xiǎo huáng lí bú shì tā men jiā de
小 黄 鹂 不 是 它 们 家 的。

bù jiǔ　huáng lí mā ma zhǎo shí huí lái　tīng dào wō lǐ chǎo chǎo
不 久， 黄 鹂 妈 妈 找 食 回 来， 听 到 窝 里 吵 吵

rǎng rǎng　biàn wèn hái zi men fā shēng le shén me shì
嚷 嚷， 便 问 孩 子 们 发 生 了 什 么 事。

yì zhī zuì dà de xiǎo huáng lí zhǐ zhe lìng yì zhī xiǎo huáng lí shuō
一 只 最 大 的 小 黄 鹂 指 着 另 一 只 小 黄 鹂 说：

tā bú shì wǒ men jiā de　shì gāng cái yǒu rén sāi jìn wō lǐ lái de
"它 不 是 我 们 家 的， 是 刚 才 有 人 塞 进 窝 里 来 的。"

huáng lí mā ma chǒu le yì yǎn zhè zhī xīn lái de xiǎo huáng lí　yòu
黄 鹂 妈 妈 瞅 了 一 眼 这 只 新 来 的 小 黄 鹂， 又

dī tóu kàn kan wō　zhēn guài　nà zhī dàn bú jiàn le
低 头 看 看 窝， 真 怪， 那 只 蛋 不 见 了。

huáng lí mā ma wèn hái zi men　dàn zěn me bú jiàn le　nǐ men
黄 鹂 妈 妈 问 孩 子 们："蛋 怎 么 不 见 了， 你 们

kàn jiàn shì shuí qǔ zǒu de
看 见 是 谁 取 走 的？"

sān zhī xiǎo huáng lí yáo yao tóu　dōu shuō bù zhī dào
三 只 小 黄 鹂 摇 摇 头， 都 说 不 知 道。

huáng lí mā ma kě lián nà zhī xīn lái de xiǎo huáng lí　jiù bǎ tā
黄 鹂 妈 妈 可 怜 那 只 新 来 的 小 黄 鹂， 就 把 它

shōu liú xià lái le
收 留 下 来 了 。

kě shì huáng lí mā ma nǎ lǐ zhī dào zhè zhī xiǎo huáng lí yě shì zì
可 是 ， 黄 鹂 妈 妈 哪 里 知 道 这 只 小 黄 鹂 也 是 自

jǐ de hái zi ne
己 的 孩 子 呢 ！

huáng lí mā ma hái zài diàn jì zhe nà gè fū bù chū xiǎo niǎo de dàn
黄 鹂 妈 妈 还 在 惦 记 着 那 个 孵 不 出 小 鸟 的 蛋 ，

rán ér nà gè dàn què yǒng yuǎn yě bú huì huí lái le
然 而 那 个 蛋 却 永 远 也 不 会 回 来 了 。

yuán lái tā shì kē xué jiā tè zhì de jiàn dié luǎn dàn lǐ zhuāng
原 来 ， 它 是 科 学 家 特 制 的 "间 谍 卵 "， 蛋 里 装

de yí qì jì lù le huáng lí fū dàn de wēn dù rì qī děng quán bù mì
的 仪 器 ， 记 录 了 黄 鹂 孵 蛋 的 温 度 、 日 期 等 全 部 秘

mì yǐ biàn wèi rén gōng fū huà huáng lí tí gōng kē xué yī jù
密 ， 以 便 为 人 工 孵 化 黄 鹂 提 供 科 学 依 据 。

【练习】

pīn yì pīn xiě yì xiě
1 拼 一 拼 ， 写 一 写 。

rè nao　　　nián qīng　　　shí wù　　　fā shēng

shōu liú　　　kē xué jiā　　　yǒng yuǎn　　　quán bù

qǐng nǐ xiě chū jǐ gè dài yǒu xià liè bù shǒu de zì
2 请 你 写 出 几 个 带 有 下 列 部 首 的 字 。

木：＿＿＿＿＿＿＿＿＿＿＿＿＿＿＿＿

扌：＿＿＿＿＿＿＿＿＿＿＿＿＿＿＿＿

bǎ xià miàn de jù zi bǔ chōng wán zhěng
3 把 下 面 的 句 子 补 充 完 整 。

huáng lí mā ma kě lián
（1） 黄 鹂 妈 妈 可 怜 （　　　　　　　　　　）。

（2）科学家用（ kē xué jiā yòng ）替换了一只黄鹂蛋。 tì huàn le yì zhī huáng lí dàn

4 那只科学家特制的"间谍卵"有什么作用呢？ nà zhī kē xué jiā tè zhì de jiàn dié luǎn yǒu shén me zuò yòng ne

_____

_____

5 读一读，想一想。 dú yì dú xiǎng yì xiǎng

鸟儿是人类的朋友。 niǎo er shì rén lèi de péng you   爱鸟护鸟，人人有责。 ài niǎo hù niǎo rén rén yǒu zé

6 你认识几种鸟儿，请写出它们的名字。 nǐ rèn shi jǐ zhǒng niǎo er qǐng xiě chū tā men de míng zi

配套练习10

小苹果上的一滴露水

一滴露水栖息在树梢上的一个小苹果上。 yì dī lù shui qī xī zài shù shāo shàng de yí gè xiǎo píng guǒ shàng

当太阳照着它的时候，它想："能上天去玩 dāng tài yáng zhào zhe tā de shí hou tā xiǎng néng shàng tiān qù wán

玩多好啊！"想着，想着，它渐渐缩小，最后不 wan duō hǎo a xiǎng zhe xiǎng zhe tā jiàn jiàn suō xiǎo zuì hòu bú

见了。其实它已经化成水汽，升上了天空。 jiàn le qí shí tā yǐ jīng huà chéng shuǐ qì shēng shàng le tiān kōng

天空里，有无数像它一样的由小水点化 tiān kōng lǐ yǒu wú shù xiàng tā yí yàng de yóu xiǎo shuǐ diǎn huà

成的水汽。它们来自江河湖海和大地上一切 chéng de shuǐ qì tā men lái zì jiāng hé hú hǎi hé dà dì shàng yí qiè

含有水分的东西，甚至人们身上出的汗水和 hán yǒu shuǐ fèn de dōng xi shèn zhì rén men shēn shàng chū de hàn shuǐ hé

婴儿的眼泪。这都是受到日光的照射而蒸发 yīng ér de yǎn lèi zhè dōu shì shòu dào rì guāng de zhào shè ér zhēng fā

化成水汽的。

它们渐渐升高，而高空气温却越来越冷。这样，这些水汽又都变成了微小的水点和细微的冰晶，而水汽还在不断地参加到这个集体中来，并且正在起着变化。从地面往上瞧，这个"集体"是一大块美丽的白云。地面上有一大片果园。果树们正觉得口渴，或者是觉得闷热难受，想洗个澡，于是它们摆着手向云打招呼："你们快快下来吧！"

这些小水点很想下来，可是它们的身体太轻，被不断上升的气流托住，只是在空中飘飘荡荡。它们升得更高了，那里的气温也更冷了。

"好冷啊！"小水点们和小冰晶们齐声说，"让我们挤紧点吧。"这样，小水点们同小冰晶们就合并起来。小水点不断蒸发，小冰晶不断凝华壮大，成为姿态万千的雪花。

qì liú zài yě tuō bú zhù tā men le　jiù zhí wǎng xià diào　tā men diào de
气流再也托不住它们了，就直往下掉。它们掉得

nà me kuài　tóng xià miàn wēn nuǎn de kōng qì mó cā ér fā rè　xuě huā
那么快，同下面温暖的空气摩擦而发热，雪花

róng huà le　jiù huà chéng le yǔ diǎn
融化了，就化成了雨点。

yǔ diǎn　dī dī dā dā　de luò xià lái　nà yì dī xiān qián de lù
雨点"滴滴答答"地落下来。那一滴先前的露

shuǐ zhèng qiǎo luò zài nà kē píng guǒ shù xià de ní tǔ lǐ　bèi shù gēn tān
水正巧落在那棵苹果树下的泥土里，被树根贪

lán de xī shōu qù le
婪地吸收去了。

tā shùn zhe shù gàn lǐ de　xuè guǎn　zhú jiàn shàng shēng
它顺着树干里的"血管"逐渐上升……

zhōng yú shèn jìn le tā xiān qián qī xī guò de nà gè píng guǒ lǐ qù le
终于渗进了它先前栖息过的那个苹果里去了。

dāng rán　zhè dī lù shuǐ biàn chéng le tián tián de zhī shuǐ　shì yīn wèi
当然，这滴露水变成了甜甜的汁水，是因为

shù lǐ yǒu wú shù　jiā gōng chǎng　de yuán gù　zǒng zhī　nà gè xiǎo
树里有无数"加工厂"的缘故。总之，那个小

píng guǒ zhú jiàn zhǎng dà le　ér qiě hěn tián hěn tián
苹果逐渐长大了，而且很甜很甜。

nǐ bú shì zhèng zài kěn zhe yí gè dà píng guǒ ma　zài nà tián tián de
你不是正在啃着一个大苹果吗？在那甜甜的

zhī shuǐ lǐ　zhèng bāo hán zhe nà yì dī lù shuǐ ne
汁水里，正包含着那一滴露水呢！

【练习】

dú yì dú　xiǎng yì xiǎng
1 读一读，想一想。

lù　xuě　shuāng　wù　báo zi
露　雪　霜　雾　雹子

你发现了吗？

xiǎo shuǐ dī de biàn huà shì bú shì hěn shén qí ya　xiě chū shuǐ de
2 小水滴的变化是不是很神奇呀？写出水的

biàn huà guò chéng
变化过程。

露水——水汽——（　　　）——（　　　）——（　　　）

bǎ jù zi xiě jù tǐ

3 把句子写具体。

yǔ diǎn　　　　　　　　　　　　　　de luò xià lái

雨点（　　　　　　　　　　　）地落下来。

zhè dī lù shui biàn chéng le　　　　　　　de zhī shui

这滴露水变成了（　　　　　　）的汁水。

yì　dī　lù shui qī xī zài shù shāo shàng de yí gè xiǎo píng guǒ

4 "一滴露水栖息在树梢上的一个小苹果

shàng　 dāng tài yáng zhào zhe tā de shí hou　tā xiǎng　 néng shàng tiān qù

上。当太阳照着它的时候，它想：'能上天去

wán wan duō hǎo a　 xiǎng zhe　xiǎng zhe　 tā jiàn jiàn suō xiǎo　zuì hòu bú

玩玩多好啊！'想着，想着，它渐渐缩小，最后不

jiàn le　 qí shí tā yǐ jīng huà chéng shuǐ qì　shēng shàng le tiān kōng　 zhè

见了。其实它已经化成水汽，升上了天空。"这

duàn huà zhōng de　tā　 zhǐ shén me　 tā wèi shén me bú jiàn le

段话中的"它"指什么？它为什么不见了？

_____

_____

配套练习11

给你一个惊喜

shī zi ā měi zhǎng zhe　yì tóu cháng cháng de　liàng liàng de　xiàng

狮子阿美长着一头长长的、亮亮的、像

pù bù yí yàng de jīn fà　 kě piào liang le　 kě yǐ shuō　tā shì shī zi jiā

瀑布一样的金发，可漂亮了。可以说，他是狮子家

zú lǐ zhǎng de zuì jùn de　měi nán zǐ

族里长得最俊的"美男子"。

kě shì　 ā měi zài shēng le　yì cháng dà bìng zhī hòu　nà tóu jīn fà

可是，阿美在生了一场大病之后，那头金发

kāi shǐ dà bǎ dà bǎ de wǎng xià diào　dào hòu lái　yì tóu jīn fà quán diào

开始大把大把地往下掉。到后来，一头金发全掉

guāng le

光了。

阿美独自关在屋子里，对着镜子，看着自己难看的光头，伤心地哭了起来。哭呀哭，哭得两眼又红又肿的，像两只熟透了的桃子。

"阿美，咱们钓鱼去吧？"他的伙伴在窗外叫他。

自己变成了难看的光头，怎么出去呀？

"不去！不去！"阿美伤心地说。

"阿美，咱们踢球去吧？"他的伙伴又在窗外喊他。

怎么出去呀？自己变成了难看的光头。

阿美干脆钻进被窝里不吭声。

不知又过了多少时候，"叮——"电话铃声响了起来。

阿美拎起了听筒，听筒里传来伙伴们的声音：

"阿美，你不是最喜欢钓鱼的吗？今天为什么不去呀？"

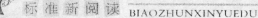
　　ā měi　wǒ men de zú qiú bǐ sài　jiù děng nǐ lái shǒu qiú mén
"阿美，我们的足球比赛，就等你来守球门

le　kuài lái ya
了，快来呀！"

　　ā měi kū sang zhe liǎn　méi kēng shēng
阿美哭丧着脸，没吭声。

　　ā měi　nǐ shēn chū nǎo dai lái kàn kan　wǒ men yào gěi nǐ yí gè
"阿美，你伸出脑袋来看看，我们要给你一个

jīng xǐ　nà shì yí gè cuì shēng shēng de sǎng yīn
惊喜！"那是一个脆生生的嗓音。

　　ā měi rěn bú zhù le　tā màn màn de cóng chuāng kǒu tàn chū yì
阿美忍不住了，他慢慢地从窗口探出一

shuāng yǎn jing
双眼睛。

　　wā　chū xiàn zài tā yǎn qián de tā de huǒ bàn men　dōu tì guāng le
哇！出现在他眼前的他的伙伴们，都剃光了

tóu fa　yì zhī zhī guāng nǎo dai zài yáng guāng xià shǎn zhe guāng
头发。一只只光脑袋在阳光下闪着光。

　　wū　ā měi yòu yí cì kū le　zhè cì tā shì yīn wèi gǎn dòng ér
呜……阿美又一次哭了，这次他是因为感动而

kū de
哭的。

【练习】

　　bǐ yì bǐ　tián yì tián
1 比一比，填一填。

生　声　升　伸　身

（　）病　　脆（　）（　）　　（　）音

（　）出头来　　（　）体　　　上（　）

（　）日　　响（　）　　　（　）气

　　xiě chū xià liè cí yǔ de fǎn yì cí
2 写出下列词语的反义词。

难看（　　）　　伤心（　　）　　喜欢（.　　）

慢（　　）　　长（　　）　　哭（　　）

　　ā měi gān cuì zuān jìn bèi wō lǐ bù kēng shēng　　ā měi wèi shén
3 "阿美干脆钻进被窝里不吭声。"阿美为什

me yào zhè yàng zuò ne　　tā shì zěn me xiǎng de　　qǐng nǐ yòng
么 要 这 样 做 呢？他 是 怎 么 想 的？请 你 用 "＿＿＿"
zài wén zhōng huà chū lái
在 文 中 画 出 来。

gěi nǐ yí gè jīng xǐ　zhōng de　jīng xǐ　shì shén me ne　xiǎo huǒ
4 "给 你 一 个 惊 喜" 中 的 "惊 喜" 是 什 么 呢？小 伙
bàn wèi shén me yào bǎ zhè yàng de jīng xǐ sòng gěi ā měi ne
伴 为 什 么 要 把 这 样 的 惊 喜 送 给 阿 美 呢？

_____

_____

nǐ rèn wéi xiǎo huǒ bàn de zuò fǎ zěn me yàng
5 你 认 为 小 伙 伴 的 做 法 怎 么 样？

_____

配套练习12

离开水塘的鲤鱼

lǐ yú yú kuài de shēng huó zài shuǐ táng lǐ　měi dāng tā zài bì bō
鲤 鱼 愉 快 地 生 活 在 水 塘 里，每 当 它 在 碧 波
zhōng zì yóu zì zài de yóu lái yóu qù de shí hou　guò wǎng de dòng wù men
中 自 由 自 在 地 游 来 游 去 的 时 候，过 往 的 动 物 们
zǒng shì duì tā zàn bù jué kǒu
总 是 对 它 赞 不 绝 口：

yō　lǐ yú de lín jiǎ hǎo piào liang ya　xiàng hóng xiá yí yàng měi
"哟！鲤 鱼 的 鳞 甲 好 漂 亮 呀，像 红 霞 一 样 美
lì
丽！"

hāi　lǐ yú de shēn zi zhēn qīng yíng líng qiǎo　xiàng cǎi yún yí
"嗨！鲤 鱼 的 身 子 真 轻 盈 灵 巧，像 彩 云 一
yàng mí rén
样 迷 人！"

yō　lǐ yú de qí huá dòng qǐ lái　zhēn xiàng tiān shàng fēi xiáng
"唷！鲤 鱼 的 鳍 划 动 起 来，真 像 天 上 飞 翔

de xiǎo niǎo
的小鸟!"

tīng le zhè me duō zàn měi de huà　 lǐ yú fēi cháng　　　　　rèn
听了这么多赞美的话，鲤鱼非常（　　），认
wéi zì jǐ liǎo bu qǐ　 shuǐ táng jiàn lǐ yú zì gāo zì dà qǐ lái　 jiù quàn
为自己了不起。水塘见鲤鱼自高自大起来，就劝
gào tā shuō　 nǐ méi yǒu jiǎo xiǎng pǎo bù ma　 nǐ méi yǒu xiǎo niǎo de
告它说："你没有脚想跑步吗？你没有小鸟的
chì bǎng jiù xiǎng fēi ma
翅膀就想飞吗?"

shuǐ táng de zhōng gào　 lǐ yú yì diǎn yě bù xiǎng tīng　 zuì hòu jìng rán
水塘的忠告，鲤鱼一点也不想听，最后竟然
jué dìng bú zài yǔ shuǐ táng yì qǐ shēng huó le
决定不再与水塘一起生活了。

tā māo zhe yāo　 fèn lì yí yuè　　 huā lā　 yì shēng lí kāi le shuǐ
它猫着腰，奋力一跃，"哗啦"一声离开了水
táng　　 dāng lǐ yú lí kāi shuǐ táng　 yuè chū shuǐ miàn shí　 tā
塘。当鲤鱼离开水塘，跃出水面时，它（　　）
de duì shuǐ táng shuō　　 wèi　 nǐ kàn ya　 wǒ suī rán méi yǒu zhǎng xiǎo niǎo
地对水塘说："喂，你看呀，我虽然没有长小鸟
de chì bǎng　 què néng xiàng xiǎo niǎo yí yàng zài kōng zhōng fēi xiáng
的翅膀，却能像小鸟一样在空中飞翔……"

lǐ yú de huà hái méi yǒu shuō wán　　 pā lā　 yì shēng　 jiù diē luò
鲤鱼的话还没有说完，"啪啦"一声，就跌落
zài shuǐ táng biān de ní tǔ shàng　 zhè shí　 lǐ yú hài pà le　 jiào dào
在水塘边的泥土上。这时，鲤鱼害怕了，叫道:
shuǐ táng　 shuǐ táng　 kuài lái jiù jiù wǒ
"水塘，水塘，快来救救我!"

lǐ yú lí kāi le shuǐ táng　 hū xī kùn nan le　 tòng kǔ de fān gǔn
鲤鱼离开了水塘，呼吸困难了，痛苦地翻滚。
hú li lái le　 jiāng lí kāi shuǐ de lǐ yú zhuō zhù le　 zuǐ lǐ shuō　 lǐ
狐狸来了，将离开水的鲤鱼捉住了，嘴里说："鲤
yú de ròu zhēn xiāng
鱼的肉真香!"

【练习】

gěi duǎn wén jù zi zhōng de　　　　chù xuǎn zé hé shì de cí yǔ
1 给 短 文 句 子 中 的（　　）处 选 择 合 适 的 词 语，
bìng jiāng xù hào xiě zài kuò hào lǐ
并 将 序 号 写 在 括 号 里。

①认真　②兴奋　③得意　④骄傲　⑤生气　⑥高兴

bǎ xià miàn de cí yǔ bǔ chōng wán zhěng
2 把 下 面 的 词 语 补 充 完 整。

（　　）由（　　）在　　赞不（　　）（　　）

（　　）高（　　）大

bǎ xià miàn de jù zi xiě jù tǐ
3 把 下 面 的 句 子 写 具 体。

lǐ yú de lín jiǎ hǎo piào liang ya　xiàng
（1）鲤 鱼 的 鳞 甲 好 漂 亮 呀，像（　　　　　　）！

lǐ yú de shēn zi zhēn qīng yíng líng qiǎo　xiàng
（2）鲤 鱼 的 身 子 真 轻 盈 灵 巧，像（　　　　　　）！

lǐ yú de qí huá dòng qǐ lái　zhēn xiàng
（3）鲤 鱼 的 鳍 划 动 起 来，真 像（　　　　　）！

lǐ yú yí dìng huì hòu huǐ de xiǎng xiē shén me ne
4 鲤 鱼 一 定 会 后 悔 地 想 些 什 么 呢？

_____

dú wán zhè gè gù shi　nǐ huò dé le shén me qǐ shì ne
5 读 完 这 个 故 事，你 获 得 了 什 么 启 示 呢？

_____

_____

配套练习13

画得好不好

hóu zi xǐ huan huà huà　　zhè cì tā yòu huà le yì fú xīn zuò　tè
猴 子 喜 欢 画 画。 这 次 他 又 画 了 一 幅 新 作，特
dì yāo qǐng máo lǘ　wū yā hé hú li lái píng dìng
地 邀 请 毛 驴、乌 鸦 和 狐 狸 来 评 定。

毛驴、乌鸦和狐狸来到画前，漫不经心地看了看。

毛驴用蹄子敲着地面，拉长语调说："毫无新意——"

乌鸦想也不想，拉长语调说："平庸之作——"

狐狸闭上眼睛，拉长语调说："江郎才尽——"

毛驴、乌鸦和狐狸的这些评定使猴子很难过。就在他难过时，狮子大王和鸟王凤凰刚好经过，毛驴、乌鸦和狐狸神态恭敬地站在一旁。狮王和鸟王浏览了图画后，表示赞赏，对猴子讲了一番勉励的话，然后离去。

这时，评定现场突然发生了戏剧性的变化。

毛驴的长脸上冒出了汗珠，结结巴巴地说："我……我想把刚才的评……评语说得更

míng bai yì diǎn　　zhè　　zhè shì yì fú zài yì pī háo wú xīn yì de
明白一点……这……这是一幅在一批毫无新意的

zuò　　zuò pǐn zhōng tuō yǐng ér chū de jié　　jié chū zuò pǐn
作……作品中脱颖而出的杰……杰出作品!"

wū yā jǐn zhāng de shōu lǒng chì bǎng shuō　　duì　duì　píng yōng zhī
乌鸦紧张地收拢翅膀说:"对,对!平庸之

zuò wǒ jiàn de tài duō le　zhè jiàn zuò pǐn dí què bù tóng fán xiǎng　dú shù
作我见得太多了,这件作品的确不同凡响,独树

yí zhì
一帜!"

hú li dèng dà yǎn jing　diǎn tóu hā yāo de shuō　jiāng láng yǒu cái
狐狸瞪大眼睛,点头哈腰地说:"江郎有才

jìn de yì tiān　kě wǒ men zhè wèi huà tán de tiān cái què yǒng yuǎn guāng cǎi
尽的一天,可我们这位画坛的天才却永远光彩

duó mù　cháng qīng bù lǎo
夺目,常青不老!"

hóu zi hú tu le　　gāng cái hái zài dà mà wǒ de zuò pǐn　yì zhuǎn yǎn
猴子糊涂了:刚才还在大骂我的作品,一转眼

de gōng fu　zěn me yòu jiāng tiān xià zuì dòng tīng de huà sòng gěi le wǒ
的工夫,怎么又将天下最动听的话送给了我?

wǒ dào dǐ huà de hǎo bù hǎo
我到底画得好不好?

【练习】

jī léi chéng yǔ
1 积累成语。

màn bù jīng xīn　Jiāng láng cái jìn　tuō yǐng ér chū
漫不经心　江郎才尽　脱颖而出

bù tóng fán xiǎng　dú shù yí zhì
不同凡响　独树一帜

xiě chū dài yǒu xià liè bù shǒu de zì
2 写出带有下列部首的字。

门:_____　_____

讠:_____　_____

bǎ jù zi bǔ chōng wán zhěng
3 把句子补充完整。

zhè jiàn zuò pǐn
这件作品（ ）。

hóu zi
猴子（ ）。

máo lǘ qǐ chū shuō hóu zi de huà   hòu lái
4 毛驴起初说猴子的画（ ），后来

yòu shuō hóu zi de huà
又说猴子的画（ ）；

wū yā qǐ chū shuō hóu zi de huà   hòu
乌鸦起初说猴子的画（ ），后

lái yòu shuō hóu zi de huà
来又说猴子的画（ ）；

hú li qǐ chū shuō hóu zi de huà   hòu lái yòu
狐狸起初说猴子的画（ ），后来又

shuō hóu zi de huà
说猴子的画（ ）。

máo lǘ   wū yā hé hú li qián hòu de píng dìng wèi shén me fā shēng
5 毛驴、乌鸦和狐狸前后的评定为什么发生

le zhè yàng dà de biàn huà ne
了这样大的变化呢？

_____

_____

nǐ xiǎng duì máo lǘ   wū yā hé hú li shuō xiē shén me ne
6 你想对毛驴、乌鸦和狐狸说些什么呢？

_____

_____

配套练习14

兔、蛙赛跑

tù zi yí xiàng rèn wéi zì jǐ sì jiǎo líng qiǎo tiào de yuǎn pǎo de kuài
兔子一向认为自己四脚灵巧，跳得远，跑得快。

一天，兔子笑话青蛙笨头笨脑的样子，走路还一颠一簸的。青蛙就提出赛跑，两人约定：一天里跑完九座山的路。

第二天，赛跑开始了，兔子和青蛙一块儿出发了。不一会儿，青蛙就落在了兔子的后面，兔子骄傲地回过头来说："蛙老弟，你这个速度十天也跑不完九座山的路！"

青蛙满不在乎地回答说："兔哥，你尽管在前面跑，只消一会儿，我就会跑到你前面去的。"

兔子跑过了一座山，来到第二座山的时候，正碰见青蛙已在前面蹲着。他对兔子说："兔哥，我在这里等你好久好久了，你怎么才来呢？"

兔子不相信自己的眼睛了：这是怎么啦？他着急地问道："你，你怎么会这样快？"青蛙笑了笑，说："你别看我笨头笨脑，颠手簸脚，我一跳就有几百步远！"

兔子不服输，继续往前跑，可每一座山前，

青蛙总是在前面等着他。兔子满头大汗，呼呼喘气地来到第九座山的时候，只见青蛙又在前面蹲着等他。兔子再也支持不住了，两眼一黑，昏了过去。兔子输了！

青蛙是怎样战胜骄傲的兔子的呢？原来，青蛙串联了各地的青蛙，每座山安排一个。结果，青蛙用智慧和集体的力量取得了胜利。

【练习】

1 拼一拼，写一写。

yuē dìng　　hòu miàn　　sù dù　　hǎo jiǔ

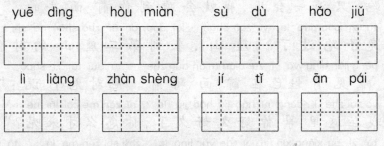

lì liàng　　zhàn shèng　　jí tǐ　　ān pái

2 写出下列词语的反义词。

灵巧——（　　）　输——（　　）　骄傲——（　　）

相信——（　　）　胜利——（　　）

3 给下面的句子加上合适的标点符号。

你怎么才来呢

你怎么会这样快呢

qīng wā shì zěn yàng zhàn shèng jiāo ào de tù zi de ne
青 蛙 是 怎 样 战 胜 骄傲 的 兔子 的 呢

qīng wā shì zěn yàng zhàn shèng jiāo ào de tù zi de ne
④ 青 蛙 是 怎 样 战 胜 骄傲 的 兔子 的 呢？

_____

nǐ xiǎng bǎ shén me huà yǔ sòng gěi wén zhōng de dòng wù ne
⑤ 你 想 把 什 么 话语 送 给 文 中 的 动 物 呢？

sòng gěi qīng wā
送 给 青 蛙：_____

sòng gěi tù zi
送 给 兔子：_____

配套练习15

捉拿花豹的小青蛙

shī zi dà wáng de xiǎo bǎo bao bèi huā bào chī diào le   shī wáng qì
狮子 大 王 的 小 宝宝 被 花 豹 吃 掉 了。狮 王 气

jí le   biàn mìng lìng bù xià qián qù zhuō ná huā bào   kě shì dà xiàng lǎo
极 了，便 命 令 部 下 前 去 捉 拿 花 豹。可 是 大 象、老

hǔ hēi xióng hé xī niú dōu bù gǎn qù   yīn wèi tā men hài pà huā bào
虎、黑 熊 和 犀 牛 都 不 敢 去，因 为 他 们 害 怕 花 豹。

zěn me bàn   shī wáng méi zhǔ yi le
怎 么 办？狮 王 没 主 意 了。

yì zhī xiǎo qīng wā zhàn chū lái shuō   zūn jìng de shī wáng   wǒ kě
一 只 小 青 蛙 站 出 来 说："尊 敬 的 狮 王，我 可

yǐ qù zhuō ná huā bào   tì nín de xiǎo bǎo bao bào chóu
以 去 捉 拿 花 豹，替 您 的 小 宝宝 报 仇。"

shī wáng gēn běn bù xiāng xìn xiǎo xiǎo de qīng wā néng gòu zhuō ná huā
狮 王 根 本 不 相 信 小 小 的 青 蛙 能 够 捉 拿 花

bào   biàn shuō   xiǎo qīng wā   nǐ zhè me xiǎo de shēn zi zěn me néng
豹，便 说："小 青 蛙，你 这 么 小 的 身 子 怎 么 能

zhuō ná huā bào ne   bié qù sòng mìng
捉 拿 花 豹 呢？别 去 送 命。"

xiǎo qīng wā shuō   qǐng fàng xīn   wǒ zì yǒu zhuō ná huā bào de bàn
小 青 蛙 说："请 放 心，我 自 有 捉 拿 花 豹 的 办

fǎ
法。"

shī wáng kǎo lǜ le hěn jiǔ　　zhōng yú dā yìng le xiǎo qīng wā de qǐng qiú
狮王 考虑了很久，终于答应了小青蛙的请求。

xiǎo qīng wā lái dào xiǎo hé páng de　yì tiáo xiǎo chén chuán shàng　zài
小青蛙来到小河旁的一条小沉 船 上，在

chuán lǐ bù mǎn le tiě zhēn hé jiān zhú zi　　suí hòu　tā zhàn zài xiǎo
船里布满了铁针和尖竹子。随后，他站在小

chuán shàng dà shēng hǎn dào　　wèi　kě wù de huā bào　nǐ dǎn gǎn chī
船 上大声喊道："喂，可恶的花豹，你胆敢吃

diào xiǎo shī zi　jīn tiān wǒ yào lái zhuō nǐ tì xiǎo shī zi bào chóu
掉小狮子，今天我要来捉你替小狮子报仇！"

zhèng zài hé páng dà shù shàng shuì jiào de huā bào bèi xiǎo qīng wā de
正在河旁大树上 睡觉的花豹被小青蛙的

jiào hǎn shēng jīng xǐng　tā zhēng yǎn yí kàn　hā　yuán lái shì zhī bù zhī
叫喊声惊醒。他睁眼一看，哈，原来是只不知

tiān gāo dì hòu de xiǎo qīng wā　huā bào dà xiào dào　hā hā　nǐ gǎn
天高地厚的小青蛙。花豹大笑道："哈哈，你敢

lái zhuō wǒ　hǎo ba　ràng wǒ xiān bǎ nǐ chī le dàng zǎo cān　shuō
来捉我？好吧，让我先把你吃了当早餐！"说

zhe　zhāng yá wǔ zhǎo de cháo xiǎo qīng wā pū qù
着，张牙舞爪地朝小青蛙扑去。

pū tōng　yì shēng　huā bào méi yǒu pū dào xiǎo qīng wā　fǎn ér zì
"扑通"一声，花豹没有扑到小青蛙，反而自

tóu luó wǎng　bèi chuán shàng de tiě zhēn hé jiān zhú zi láo láo de chā zài
投罗网，被船 上的铁针和尖竹子牢牢地插在

chuán shàng　　xiǎo qīng wā zhuō dào le huā bào
船 上。小青蛙捉到了花豹。

dà xiàng　lǎo hǔ　hēi xióng hé xī niú zài yì páng cán kuì de dī xià le tóu
大象、老虎、黑熊和犀牛在一旁惭愧地低下了头。

【练习】

xuǎn zé zhèng què de dú yīn
1 选择正确的读音。

答应(yīng ying)　　可恶(è wù)

bǎ xià miàn de cí yǔ bǔ chōng wán zhěng
2 把 下 面 的 词 语 补 充 完 整 。

天（　　）地（　　）　　　张（　　）舞（　　）
自投（　　）（　　）

zhào yàng zi　gǎi xiě jù zi
3 照 样 子 ,改 写 句 子 。

例:花豹吃掉了小狮子。

花豹把小狮子吃掉了。

小狮子被花豹吃掉了。

xiǎo qīng wā zhuō dào le huā bào
① 小 青 蛙 捉 到 了 花 豹 。

② _____

③ _____

xiǎo qīng wā shì zěn yàng ràng huā bào zì tóu luó wǎng de ne　　bǎ zhè
4 小 青 蛙 是 怎 样 让 花 豹 自 投 罗 网 的 呢 ? 把 这
gè gù shi jiǎng gěi bà ba mā ma tīng
个 故 事 讲 给 爸 爸 妈 妈 听 。

nǐ rèn wéi qīng wā hé dà xiàng　lǎo hǔ　hēi xióng　xī niú yǒu shén me
5 你 认 为 青 蛙 和 大 象 、老 虎 、黑 熊 、犀 牛 有 什 么
bù yí yàng de dì fang
不 一 样 的 地 方 ?

_____

_____

配套练习16

明天和今天

yì tiān wǎn shàng　　wài miàn zhèng xià zhe dà yǔ　　hóu zi hé lài há
一 天 晚 上 ,外 面 正 下 着 大 雨 ,猴 子 和 癞 蛤
ma zài yì kē dà shù dǐ xia　　hù xiāng bào yuàn zhè tiān qì tài lěng le
蟆 在 一 棵 大 树 底 下 ,互 相 抱 怨 这 天 气 太 冷 了 !

ké ké hóu zi ké sou qǐ lái
"咳！咳！"猴子咳嗽起来。

guā guā guā lài há ma yě hǎn gè bù tíng
"呱——呱——呱！"癞蛤蟆也喊个不停。

tā men bèi lín chéng le luò tāng jī dòng de hún shēn fā dǒu tā
他们被淋成了落汤鸡，冻得浑身发抖。他

men xiǎng lái xiǎng qù jué dìng míng tiān qù kǎn shù yòng shù pí dā yí gè
们想来想去，决定明天去砍树，用树皮搭一个

nuǎn huo de péng zi
暖和的棚子。

dì èr tiān yì zǎo hóng tōng tōng de tài yáng lù chū le xiào liǎn dà
第二天一早，红彤彤的太阳露出了笑脸，大

dì bèi shài de nuǎn yáng yáng de hóu zi zài shù dǐng shàng jìn qíng de
地被晒得暖洋洋的。猴子在树顶上尽情地

xiǎng shòu zhe yáng guāng de ài fǔ lài há ma yě tǎng zài shù gēn fù jìn
享受着阳光的爱抚，癞蛤蟆也躺在树根附近

shài tài yáng
晒太阳。

hóu zi cóng shù shàng tiào xià lái duì lài há ma shuō wèi wǒ
猴子从树上跳下来，对癞蛤蟆说："喂！我

de péng you nǐ gǎn jué zěn me yàng
的朋友，你感觉怎么样？"

hǎo jí le lài há ma huí dá shuō
"好极了！"癞蛤蟆回答说。

wǒ men xiàn zài hái yào bú yào qù dā péng zi ne hóu zi wèn
"我们现在还要不要去搭棚子呢？"猴子问。

nǐ zhè shì zěn me la lài há ma bèi wèn de bú nài fán le
"你这是怎么啦？"癞蛤蟆被问得不耐烦了。

zhè jiàn shì míng tiān zài gàn yě bù chí nǐ qiáo xiàn zài wǒ yǒu duō nuǎn
"这件事明天再干也不迟。你瞧，现在我有多暖

huo duō shū fu ya
和，多舒服呀！"

hóu zi shuǎng kuai de tóng yì le
猴子爽快地同意了。

tā men wèi wēn nuǎn de yáng guāng zhěng zhěng gāo xìng le yì tiān
他们为温暖的阳光 整 整高兴了一天。

bàng wǎn yòu xià qǐ yǔ lái
傍晚，又下起雨来。

tā men yòu yì qǐ zuò zài dà shù dǐ xia bào yuàn zhè tiān qì tài lěng
他们又一起坐在大树底下，抱怨这天气太冷，

kōng qì tài cháo shī
空气太潮湿。

ké ké hóu zi yòu ké sou qǐ lái
"咳！咳！"猴子又咳嗽起来。

guā guā guā lài há ma yě dòng de hǎn gè bù tíng
"呱——呱——呱！"癞蛤蟆也冻得喊个不停。

tā men zài yí cì xià le jué xīn míng tiān yì zǎo jiù qù kǎn shù dā
他们再一次下了决心，明天一早就去砍树，搭

yí gè nuǎn huo de péng zi
一个暖和的棚子。

kě shì dì èr tiān yì zǎo huǒ hóng de tài yáng yòu cóng dōng fāng
可是，第二天一早，火红的太阳又从东方

shēng qǐ hóu zi gǎn jǐn pá dào shù dǐng shàng qù xiǎng shòu tài yáng de
升起，猴子赶紧爬到树顶上去享受太阳的

wēn nuǎn lài há ma yě yí dòng bú dòng de tǎng zài dì shàng shài tài
温暖。癞蛤蟆也一动不动地躺在地上晒太

yáng
阳。

hóu zi yòu xiǎng qǐ le zuó yè shuō guò de huà kě shì lài há ma
猴子又想起了昨夜说过的话，可是，癞蛤蟆

shuō shén me yě bù tóng yì gàn má yào làng fèi zhè me bǎo guì de shí
说什么也不同意："干吗要浪费这么宝贵的时

guāng péng zi liú dào míng tiān zài dā ma
光，棚子留到明天再搭嘛！"

zhè yàng de gù shì měi tiān dōu chóng fù yí biàn zhí dào jīn tiān
这样的故事，每天都重复一遍。直到今天，

qíng kuàng hái shì méi yǒu biàn huà
情况还是没有变化。

【练习】

1 xuǎn zé zhèng què de dú yīn
选择正确的读音。

暖和（hé huo）　重复（zhòng chóng）　干活（gān gàn）

2 tián shàng hé shì de cí yǔ
填上合适的词语。

（　　　）的太阳　　　　　　（　　　）的时光
（　　　）地享受　　　　　　（　　　）地答应

3 bǎ jù zi xiě jù tǐ
把句子写具体。

hóu zi　　　　　　　　　　　　　　　　　xiǎng shòu zhe
猴子（　　　　　　　　　　　　　　　）享受着

ài fǔ
（　　　　　　　）爱抚。

de tài yáng lù chū
（　　　　　　　　　），（　　　　）的太阳露出

le xiào liǎn
了笑脸。

4 xià yǔ de shí hou　hóu zi hé lài há ma jiù shuō yào
下雨的时候，猴子和癞蛤蟆就说要（

tài yáng chū lái de shí hou　hóu
　　　　　　　　）；太阳出来的时候，猴

zi　　　　　　　　　　　　　　　　lài há ma
子（　　　　　　　　　　　　　），癞蛤蟆

（　　　　　　　　　　　　　　　）。

5 dú yì dú
读一读。

míng rì fù míng rì　míng rì hé qí duō　rì rì dài míng rì　cǐ shēng jiē
明日复明日，明日何其多。日日待明日，此生皆

cuō tuó
蹉跎。

6 dú wán zhè gè gù shi　nǐ shòu dào le shén me qǐ fā
读完这个故事，你受到了什么启发？

3 学会阅读寓言

考点内涵解说

1. 能借助汉语拼音认读汉字;能用音序和部首检字法查字典。

2. 结合上下文和生活实际了解短文中词句的意思,在阅读中积累词语。

3. 学习使用逗号、句号、问号、感叹号,体会标点所表达的不同语气。

4. 阅读后,能明白寓言故事要告诉我们什么。

答题技法点拨

1. 首先要认真地拼一拼,牢记音序是一个音节的第一个字母的大写;然后仔细地辨一辨字的结构,合体字用部首检字法时,找准偏旁,独体字的部首往往是查起笔,如果这个独体字本身就是其他合体字的偏旁,那么这个独体字的部首也可以是它自己。

2. 平时阅读时要做一个有心人,把一些词语的意思积累存放在记忆的仓库中,阅读后解释相关词语时,又要做到不死记硬背,要结合上下文和生活实际了解短文中词句的意思,可以用近义词解释,也可以用反义词解释,在反义词前一般加“不”字,如:“弯”的意思是“不直”,“歪”的意思是“不正”。

3. 表示一句话中小小的停顿,就使用逗号;一句话说完了用句号;一个问句说完了用问号;一个感叹句说完了用感叹号。

4. 寓言故事中常常告诉我们一些道理,俗话说,“读书百遍,其意自现”,多读几遍故事,想一想,故事在讽刺什么,劝诫什么。

小猴子下山

yǒu yì tiān　　yì zhī xiǎo hóu zi xià shān lái
有一天，一只小猴子下山来。

tā zǒu dào yí kuài yù mǐ dì lǐ　　kàn jiàn yù mǐ jiē de yòu dà yòu
它走到一块玉米地里，看见玉米结得又大又

duō　　fēi cháng gāo xìng　　jiù bāi le yí gè　　káng zhe wǎng qián zǒu
多，非常高兴，就掰了一个，扛着往前走。

xiǎo hóu zi káng zhe yù mǐ　　zǒu dào yì kē táo shù xià　　tā kàn jiàn
小猴子扛着玉米，走到一棵桃树下。它看见

mǎn shù de táo zi yòu dà yòu hóng　　fēi cháng gāo xìng　　jiù rēng le yù mǐ
满树的桃子又大又红，非常高兴，就扔了玉米

qù zhāi táo zi
去摘桃子。

xiǎo hóu zi pěng zhe jǐ gè táo zi　　zǒu dào yí piàn guā dì lǐ　　tā
小猴子捧着几个桃子，走到一片瓜地里。它

kàn jiàn mǎn dì de xī guā yòu dà yòu yuán　　fēi cháng gāo xìng　　jiù rēng le
看见满地的西瓜又大又圆，非常高兴，就扔了

táo zi qù zhāi xī guā
桃子去摘西瓜。

xiǎo hóu zi bào zhe yí gè dà xī guā wǎng huí zǒu　　zǒu zhe zǒu zhe
小猴子抱着一个大西瓜往回走。走着走着，

kàn jiàn yì zhī xiǎo tù bèng bèng tiào tiào de　　zhēn kě ài　　tā fēi cháng
看见一只小兔蹦蹦跳跳的，真可爱。它非常

gāo xìng　　jiù rēng le xī guā qù zhuī xiǎo tù
高兴，就扔了西瓜去追小兔。

xiǎo tù pǎo jìn shù lín lǐ　　bú jiàn le　　xiǎo hóu zi zhǐ hǎo kōng zhe
小兔跑进树林里，不见了。小猴子只好空着

shǒu huí jiā qù le
手回家去了。

【练习】

àn yāo qiú tián biǎo gé
1 按 要 求 填 表 格 。

所查的字	音序	部首	再查几画	组词
追				
林				
可				

bǎ cí yǔ bǔ chōng wán zhěng
2 把 词 语 补 充 完 整 。

又（　　　）又（　　　）　　　又（　　　）又（　　　）

又（　　　）又（　　　）　　　又（　　　）又（　　　）

xiǎo hóu zi xià shān zǒu dào　　　　　　　　　bāi le yí gè
3 小 猴 子 下 山 走 到 ＿＿＿＿＿，掰 了 一 个 ＿＿＿＿＿；

zǒu dào　　　　　rēng le　　　　qù zhāi　　　　zǒu dào
走 到 ＿＿＿＿，扔 了 ＿＿＿＿＿去 摘 ＿＿＿＿；走 到

rēng le　　　　　qù zhāi　　　　zǒu zhe zǒu zhe　　kàn jiàn
＿＿，扔 了 ＿＿＿＿＿去 摘 ＿＿＿＿＿；走 着 走 着，看 见 ＿＿

jiù rēng le　　　　qù zhuī　　　　zuì hòu　　　　bú
＿＿＿，就 扔 了 ＿＿＿＿＿去 追 ＿＿＿＿＿。最 后，＿＿＿＿ 不

jiàn le　xiǎo hóu zi zhǐ hǎo kōng zhe shǒu huí jiā qù
见 了。小 猴 子 只 好 空 着 手 回 家 去。

jiāng zhèng què de dá àn xù hào tián rù kuò hào lǐ
4 将 正 确 的 答 案 序 号 填 入 括 号 里。

xiǎo hóu zi xià shān dé dào guò bù shǎo hǎo dōng xi　kě shì zuì hòu kōng
小 猴 子 下 山 得 到 过 不 少 好 东 西，可 是 最 后 空

zhe shǒu huí jiā qù　zhè shì yīn wèi tā
着 手 回 家 去，这 是 因 为 它（　　　　）

tā quán chī wán le
A．它 全 吃 完 了。

tā zuò shì qing méi yǒu héng xīn　yǒu shǐ wú zhōng　zhè shān wàng zhe
B．它 做 事 情 没 有 恒 心、有 始 无 终、这 山 望 着

nà shān gāo
那 山 高。

  tā jiǎn yí yàng diū yí yàng zuì hòu quán diū le
C. 它 捡 一 样，丢 一 样，最 后 全 丢 了。

【答案】1. Z 辶 六 追求 L 木 四 树林 K 一 四 可爱 2. 又大又多
又大又红 又大又圆 又白又胖 3. 玉米地 玉米 桃树下 玉米
桃子 瓜地里 桃子 西瓜 小兔 西瓜 小兔 兔子 4. B

    zài chá jǐ huà shì zhǐ qù chú bù shǒu hòu suǒ shèng bǐ huà
【解析】1. "再查几画"是指去除部首后所剩笔画
shù   bǔ chōng shí kě yǐ cóng yuán wén zhōng zhāi chāo suǒ tián de zì
数。 2. 补充时可以从原文中摘抄，所填的字
yì si bù néng xiāng fǎn rú yòu bái yòu hēi zhè yàng jiù bù hé qíng lǐ le
意思不能相反，如：又白又黑，这样就不合情理了。
      tián xiě zhè yàng de xí tí shí yào xì dú quán wén jí tí mù àn yāo qiú
3. 填写这样的习题时，要细读全文及题目，按要求
huí dá hòu yào zài dú yì dú kàn yǔ jù shì fǒu lián guàn   jìn xíng xuǎn
回答后，要再读一读，看语句是否连贯。 4. 进行选
zé shí yào fǎn fù dú jǐ biàn duǎn wén zài xì xì dú du suǒ yǒu dá àn xiǎng
择时，要反复读几遍短文，再细细读读所有答案，想
xiang nǎ yì tiáo dá àn gèng qià dàng
想哪一条答案更恰当。

范例阅读2 FANLIYUEDU

小松树和大松树

shān shàng yǒu yì kē xiǎo sōng shù shān xià yǒu yì kē dà sōng shù
山 上 有 一 棵 小 松 树，山 下 有 一 棵 大 松 树。
xiǎo sōng shù duì dà sōng shù shuō wèi péng you nǐ kàn wǒ zhǎng
小 松 树 对 大 松 树 说："喂，朋 友，你 看 我 长
de duō gāo wa wǒ néng kàn dào hěn yuǎn hěn yuǎn de dì fang nǐ ne
得 多 高 哇！我 能 看 到 很 远 很 远 的 地 方，你 呢？"
dà sōng shù méi yǒu huí dá
大 松 树 没 有 回 答。
xiǎo sōng shù de huà bèi fēng bó bo tīng dào le fēng bó bo mō zhe
小 松 树 的 话 被 风 伯 伯 听 到 了。风 伯 伯 摸 着
xiǎo sōng shù de tóu shuō hái zi shān xià de sōng shù bǐ nǐ gāo duō
小 松 树 的 头 说："孩 子，山 下 的 松 树 比 你 高 多

le　nǐ néng kàn de yuǎn　nà shì dà shān yé ye bǎ nǐ tuō qǐ lái de
了。你能看得远，那是大山爷爷把你托起来的

ya
呀!"

xiǎo sōng shù tīng le　cán kuì de dī xià le tóu
小松树听了，惭愧地低下了头。

【练习】

cóng wén zhōng zhǎo chū xià miàn cí yǔ de fǎn yì cí
① 从文中找出下面词语的反义词。

上（　　）高（　　）远（　　）小（　　）

wǒ zhī dào　cán kuì　de yì si shì
② 我知道"惭愧"的意思是 ＿＿＿＿＿＿。

xiǎo sōng shù de jiā zài　　　　　dà sōng shù de jiā zài
③ 小松树的家在＿＿＿＿，大松树的家在＿＿＿＿。

xiǎo sōng shù néng kàn dào　　　　　　　　　bú shì tā zhǎng
小松树能看到＿＿＿＿＿＿＿＿＿＿＿＿，不是它长

de　　　　　ér shì
得＿＿＿＿＿，而是＿＿＿＿＿＿＿＿＿＿。

dú le dì èr zì rán duàn　wǒ jué de xiǎo sōng shù shuō huà shí tài
④ 读了第二自然段，我觉得小松树说话时太＿
＿＿＿＿＿＿＿＿＿＿＿＿＿。

tīng le fēng bó bo de huà　xiǎo sōng shù huì zěn me xiǎng ne
⑤ 听了风伯伯的话，小松树会怎么想呢?

＿＿＿＿＿＿＿＿＿＿＿＿＿＿＿＿＿＿＿＿

【答案】1.下　矮　近　大　2.难为情　3.山上　山下　很远很远
的地方　高　大山爷爷把它托起来的　4.读了第二自然段，我觉得小松
树说话时太骄傲自大、目空一切。5.小松树会想:原来我是被大山爷爷
托起来的呀! 可我还看不起大松树,真是不谦虚。

tí mù zhōng yāo qiú cóng wén zhōng zhǎo chū suǒ gěi cí yǔ de
【解析】1.题目中要求从文中找出所给词语的

fǎn yì cí　yīn cǐ　suī rán　dī　yě shì　gāo　de fǎn yì cí　dàn shì gēn jù tí
反义词，因此，虽然"低"也是"高"的反义词，但是根据题

mù yāo qiú　zhǐ kě yǐ zài kuò hào zhōng tián xiě　ǎi　　　cán kuì　de
目要求，只可以在括号中填写"矮"。 2."惭愧"的

yì si kě yǐ shì nán wéi qíng bù hǎo yì si yě kě yǐ xiě tā de jìn yì cí
意思可以是"难为情""不好意思",也可以写它的近义词

xiū kuì hài sào děng dú du quán wén yǐ jí xí tí zhōng de yǔ
"羞愧""害臊"等。 3. 读读全文以及习题中的语

jù gēn jù wén zhāng nèi róng tián kòng huí dá wèn tí shí yào xiān
句,根据文章内容填空。 4. 回答问题时,要先

xiě dá hé mào hào dá jù yào xiě wán zhěng xiě wán hòu bù néng wàng jì
写"答"和冒号,答句要写完整,写完后不能忘记

xiě jù hào
写句号。

范例阅读3 FANLIYUEDU

小白兔和小灰兔

lǎo shān yáng zài dì lǐ shōu bái cài xiǎo bái tù hé xiǎo huī tù lái
老山羊在地里收白菜,小白兔和小灰兔来

bāng máng
帮忙。

shōu wán bái cài lǎo shān yáng bǎ yì chē bái cài sòng gěi xiǎo huī tù
收完白菜,老山羊把一车白菜送给小灰兔。

xiǎo huī tù shōu xià le shuō xiè xie nín
小灰兔收下了,说:"谢谢您!"

lǎo shān yáng yòu bǎ yì chē bái cài sòng gěi xiǎo bái tù xiǎo bái tù
老山羊又把一车白菜送给小白兔。 小白兔

shuō wǒ bú yào bái cài qǐng nín gěi wǒ yì xiē cài zǐ ba lǎo shān
说:"我不要白菜,请您给我一些菜子吧。"老山

yáng sòng gěi xiǎo bái tù yì bāo cài zǐ
羊送给小白兔一包菜子。

xiǎo bái tù huí dào jiā lǐ bǎ dì fān sōng le zhòng shàng cài zǐ
小白兔回到家里,把地翻松了,种上菜子。

guò le jǐ tiān bái cài zhǎng chū lái le xiǎo bái tù cháng cháng gěi
过了几天,白菜长出来了。小白兔常常给

bái cài jiāo shuǐ shī féi bá cǎo zhuō chóng bái cài hěn kuài jiù zhǎng dà
白菜浇水,施肥,拔草,捉虫。白菜很快就长大

le
了。

xiǎo huī tù bǎ yì chē bái cài lā huí jiā lǐ　　tā bú gàn huó le　è
小 灰 兔 把 一 车 白 菜 拉 回 家 里。他 不 干 活 了，饿

le jiù chī lǎo shān yáng sòng de bái cài
了 就 吃 老 山 羊 送 的 白 菜。

guò le xiē rì zi　xiǎo huī tù bǎ bái cài chī wán le　yòu dào lǎo shān
过 了 些 日 子，小 灰 兔 把 白 菜 吃 完 了，又 到 老 山

yáng jiā lǐ qù yào bái cài
羊 家 里 去 要 白 菜。

zhè shí hou　tā kàn jiàn xiǎo bái tù tiāo zhe yí dàn bái cài　gěi lǎo shān
这 时 候，他 看 见 小 白 兔 挑 着 一 担 白 菜，给 老 山

yáng sòng lái le　xiǎo huī tù hěn qí guài　wèn dào　xiǎo bái tù　nǐ
羊 送 来 了。小 灰 兔 很 奇 怪，问 道："小 白 兔口 你

de cài shì nǎ er lái de
的 菜 是 哪 儿 来 的口"

xiǎo bái tù shuō　　shì wǒ zì jǐ zhòng de　　zhǐ yǒu zì jǐ zhòng
小 白 兔 说："是 我 自 己 种 的。只 有 自 己 种，

cái yǒu chī bù wán de cài
才 有 吃 不 完 的 菜。"

【练习】

zài xià miàn de kuò hào lǐ jiā shàng hé shì de biǎo shì dòng zuò de cí
1 在 下 面 的 括 号 里 加 上 合 适 的 表 示 动 作 的 词。

（　　）水 （　　）肥 （　　）草 （　　）虫

（　　）球 （　　）手 （　　）山 （　　）车

zài dì bā zì rán duàn de　　lǐ diǎn shàng hé shì de biāo diǎn
2 在 第 八 自 然 段 的 "口" 里 点 上 合 适 的 标 点。

dú dì bā zì rán duàn zhōng xiǎo huī tù de huà shí　yào dú chū
读 第 八 自 然 段 中 小 灰 兔 的 话 时，要 读 出 _____

de yǔ qì
_____ 的 语 气。

xiǎo huī tù shōu xià lǎo shān yáng de　　　　　xiǎo bái tù shōu xià
3 小 灰 兔 收 下 老 山 羊 的 _____，小 白 兔 收 下

lǎo shān yáng de　　　　huí jiā hòu　xiǎo huī tù　　　　xiǎo bái tù
老 山 羊 的 _____。回 家 后，小 灰 兔 _____，小 白 兔

guò le xiē rì zi　xiǎo huī tù qù lǎo shān yáng jiā lǐ
_____。过 了 些 日 子，小 灰 兔 去 老 山 羊 家 里 _____，

xiǎo bái tù qù lǎo shān yáng jiā lǐ
小 白 兔 去 老 山 羊 家 里 _____ 。

dú le gù shi　wǒ yě xué huì zhòng bái cài le　shǒu xiān yào bǎ
4 读 了 故 事 ，我 也 学 会 种 白 菜 了 ，首 先 要 把 ____

rán hòu cháng cháng gěi bái cài
_____ ，然 后 常 常 给 白 菜 __

wǒ xǐ huan
_____ 。我 喜 欢 _____

yīn wèi wǒ yě xiǎng zuò yí gè
__ ，因 为 我 也 想 做 一 个 _____ 。

【答案】1. 浇 施 拔 捉 打 洗 爬 拉　2. ，？ 惊讶、奇怪
3. 一车白菜 一包菜子 吃白菜 种白菜 要白菜 送白菜　4. 地翻松
了，种上菜子 浇水，施肥，拔草，捉虫 小白兔 爱劳动的好孩子

kuò hào lǐ suǒ tián zì cí yí dìng yào shì biǎo shì dòng zuò de
【解析】1. 括 号 里 所 填 字 词 一 定 要 是 表 示 动 作 的。

xiǎo bái tù　　hòu yīng diǎn　　yīn wèi zhè zhǐ shì yí gè cí　　nǐ de
2. "小 白 兔" 后 应 点 "，"，因 为 这 只 是 一 个 词 。"你 的
cài shì nǎ er lái de　hòu miàn yīng diǎn　　yīn wèi zhè shì yí gè wèn jù
菜 是 哪 儿 来 的" 后 面 应 点 "？"，因 为 这 是 一 个 问 句 。

dú dú wén zhāng　rán hòu yī cì tián xiě　　　　yīn wèi wǒ yě xiǎng
3. 读 读 文 章 ，然 后 依 次 填 写 。　4. "因 为 我 也 想
zuò yí gè　　　　　　　　kě yǐ tián xiě　ài láo dòng de hǎo
做 一 个 _____ 。"可 以 填 写 "爱 劳 动 的 好
hái zi　　qín láo de hái zi　　huò　bù lǎn duò de hái zi
孩 子 ""勤 劳 的 孩 子" 或 "不 懒 惰 的 孩 子"。

范例阅读4 FANLIYUEDU

骆驼和羊

luò tuo zhǎng de gāo　yáng zhǎng de ǎi　luò tuo shuō　zhǎng de
骆 驼 长 得 高 ，羊 长 得 矮 。骆 驼 说 ："长 得
gāo hǎo　yáng shuō　bú duì zhǎng de ǎi cái hǎo ne　luò tuo shuō
高 好 。"羊 说 ："不 对 ，长 得 矮 才 好 呢 。"骆 驼 说 ：
wǒ kě yǐ zuò yí jiàn shì　zhèng míng gāo bǐ ǎi hǎo　yáng shuō　wǒ
"我 可 以 做 一 件 事 ，证 明 高 比 矮 好 。"羊 说 ："我

也可以做一件事，证明矮比高好。"

他们走到一个园子旁边。园子四面有围墙，里面种了很多树，茂盛的枝叶伸出墙外来。骆驼一抬头就吃到了树叶。羊抬起前腿，扒在墙上，脖子伸得老长，还是吃不着。骆驼说："你看，这可以证明了吧，高比矮好。"羊摇了摇头，不肯认输。

他们俩又走了几步，看见围墙有个又窄又矮的门。羊大模大样地走进门去吃园子里的草。骆驼跪下前腿，低下头，往门里钻，怎么也钻不进去。羊说："你看，这可以证明了吧，矮比高好。"骆驼摇了摇头，也不肯认输。

他们去找老牛评理。老牛说："你们俩都只看到自己的长处，看不到自己的短处，这是不对的。"

【练习】

1 kàn pīn yīn xiě cí yǔ
看拼音，写词语。

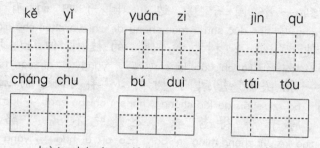

kě yǐ

yuán zi

jìn qù

cháng chu

bú duì

tái tóu

2 luò tuo hé yáng wèi zhǎng de
骆驼和羊为长得＿＿＿＿＿，还是长得＿＿＿＿，
zhēng gè bù tíng   zuì hòu qǐng   píng lǐ
争个不停，最后请＿＿＿＿评理。

3 xiě chū wén zhōng de liǎng duì fǎn yì cí
写出文中的两对反义词。
（　　　　）——（　　　　）　（　　　　）——（　　　　）

4 dú le zhè gè gù shi   nǐ míng bai le shén me dào lǐ ne   qǐng zài wén
读了这个故事，你明白了什么道理呢？请在文
zhōng yòng   huà chū yǒu guān yǔ jù
中用"〜〜〜〜"画出有关语句。

【答案】1.可以　园子　进去　长处　不对　抬头　2.高好　矮好
老牛　3.高　矮　长处　短处　4.你们俩都只看到自己的长处，看不
到自己的短处，这是不对的。

【解析】1. kàn pīn yīn shí   yào yí gè gè rèn zhēn pīn dú   zài měi gè yīn jié
看拼音时，要一个个认真拼读，在每个音节
xià xiě shàng xiāng duì yìng de hàn zì   suǒ xiě de fǎn yì cí yīng gāi shì
下写上相对应的汉字。　2. 所写的反义词应该是
wén zhōng chū xiàn de   dì   tí huà xiàn shí   bù néng shǎo huà le
文中出现的。　3.第4题画线时，不能少画了
zhè shì bú duì de   fǒu zé jiù cuò le
"这是不对的"。否则就错了。

阅读训练 YUEDUXUNLIAN

配套练习1

金丝雀与蝙蝠

guà zài lóng lǐ de jīn sī què　zài yè lǐ gē chàng　biān fú tīng dào
挂在笼里的金丝雀，在夜里歌唱。蝙蝠听到
hòu　fēi guò lái wèn tā wèi shén me bái tiān mò mò wú shēng　zài yè jiān què
后，飞过来问她为什么白天默默无声，在夜间却
fàng shēng gē chàng　jīn sī què huí dá shuō　tā zhè yàng zuò shì yǒu dào lǐ
放声歌唱。金丝雀回答说，她这样做是有道理
de　yīn wèi tā shì zài bái tiān chàng gē shí bèi rén zhuō zhù de　cóng cǐ tā
的。因为她是在白天唱歌时被人捉住的，从此她
biàn de jǐn shèn le　biān fú shuō　nǐ zài bú xìng de shì fā shēng zhī
变得谨慎了。蝙蝠说："你在不幸的事发生之
hòu　cái dǒng de xiǎo xīn yǐ méi yòng le　nǐ ruò zài bèi zhuō zhù zhī qián jiù
后，才懂得小心已没用了。你若在被捉住之前就
dǒng de　nà gāi duō hǎo ya
懂得，那该多好呀！"

【练习】

kàn pīn yīn　xiě cí yǔ
1 看拼音，写词语。

bái tiān　　　fā shēng　　　xiǎo xīn

zhuō zhù　　　méi yòng

xiě chū dài yǒu xià liè piān páng de zì　bìng zǔ cí
2 写出带有下列偏旁的字，并组词。

扌{__（　　） 口{__（　　） 讠{__（　　）
   {__（　　）   {__（　　）   {__（　　）

zhào yàng zi　xiě jù zi
③ 照 样 子,写 句 子。

例:(挂在笼里)的金丝雀,在(夜里)歌唱。

　　　　　　　　de cǎi qí　zài　　　　　　piāo yáng
(　　　　　　　)的彩旗,在(　　　　)飘 扬。

dú le zhè zé yù yán　nǐ zuì xiǎng jì zhù de shì nǎ jù huà　yòng
④ 读了这则寓言,你最 想 记 住的是哪句话? 用" _

huà chū
_____"画 出。

配套练习2

蚂蚁和蝈蝈

xià tiān zhēn rè　　　yì qún mǎ yǐ zài bān liáng shi　　tā men yǒu de bēi
夏天 真 热。一群 蚂蚁在 搬 粮 食。他们有的背
yǒu de lā　gè gè máng de mǎn tóu dà hàn
□有的拉□个个 忙 得 满头大汗□

jǐ zhī guō guo kàn dào le　dōu xiào mǎ yǐ shì shǎ guā　tā men duǒ
几只蝈蝈看到了,都笑蚂蚁是傻瓜。他们躲
dào dà shù xià chéng liáng　yǒu de chàng gē　yǒu de shuì jiào　gè gè zì
到大树下乘凉,有的唱歌,有的睡觉,个个自
yóu zì zài
由自在。

dōng tiān dào le　xī běi fēng hū hū de guā qǐ lái　mǎ yǐ tǎng zài
冬天到了,西北风呼呼地刮起来。蚂蚁躺在
zhuāng mǎn liáng shi de dòng lǐ guò dōng le　guō guo yòu lěng yòu è　zài
装满粮食的洞里过冬了。蝈蝈又冷又饿,再
yě shén qì bù qǐ lái le
也神气不起来了。

【练习】

qǐng zài dì yī zì rán duàn de　lǐ jiā shàng shì dàng de biāo
① 请在第一自然 段的"□"里加上适当的标
diǎn
点。

zhào yàng zi　zài kuò hào lǐ tián shàng biǎo shì shēng yīn de cí yǔ
② 照 样 子,在括号里填 上 表示 声音的词语。

例：西北风（呼呼）地刮起来

xiǎo hé shuǐ　　　　de liú zhe　　　　qīng wā　　　de jiào qǐ lái
小河水（　　）地流着　　　青蛙（　　）地叫起来

chūn yǔ　　　de xià zhe
春雨（　　）地下着

wǒ yě néng xué zhe duǎn wén de yàng zi　yòng　　　yǒu de
❸ 我也能学着短文的样子，用"……有的……

yǒu de　　　shuō yí jù huà
有的……"说一句话。

_____

_____

dú le zhè zé yù yán gù shi　wǒ xǐ huan shàng le　　　　de
❹ 读了这则寓言故事，我喜欢上了（　　）的

bù xǐ huan　　　de　　　zhǐ yǒu
（　　），不喜欢（　　）的（　　）。只有（　　）

cái néng xìng fú de shēng huó　　　shì méi yǒu hǎo jié guǒ de
才能幸福地生活，（　　）是没有好结果的。

配套练习3

爬 山

yǒu nà me sān gè rén　yì qǐ qù pá yí zuò hěn gāo hěn gāo de shān
有那么三个人，一起去爬一座很高很高的山。

dì yī gè rén　pá le yí duàn　jué de dí què yǐ jīng hěn gāo le　xīn
第一个人，爬了一段，觉得的确已经很高了，心

lǐ xiǎng dào　　　dà gài lí shān dǐng yě chà bu duō le ba　yǎng qǐ tóu
里想道："大概离山顶也差不多了吧？"仰起头

lái xiàng shàng yí kàn　kě shì shān dǐng gēn běn hái kàn bú jiàn ne　tā
来向上一看，可是山顶根本还看不见呢。他

shuō　　　shén me shí hou cái néng pá dào shān dǐng ya　　　jì
（　　）说："什么时候才能爬到山顶呀？既

rán rú cǐ　wǒ yòu pá tā gàn má　bù rú jí zǎo huí tóu ba　yú shì
然如此，我又爬它干吗？不如及早回头吧。"于是，

tā huí tóu xià shān le
他回头下山了。

dì èr gè rén　yì kǒu qì jiù pá dào le bàn shān　　tā dé yì de shuō
第二个人，一口气就爬到了半山。他得意地说：

guāi guai　wǒ yí xià zi jiù pá dào le bàn shān　zhè yǐ hòu de yí bàn
"乖乖，我一下子就爬到了半山！这以后的一半

shān　jiù shì yòng xiǎo jiào zi lái tái wǒ　yě bú suàn guò fèn ba　yú shì　tā
山，就是用小轿子来抬我，也不算过分吧。"于是，他

lǎo zuò zhe xiū xi　děng rén jia yòng xiǎo jiào zi tái tā shàng shān dǐng
老坐着休息，等人家用小轿子抬他上山顶。

nà dì sān gè rén　jué de zhè shān bié rén néng gòu pá　tā yě yí dìng
那第三个人，觉得这山别人能够爬，他也一定

néng xíng　jiù zhè yàng　tā yí bù yí bù de pá shàng qù　zuì hòu　tā
能行。就这样，他一步一步地爬上去。最后，他

zhēn de pá shàng shān dǐng le
真的爬上山顶了。

【练习】

àn yāo qiú tián biǎo gé
1 按要求填表格。

所查的字	音序	部首	再查几画	组词
高				
顶				
行				

dú du wén zhōng huà xiàn bù fen de jù zi　xiǎng xiang dì èr zì rán
2 读读文中画线部分的句子，想想第二自然

duàn zhōng kuò hào nèi yīng gāi zěn yàng tián xiě　　tí shì　dòng zuò　shén
段中括号内应该怎样填写。（提示：动作、神

tài　yǔ qì
态、语气）

sān gè rén pá shān　jié guǒ bù yí yàng　dì yī gè rén
3 三个人爬山，结果不一样，第一个人＿＿＿＿＿＿

dì èr gè rén　　　　　　　　　　　　　dì
＿＿＿＿＿＿＿＿，第二个人＿＿＿＿＿＿＿＿＿＿，第

sān gè rén
三个人＿＿＿＿＿＿＿＿＿＿。

xuǎn zé zhèng què de dá àn
4 选择正确的答案。

dì sān gè rén néng gòu pá shàng shān dǐng　shì yīn wèi
第三个人能够爬上山顶,是因为（　　　）

dì yī gè rén hé dì èr gè rén dōu pá bú dòng le
A.第一个人和第二个人都爬不动了。

dì sān gè rén bǐ lìng wài liǎng gè qiáng zhuàng
B.第三个人比另外两个强壮。

dì sān gè rén zuò shì qing bú pà kùn nan　néng jiān chí dào dǐ
C.第三个人做事情不怕困难,能坚持到底。

配套练习4

运盐的驴子

yǒu zhī lǘ zi tuó zhe yán guò hé　　tā de jiǎo yì huá　diē dǎo zài hé
有只驴子驮着盐过河。它的脚一滑,跌倒在河
shuǐ zhōng　yán zài shuǐ zhōng dōu róng huà le　tā zhàn qǐ lái shí dùn gǎn
水中,盐在水中都溶化了。它站起来时顿感
shēn shàng qīng sōng le xǔ duō　tā xīn lǐ àn àn gāo xìng
身上轻松了许多。它心里暗暗高兴。

yǒu yì tiān　tā tuó zhe hǎi mián guò hé　xīn xiǎng　zài diē dǎo xià
有一天,它驮着海绵过河,心想:再跌倒下
qù　zhàn qǐ lái shí dìng huì gèng qīng sōng　yú shì　tā gù yì de shuāi le
去,站起来时定会更轻松。于是,它故意地摔了
xià qù　méi xiǎng dào hǎi mián shì xī shuǐ de　tā yīn cǐ zài yě zhàn bù qǐ
下去。没想到海绵是吸水的,它因此再也站不起
lái le　yān sǐ zài hé lǐ le
来了,淹死在河里了。

zhè zhēn shì cōng míng fǎn bèi cōng míng wù　zì jǐ hài le zì jǐ
这真是聪明反被聪明误,自己害了自己。

【练习】
zài zhèng què de dú yīn xià huà
1 在正确的读音下画"____"。

过（ guò gòu ）河　　　　跌倒（ dào dǎo ）

轻（ qīng qīn ）松　　　　许（ xǔ xǔ ）多

gù yì   de yì si shì

② "故意"的意思是 _____ 。

wǒ huì yòng   qīng sōng   zào jù

③ 我会用"轻松"造句。

_____ 。

yùn hǎi mián de lǘ zi méi yǒu hǎo jié guǒ   yān sǐ zài hé lǐ le   dōu

④ 运海绵的驴子没有好结果，淹死在河里了。都

shì tā zì jǐ hài le zì jǐ   zhè jiù jiào

是它自己害了自己，这就叫"_____"。

配套练习5

河边的狐狸

yǒu yì tiān   zhòng duō hú li jù jí zài hé biān   xiǎng yào hē hé lǐ

有一天□ 众多狐狸聚集在河边□ 想要喝河里

de shuǐ   dàn yīn hé shuǐ shuǐ liú hěn jí   bù gǎn tiào xià hé qù   qí zhōng

的水。但因河水水流很急，不敢跳下河去。其中

yǒu yì zhī hú li   cháo xiào tóng bàn dǎn xiǎo   wèi xiǎn shì zì jǐ bǐ tā men

有一只狐狸，嘲笑同伴胆小，为显示自己比他们

yǒng gǎn   tā zhuàng zhe dǎn zi tiào rù hé zhōng   tuān jí de hé shuǐ yí xià

勇敢，他壮着胆子跳入河中。湍急的河水一下

jiù bǎ tā chōng dào le hé xīn   zhàn zài hé biān de hú li duì tā shuō

就把他冲到了河心。站在河边的狐狸对他说：

qǐng bú yào lí kāi wǒ men   kuài huí lái   bèi shuǐ chōng zǒu de hú li què

"请不要离开我们，快回来。"被水冲走的狐狸却

huí dá shuō   wǒ xiǎng bǎ yì fēng jì wǎng mǐ lì dū de xìn sòng dào nà lǐ

回答说："我想把一封寄往米利都的信送到那里

qù   děng wǒ huí lái ba

去，等我回来吧。"

【练习】

zài dì yī jù de   lǐ jiā shàng hé shì de biāo diǎn

① 在第一句的"□"里加上合适的标点。

wén zhōng yǒu yí gè cí yǔ xíng róng   hé shuǐ shuǐ liú hěn jí   nǐ

② 文中有一个词语形容"河水水流很急"。你

zhǎo dào le ma   xiě xià lái

找到了吗？写下来。_____

bèi shuǐ chōng zǒu de nà zhī hú li wèi shén me yào tiào jìn shuǐ liú hěn
3 被 水 冲 走 的 那 只 狐 狸 为 什 么 要 跳 进 水 流 很

jí de hé lǐ qǐng yòng huà chū wén zhōng shuō míng yuán yīn de
急 的 河 里？ 请 用 "_____" 画 出 文 中 说 明 原 因 的

jù zi
句 子。

xuǎn zé
4 选 择。

bèi shuǐ chōng zǒu de hú li zuì hòu yí dìng
（1）被 水 冲 走 的 狐 狸 最 后 一 定（　　）

yān sǐ le ràng qí tā hú li jiù le tā
A．淹 死 了。　　　　B．让 其 他 狐 狸 救 了 它。

bǎ xìn sòng dào mǐ lì dū le
C．把 信 送 到 米 利 都 了。

bèi shuǐ chōng zǒu de hú li bú xìng de yuán yīn shì
（2）被 水 冲 走 的 狐 狸 不 幸 的 原 因 是（　　）

zhè zhī hú li bú huì yóu yǒng
A．这 只 狐 狸 不 会 游 泳。

tā lín sǐ hái zài mài nong zì jǐ zì wǒ chuī xū
B．它 临 死 还 在 卖 弄 自 己、自 我 吹 嘘。

qí tā hú li méi yǒu jiù tā
C．其 他 狐 狸 没 有 救 它。

配套练习6

鹅

——《莱辛寓言》

yì zhī é de yǔ máo bǐ gāng xià de xuě hái yào bái yīn cǐ tā bǎ
一 只 鹅 的 羽 毛 比 刚 下 的 雪 还 要 白。 因 此，她 把

zì jǐ kàn zuò shì yì zhī tiān é ér bù xiāng xìn zì jǐ yuán lái de chū
自 己 看 做 是 一 只 天 鹅，而 不 相 信 自 己 原 来 的 出

shēn tā lí kāi zì jǐ de huǒ bàn dú zì zài chí táng lǐ yóu lái yóu qù
身。 她 离 开 自 己 的 伙 伴，独 自 在 池 塘 里 游 来 游 去。

yí huì er tā shēn cháng bó zi xī wàng zì jǐ néng yǒu tiān é bān cháng
一 会 儿 她 伸 长 脖 子，希 望 自 己 能 有 天 鹅 般 长

cháng de bó zi yí huì er yòu shè fǎ shǐ bó zi wān chéng yí gè piào liang
长 的 脖 子；一 会 儿 又 设 法 使 脖 子 弯 成 一 个 漂 亮

de qū dù   xī wàng zì jǐ xiàng tiān é   yí yàng yǒu gāo guì de wài mào
的曲度，希望自己像天鹅一样有高贵的外貌。
dàn háo wú yòng chu   tā de bó zi guò yú jiāng yìng le   tā fèi le jiǔ niú
但毫无用处，她的脖子过于僵硬了。她费了九牛
èr hǔ zhī lì   yě méi yǒu biàn chéng yì zhī tiān é   yī rán hái shì yì zhī kě
二虎之力，也没有变成一只天鹅，依然还是一只可
xiào de é
笑的鹅。

【练习】

bǎ nǐ zuì xǐ huan de cí yǔ chāo xiě zài xià miàn
1 把你最喜欢的词语抄写在下面。

_____   _____

zhè piān duǎn wén gòng yǒu   jù huà   dì   jù huà
2 这篇短文共有（   ）句话。第（   ）句话
shì miáo xiě é mó fǎng tiān é de yàng zi   zhè gè cí yǔ
是描写鹅模仿天鹅的样子。（   ）这个词语
shuō míng é mó fǎng de hěn mài   lì
说明鹅模仿得很卖力。

dú le gù shi   wǒ yě néng xué zhe dì sì jù huà   tián xiě xià miàn de
3 读了故事，我也能学着第四句话，填写下面的
jù zi
句子。

xià kè le   yí huì er
下课了，（   ）一会儿（   ），
yí huì er   wán de kě kāi xīn le
一会儿（   ），玩得可开心了。

shuō zhè shì yì zhī kě xiào de é shì yīn wèi
4 说这是一只可笑的鹅是因为（   ）
zhè zhī é zhǎng de huá jī
A. 这只鹅长得滑稽。
zhè zhī é yǒu yì kē xū róng xīn   qí shí shì yì zhǒng yú mèi wú zhī
B. 这只鹅有一颗虚荣心，其实是一种愚昧无知。
zhè zhī é hěn bái   xiǎn de hěn kě ài
C. 这只鹅很白，显得很可爱。

配套练习7

鸽子搬家

yì zhī gē zi lǎo shì bú duàn de bān jiā
一只鸽子老是不断地搬家。

tā jué de měi cì xīn wō zhù le méi duō jiǔ jiù yǒu yì zhǒng nóng
它觉得，每次新窝住了没多久，就有一种浓

liè de guài wèi ràng tā chuǎn bú shàng qì lái bù dé yǐ zhǐ hǎo yì zhí
烈的怪味，让它喘不上气来，不得已只好一直

bān jiā
搬家。

tā jué de hěn kùn rǎo jiù bǎ fán nǎo xiàng yì zhī jīng yàn fēng fù de
它觉得很困扰，就把烦恼向一只经验丰富的

lǎo gē zi sù shuō
老鸽子诉说。

lǎo gē zi shuō nǐ bān le zhè me duō cì jiā gēn běn méi yǒu yòng
老鸽子说："你搬了这么多次家根本没有用

a yīn wèi nà zhǒng ràng nǐ kùn rǎo de guài wèi bìng bú shì cóng wō lǐ miàn
啊，因为那种让你困扰的怪味并不是从窝里面

fā chū lái de ér shì nǐ zì jǐ shēn shàng de wèi dào a
发出来的，而是你自己身上的味道啊。"

【练习】

cóng xià liè cí yǔ zhōng huà qù hé gē zi bú shì tóng yí lèi de cí
1 从下列词语中画去和"鸽子"不是同一类的词

yǔ
语。

麻雀　　老鹰　　蝙蝠　　大雁

cóng wén zhōng zhǎo chū xià liè cí yǔ de jìn yì cí
2 从文中找出下列词语的近义词。

不停（　　）强烈（　　）苦恼（　　）气味（　　）

qǐng zài wén zhōng yòng huà chū shuō míng gē zi bān jiā
3 请在文中用"＿＿＿"画出说明鸽子搬家

de yuán yīn de jù zi
的原因的句子。

标准新阅读 BIAOZHUNXINYUEDU

dú le gù shì hòu　wǒ jué de gù shì zhǔ yào xiǎng gào su rén men

❹ 读了故事后，我觉得故事主要想告诉人们
（　）

gē zi shēn shàng yǒu nóng liè de guài wèi

A. 鸽子身上有浓烈的怪味。

dāng rén men yù dào fán nǎo shí　yào xiān cóng zì jǐ shēn shàng zhǎo

B. 当人们遇到烦恼时，要先从自己身上找

zhǎo yuán yīn　qù fā xiàn zhēn zhèng jiě jué wèn tí de fāng fǎ

找原因，去发现真正解决问题的方法。

yǒu le fán nǎo yào gào su bié rén

C. 有了烦恼要告诉别人。

配套练习8

两只小狮子

shī zi mā ma shēng xià le liǎng zhī xiǎo shī zi

狮子妈妈生下了两只小狮子。

yì zhī xiǎo shī zi zhěng tiān liàn xí gǔn　pū　sī　yǎo　fēi cháng kè

一只小狮子整天练习滚、扑、撕、咬，非常刻

kǔ　lìng yì zhī què lǎn yáng yáng de shài tài yáng　shén me yě bú gàn

苦。另一只却懒洋洋地晒太阳，什么也不干。

yì kē xiǎo shù wèn lǎn shī zi　　nǐ zěn me bù xué diǎn er běn lǐng

一棵小树问懒狮子："你怎么不学点儿本领

a

啊？"

lǎn shī zi tái qǐ tóu lái　màn tūn tūn de shuō　　wǒ cái bú qù chī nà

懒狮子抬起头来，慢吞吞地说："我才不去吃那

kǔ tóu ne

苦头呢！"

xiǎo shù shuō　　nà nǐ yǐ hòu zěn yàng shēng huó ne

小树说："那你以后怎样生活呢？"

lǎn shī zi shuō　　wǒ bà ba hé mā ma shì lín zhōng de dà wáng　píng

懒狮子说："我爸爸和妈妈是林中的大王，凭

zhe tā men de dì wèi　wǒ huì shēng huó de hěn hǎo

着他们的地位，我会生活得很好！"

zhè huà bèi shī zi mā ma tīng dào le tā duì lǎn shī zi shuō hái
这话被狮子妈妈听到了，她对懒狮子说："孩

zi jiāng lái wǒ men lǎo le bú zài le nǐ kào shuí ne nǐ yě yīng gāi
子，将来我们老了，不在了，你靠谁呢？你也应该

xué huì shēng huó de běn lǐng zuò yì zhī zhēn zhèng de shī zi
学会生活的本领，做一只真正的狮子！"

【练习】

bǎ wén zhōng xiě xiǎo shī zi liàn xí dòng zuò de zì cí zhǎo chū lái xiě
1 把文中写小狮子练习动作的字词找出来，写

zài xià miàn
在下面。

_____

zhào yàng zi xiě cí yǔ
2 照样子，写词语。

例：懒洋洋

慢（   ） 红（   ） 笑（   ） 绿（   ）

zhè piān duǎn wén yí gòng yǒu gè zì rán duàn shī zi mā
3 这篇短文一共有（ ）个自然段。狮子妈

ma yí gòng shuō le jù huà
妈一共说了（ ）句话。

wǒ dú le gù shi hòu jué de měi gè rén bù néng xiàng lǎn shī zi nà
4 我读了故事后，觉得每个人不能像懒狮子那

yàng ér yīng gāi
样，而应该_____。

4 学会阅读记叙文

考点内涵解说

1. 能借助汉语拼音正确认读汉字。

2. 能用音序和部首检字法查字典,学习独立识字。

3. 通过阅读能够把握人物形象和特点,了解叙事的顺序和事情的经过。

4. 通过阅读能够把握景物的特点和描写景物的顺序,了解事物的特点和描写景物的方法。

5. 能够理解读物的内容,完成相关的练习。

答题技法点拨

在借助拼音认读汉字的时候,一要注意分解音节,整体认读。一个完整的音节一般是由声母、韵母和声调三部分组成的。我们在认读音节的时候,先要看准声母是什么,韵母是什么,是第几声调,做到心中有数,然后进行整体认读。二要注意读准三拼音节。三拼音节多一个介母,一般是由"i u ü"来充当,如"jiā huá quán"等,我们在拼读的时候,不能把它漏掉,否则就会发生错误。

不动笔墨不读书。俗话说得好:"好记性不如烂笔头。"我们在做阅读练习的时候,不妨随手圈圈画画,一方面增强记忆,另一方面方便解题。圈画好词佳句、精彩片段时,可以使用自己规定好的不同符号。如:用"·····"来圈画描写得生动的词语;用"_____"来圈画关键的词语;用"～～～～"来圈画描写得生动的精彩片段;用"_____"来圈画中心句等。

在答题时,首先从题目入手,质疑问难。阅读首先要从题目开始,围绕题目从多个角度提出几个问题。其次从整体感悟,尝试解答。在阅读的过程中要边读边想,尝试着解答读题时提出的问题。再次,回顾生活,唤起体验。在朗读感悟的基础上,联系自己的生活实际,唤起自己独特的

个性体验,有助于加深对课文的理解。最后对照比较,大胆评价。读文章贵在有自己的看法。我们可以结合身边的人和事,对照比较,大胆地提出自己的评价。

茉莉花

wǒ jiā yáng tái shàng fàng zhe liǎng pén mò lì huā
我家阳台上放着两盆茉莉花。

mò lì huā de yè zi shì tuǒ yuán xíng de bì lǜ bì lǜ de zài yáng
茉莉花的叶子是椭圆形的,碧绿碧绿的。在阳
guāng xià nà yí piàn piàn yè zi lǜ de fā liàng yì tiáo tiáo huā zhī shēn
光下,那一片片叶子绿得发亮。一条条花枝伸
chū pén wài huā zhī de dǐng duān shì nèn lǜ xì xiǎo de xīn yè
出盆外,花枝的顶端是嫩绿细小的新叶。

mò lì huā yì bān zài yuè jiān kāi huā qī bā yuè jiān huā
茉莉花一般在5~10月间开花,七八月间,花
kāi de zuì duō zuì dà zài nà yì tiáo tiáo huā zhī de dǐng duān zhǎng chū le
开的最多最大。在那一条条花枝的顶端长出了
yí gè gè xiǎo mǐ lì nà me dà de huā gǔ duo huā gǔ duo yuè zhǎng yuè
一个个小米粒那么大的花骨朵。花骨朵越长越
dà yǒu yù mǐ lì dà xiǎo dì èr tiān zài nà zhuì mǎn huā gǔ duo de lǜ
大,有玉米粒大小,第二天,在那缀满花骨朵的绿
yè zhōng kāi chū le liǎng sān duǒ bái sè de huā yòu jiāo nèn yòu xiān měi
叶中,开出了两三朵白色的花,又娇嫩又鲜美,
céng céng dié dié zhēn hǎo kàn wǒ kàn zhe duǒ duǒ měi lì de huā er
层层叠叠,真好看。我看着朵朵美丽的花儿,
xīn lǐ měi zī zī de
心里美滋滋的。

mò lì huā kāi de yuè lái yuè duō xiāng wèi yě yuè lái yuè nóng yù
茉莉花开得越来越多,香味也越来越浓郁。
wǒ zhāi xià yì duǒ xì xì de duān xiáng qīng qīng de wén zhe màn màn
我摘下一朵,细细地端详,轻轻地闻着,慢慢

de guān shǎng zhe　hǎo xiàng yì gǔ qīng xiāng liú jìn le wǒ de xīn wō lǐ
地 观 赏 着，好 像 一 股 清 香 流 进 了 我 的 心 窝 里。

wǒ ài mò lì huā　ài nà cuì lǜ de yè zi　ài nà jié bái de huā
我 爱 茉 莉 花，爱 那 翠 绿 的 叶 子，爱 那 洁 白 的 花

duǒ　ài nà yòu rén de qīng xiāng
朵，爱 那 诱 人 的 清 香！

【练习】

dú yì dú　rèn yí rèn　zài bǎ duì yìng de pīn yīn hé zì lián shàng xiàn
❶ 读 一 读，认 一 认，再 把 对 应 的 拼 音 和 字 连 上 线。

duǒ　　měi　　lì　　dǐng　　qīng　　liàng

粒　　清　　朵　　亮　　美　　顶

pīn yì pīn　xiě yì xiě
❷ 拼 一 拼，写 一 写。

měi	lì		lǜ	yè		hǎo	kàn		kāi	huā

dú yì dú　tián yì tián
❸ 读 一 读，填 一 填。

yì　　　　huā zhī　　　　yì　　　　qīng xiāng
一（　　）花 枝　　一（　　）清 香

yí　　　　yè zi　　　　yí　　　mǐ lì
一（　　）叶 子　　一（　　）米 粒

wén zhōng xiě le mò lì huā yè zi de xíng zhuàng shì　　　　yán
❹ 文 中 写 了 茉 莉 花 叶 子 的 形 状 是（　　），颜

sè shì　　　　dào le xià tiān kāi chū le　　　de huā　hái sàn fā chū
色 是（　　），到 了 夏 天 开 出 了（　　）的 花，还 散 发 出

（　　）。

【答案】1.duǒ 朵　měi 美　lì 粒　dǐng 顶　qīng 清　liàng 亮
2.美丽　绿叶　好看　开花 3.条　股　片　个 4.椭圆的　碧绿
的　洁白　清香

tí　tí　　jiù shì yāo qiú wǒ men kàn zhǔn pīn yīn　zǐ xì pīn
【解析】题 1、题 2 就 是 要 求 我 们 看 准 拼 音，仔 细 拼

dú　zhèng què rèn dú xiāng yìng de zì　cí　　　　dōu shì sān
读，正 确 认 读 相 应 的 字、词。"liàng""huā"都 是 三

pīn yīn jié　zhōng jiān de jiè mǔ shì　　　　　wǒ men zài pīn dú de shí hou　bù
拼音节，中间的介母是"i""u"，我们在拼读的时候，不
néng bǎ tā lòu diào
能把它漏掉。

范例阅读2　FANLIYUEDU

月 牙 泉

yuè yá quán zài dūn huáng chéng nán wǔ qiān mǐ de míng shā shān
　　月牙泉在敦煌城南五千米的鸣沙山
zhōng　　tā de lún kuò kù sì yì wān xīn yuè　quán shuǐ bì bō dàng yàng
中。它的轮廓酷似一弯新月。泉水碧波荡漾，
quán nèi hái yǒu líng qiǎo de tiě bèi yú hé kě ài de xiǎo wū guī　　àn biān gǔ
泉内还有灵巧的铁背鱼和可爱的小乌龟。岸边古
dài de lóu gé dào yìng quán zhōng　shǐ tā xiǎn de gèng jiā měi lì zhuàng
代的楼阁倒映泉中，使它显得更加美丽壮
guān　　qiān bǎi nián lái　yuè yá quán jǐn guǎn sì miàn shā shān huán rào
观。千百年来，月牙泉尽管四面沙山环绕，
fēng chuī shā yáng　dàn yī rán míng liàng rú jìng　qīng chè jiàn dǐ
风吹沙扬，但依然明亮如镜，清澈见底。
à　yuè yá quán　　nǐ shì xiāng qiàn zài dà mò shēn chù de yì kē
　　啊！月牙泉！你是镶嵌在大漠深处的一颗
míng zhū
明珠！

【练习】

dú yì dú　xiě yì xiě
1 读一读，写一写。

yuè yá quán　　　míng liàng　　　měi lì zhuàng guān
（　　　　）　（　　　　）　（　　　　　　　　）

dú yì dú duǎn wén　zài lái tián yì tián
2 读一读短文，再来填一填。
（　　　　）的泉水　　　　　（　　　　　）的月牙泉
（　　　　）的小乌龟　　　　（　　　　　）的楼阁

qǐng nǐ yòng　　　　　　　　quān huà chū miáo xiě quán shuǐ de cí yǔ
3 请你用"·····"圈画出描写泉水的词语。

yòng　　　　　　　　huà chū miáo xiě yuè yá quán yàng zi de jù zi
4 用"＿＿＿＿＿"画出 描 写 月 牙 泉 样 子 的 句 子 。

yuè yá quán zài　　　　　　　　　　　　　　　　　dì diǎn
5 月 牙 泉 在 ＿＿＿＿＿＿＿＿＿＿＿＿（地点）。

fǎn fù dú wán duǎn wén　nǐ jī lěi le nǎ xiē cí yǔ huò jù zi　　qǐng
6 反 复 读 完 短 文 ，你 积 累 了 哪 些 词 语 或 句 子 ？ 请

xiě zài xià miàn
写 在 下 面 。

＿＿＿＿＿＿＿＿＿＿＿＿＿＿＿＿＿＿＿＿

＿＿＿＿＿＿＿＿＿＿＿＿＿＿＿＿＿＿＿＿

【答案】1.月牙泉　明亮　美丽壮观　2.清澈　美丽　可爱　古代
3.碧波荡漾　明亮如镜　清澈见底　4.它的轮廓酷似一弯新月。　5.
敦煌　6.略

　　　　　tí　　tí　　tí　　tí　　tí　dōu zài bāng zhù wǒ men jī lěi
【解析】题1、题2、题3、题5、题6都在帮助我们积累

cí jù　tí　　yāo qiú wǒ men zài yuè dú duǎn wén de jī chǔ shàng　fēng fù wǒ
词句。题2要求我们在阅读短文的基础上，丰富我

men de cí huì　tí　　tí　yāo qiú wǒ men yòng fú hào gēn jù jù tǐ yāo qiú
们的词汇。题3、题4要求我们用符号根据具体要求

lái quān huà cí yǔ　tí　zé shì gēn jù wǒ men gè zì de xìng qù hé xū yào zì
来圈画词语。题6则是根据我们各自的兴趣和需要自

yóu de jī lěi
由地积累。

范例阅读3　FANLIYUEDU

受伤的小树

xīng qī tiān de zǎo shàng　wǒ hé mā ma qù sàn bù　　wǒ men zài xiǎo
星期天的早上，我和妈妈去散步。我们在小

hé biān fā xiàn yì kē xiǎo shù yǒu yí bàn zhé duàn le　　wǒ duì mā ma
河边发现一棵小树有一半折断了。我对妈妈

shuō　xiǎo shù shòu shāng le　kuài gěi tā bāo yì bāo ba
说："小树受伤了，快给它包一包吧！"

wǒ jí jí máng máng pǎo huí jiā　　ná lái le yì gēn shéng zi　　hé mā
我急急忙　忙跑回家，拿来了一根　绳子，和妈

ma yì qǐ zǐ xì de bǎ xiǎo shù kǔn zhù　　wǒ xiǎng　　xiàn zài shì chūn tiān
妈一起仔细地把小树捆住。我想，现在是春天，

xiǎo shù hěn kuài huì zhǎng chū xīn de zhī yè lái de
小树很快会长　出新的枝叶来的。

　yǐ hòu　　wǒ jiù jīng cháng qù kàn xiǎo shù　　dà yuē guò le yí gè
以后，我就经　常去看小树。大约过了一个

yuè　xiǎo shù de zhī yè jiàn jiàn mào mì qǐ lái le　　xiàng yì bǎ lǜ sè de
月，小树的枝叶渐渐茂密起来了，像一把绿色的

dà sǎn　　chēng kāi zài xiǎo hé biān
大伞，撑　开在小河边。

【练习】

　dú yì dú　rèn yí rèn
1 读一读，认一认。

sàn bù　zhé duàn　kǔn zhù　mào mì　chēng kāi
散步　折断　捆住　茂密　撑　开

　　yòng　　　　　　huà chū zhèng què de yīn jié
2 用"＿＿"画出　正确的音节。

大伞(dà sǎn　　dà shǎn)　枝叶(zhī yè　　zhī yiè)

大约(dà yuē　　dà yūē)　经常(jīng cháng　　jīn cháng)

　　bǐ shùn
3 笔顺。

（1）河：＿＿＿＿＿＿＿＿＿＿＿＿＿＿＿＿＿＿＿

（2）出：＿＿＿＿＿＿＿＿＿＿＿＿＿＿＿＿＿＿＿

　zhào yàng zi xiě jù zi
4 照样子写句子。

例：小树的枝叶渐渐茂密起来了，像一把绿色的大伞。

　píng jìng de hú miàn xiàng
（1）平静的湖面　像 ＿＿＿＿＿＿＿＿＿＿＿。

　tiān kōng zhōng bái yún duǒ duǒ　yǒu de xiàng　　　　　　yǒu de
（2）天空　中白云朵朵，有的像 ＿＿＿＿＿＿，有的

xiàng　　　　　　hái yǒu de xiàng
像 ＿＿＿＿＿，还有的像 ＿＿＿＿＿。

　xīng qī tiān zǎo shàng wǒ hé mā ma fā xiàn xiǎo shù
5 星期天早　上　我和妈妈发现　小树 ＿＿＿＿＿＿

wǒ hé mā ma
_____，我和妈妈 _____，大约一
gè yuè hòu xiǎo shù de zhī yè
个月后小树的枝叶_____。

【答案】2. dà sǎn 、zhī yè 、dà yuē、jīng cháng 3.略 4.(1)一面镜
子 (2)一只小白兔、一群小绵羊等 5.有一半折断了 用绳子仔细地
把小树捆好 渐渐茂密起来

zhè piān wén zhāng de tí mù shì shòu shāng de xiǎo shù   wǒ
【解析】这篇文章的题目是"受伤的小树"，我
men zài dú tí shí jiù yào xiǎng xiǎo shù shòu shāng de qíng kuàng shì zěn yàng
们在读题时就要想：小树受伤的情况是怎样
de yǒu rén jiù zhù xiǎo shù ma hòu lái xiǎo shù huī fù le ma rán hòu dài
的？有人救助小树吗？后来小树恢复了吗？然后带
zhe zhè xiē wèn tí qù yuè dú qù cháng shì zhe jiě dá tí jiù jiě dá le
着这些问题去阅读，去尝试着解答。题5就解答了。
zhè yàng zhǎo chū yào diǎn jiù néng hěn kuài de lǐ jiě wén zhāng de nèi róng
这样找出要点，就能很快地理解文章的内容。

范例阅读4 FANLIYUEDU

尊敬老师的学者陈景润

wǒ guó zhù míng de shù xué jiā chén jǐng rùn cóng dú shū dào chéng wéi
我国著名的数学家陈景润从读书到成为
zhù míng de shù xué jiā yì zhí hěn zūn jìng zì jǐ de lǎo shī tā gāng kǎo
著名的数学家，一直很尊敬自己的老师。他刚考
rù xià mén dà xué bù jiǔ yǒu yí cì tā xiě zuò yè zì jì liáo cǎo lǎo shī
入厦门大学不久，有一次，他写作业字迹潦草，老师
pī píng le tā dì èr tiān jiāo shàng lái de zuò yè jiù xiě de duān duān
批评了他。第二天交上来的作业，就写得端端
zhèng zhèng chéng míng hòu de chén jǐng rùn gěi lǎo shī xiě xìn zì réng jiù
正正。成名后的陈景润给老师写信，字仍旧
xiàng dāng nián nà yàng gōng zhěng yǒu yì nián chén jǐng rùn tīng shuō tā
像当年那样工整。有一年，陈景润听说他
de lǎo shī fāng jiào shòu dào le běi jīng tā zài bǎi máng zhī zhōng lì yòng
的老师方教授到了北京，他在百忙之中，利用

wǎn shàng de shí jiān　wǔ cì dēng mén kàn wàng fāng jiào shòu　tā měi cì
晚 上 的 时 间 ，五 次 登 门 看 望 方 教 授 。他 每 次

fā biǎo lùn wén　zǒng yào jì shàng yí fèn gěi lǎo shī　bìng xiě shàng　qǐng
发 表 论 文 ，总 要 寄 上 一 份 给 老 师 ，并 写 上 "请

lǎo shī zhǐ zhèng　　tā shuō　zūn jìng lǎo shī shì qǐ mǎ de lǐ mào
老 师 指 正 "。他 说 ："尊 敬 老 师 是 起 码 的 礼 貌 。"

【练习】

dú yì dú　rèn yí rèn
1 读 一 读 ，认 一 认 。

zūn jìng　　pī píng　　gōng zhěng　　lǐ mào
尊 敬　　批 评　　工 整　　礼 貌

duān duān zhèng zhèng　　zì jì liáo cǎo
端 端 正 正　　字 迹 潦 草

yí zì kāi huā　zài huā bàn shàng tián shàng zì zǔ chéng cí
2 一 字 开 花 ，在 花 瓣 上 填 上 字 组 成 词 。

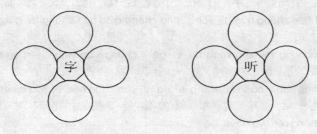

duǎn wén gòng yǒu　　　　jù huà
3 短 文 共 有 （　　　）句 话 。

dú du jù zi　tíng dùn zhèng què de yí jù huà shì
4 读 读 句 子 ，停 顿 正 确 的 一 句 话 是 （　　　）。

chén jǐng rùn　tīng shuō　tā de lǎo shī fāng jiào shòu　dào le běi jīng
A . 陈 景 润 / 听 说 / 他 的 老 师 方 教 授 / 到 了 北 京 。

chén jǐng rùn tīng shuō tā de　lǎo shī fāng jiào shòu　dào le　běi jīng
B . 陈 景 润 听 说 他 的 / 老 师 方 教 授 / 到 了 / 北 京 。

dú du duǎn wén　zài zhèng què de shuō fǎ hòu miàn dǎ
5 读 读 短 文 ，在 正 确 的 说 法 后 面 打 "√"。

chén jǐng rùn shì wǒ guó gǔ dài zhù míng de shù xué jiā
（1）陈 景 润 是 我 国 古 代 著 名 的 数 学 家 。（　　　）

chén jǐng rùn de zuò yè zì xiě de bù duān zhèng　lǎo shī pī píng hòu
（2）陈 景 润 的 作 业 字 写 得 不 端 正 ，老 师 批 评 后 ，

tā jí shí gǎi zhèng
他 及 时 改 正 。（ ）

xiě zuò yè shí zì jì liáo cǎo jiù shì duì lǎo shī de zūn jìng
（3）写 作 业 时 字 迹 潦 草 就 是 对 老 师 的 尊 敬 。（ ）

chén jǐng rùn duì lǎo shī de zūn jìng hái biǎo xiàn zài chéng míng hòu fā
（4）陈 景 润 对 老 师 的 尊 敬 还 表 现 在 ，成 名 后 发

biǎo lùn wén hái yào jì yí fèn gěi lǎo shī qǐng lǎo shī zhǐ zhèng
表 论 文 ，还 要 寄 一 份 给 老 师 ，请 老 师 指 正 。（ ）

【答案】2.略 3.七 4.A 5.(2)(✓)(4)(✓)

zūn jìng lǎo shī jīng cháng zài xué sheng men de xué xí shēng
【解析】"尊 敬 老 师" 经 常 在 学 生 们 的 学 习 生

huó zhōng bèi tí qǐ ér xiě zì yòu shì dī nián jí tóng xué xué xí yǔ wén de yí
活 中 被 提 起 ，而 写 字 又 是 低 年 级 同 学 学 习 语 文 的 一

xiàng zhòng yào de rèn wu zuò yè shū xiě de rèn zhēn jiù shì duì lǎo shī de yì
项 重 要 的 任 务 ，作 业 书 写 得 认 真 就 是 对 老 师 的 一

zhǒng zūn jìng yīn cǐ tóng xué men zài yuè dú zhè piān duǎn wén shí hěn róng yì
种 尊 敬 ，因 此 同 学 们 在 阅 读 这 篇 短 文 时 很 容 易

huàn qǐ píng shí de shēng huó tǐ yàn xíng chéng qíng gǎn shàng de gòng míng
唤 起 平 时 的 生 活 体 验 ，形 成 情 感 上 的 共 鸣 。

tí jiù shì yào yíng zào zhè yàng de yí gè chǎng xiào yìng ràng tóng xué
题 5 就 是 要 营 造 这 样 的 一 个 " 场 效 应" ，让 同 学

men lián xì shēng huó huàn qǐ xiāng sì de tǐ yàn rán hòu bǐ jiào duì zhào jiā
们 联 系 生 活 ，唤 起 相 似 的 体 验 ，然 后 比 较 对 照 ，加

shēn duì wén zhōng rén wù de lǐ jiě
深 对 文 中 人 物 的 理 解 。

阅读训练 YUEDUXUNLIAN

配套练习1

粉 笔

jiào shì de jiǎng tái shàng yǒu gè mù hé zi lǐ miàn tǎng zhe yì zhī
教 室 的 讲 台 上 有 个 木 盒 子 ，里 面 躺 着 一 支

zhī shòu shòu de fěn bǐ
支 瘦 瘦 的 粉 笔 。

fěn bǐ zuì ài chuān xuě bái xuě bái de qún zi yǒu shí tā hái tǐng
粉 笔 最 爱 穿 雪 白 雪 白 的 裙 子 。有 时 ，它 还 挺

ài dǎ ban　　yí huì er chuān shàng lǜ qún zi　　yí huì er yòu huàn shàng
爱打扮，一会儿穿上绿裙子，一会儿又换上

hóng yī fu　　yí huì er chuān shàng lán yī fu　　yí huì er yòu huàn shàng
红衣服，一会儿穿上蓝衣服，一会儿又换上

huáng qún zi　　wǔ yán liù sè de fěn bǐ　　zhēn shì hǎo kàn jí le
黄裙子。五颜六色的粉笔，真是好看极了。

xiǎo xiǎo de fěn bǐ ná zài lǎo shī de shǒu lǐ kě shén qí le　　jiù xiàng
小小的粉笔拿在老师的手里可神奇了，就像

sūn wù kōng shǒu lǐ de jīn gū bàng　　yí huì er biàn chéng wǔ cǎi bīn fēn de
孙悟空手里的金箍棒，一会儿变成五彩缤纷的

huā duǒ　　yí huì er biàn chéng pīn yīn zì mǔ　　yí huì er biàn chéng wàn dào
花朵，一会儿变成拼音字母，一会儿变成万道

jīn guāng de tài yáng　　yí huì er biàn chéng lǜ yóu yóu de cǎo dì
金光的太阳，一会儿变成绿油油的草地……

fěn bǐ jù yǒu kě guì de xiàn shēn jīng shen　　xī shēng le zì jǐ　　què
粉笔具有可贵的献身精神，牺牲了自己，却

bǎ zhī shi dài gěi le wǒ men　　wǒ ài fěn bǐ
把知识带给了我们。我爱粉笔！

【练习】

dú yì dú　　rèn yí rèn
1 读一读，认一认。

jiào shì　　　　qún zi　　　　dǎ ban
教室　　　裙子　　　打扮

jīn gū bàng　　　　wǔ cǎi bīn fēn　　　　xī shēng
金箍棒　　　五彩缤纷　　　牺牲

pīn yì pīn　　xiě yì xiě
2 拼一拼，写一写。

fěn bǐ　　　　tài yáng　　　　xuě bái　　　　cǎo dì

dú pīn yīn　　xiě bǐ huà
3 读拼音，写笔画。

diǎn（　　）　　héng zhé gōu（　　　　）

tí（　　）　　héng zhé xié gōu（　　　　）

nà（　　　　）　　　héng gōu（　　　　　　）

zhào yàng zi　xiě jù zi
4 照 样 子，写 句 子。

例：粉笔还挺爱打扮，一会儿穿上绿裙子，一会儿又换上红衣服，一会儿穿上蓝衣服，一会儿又换上黄裙子。

tiān kōng zhōng yún de biàn huà kě zhēn duō ya　yí huì er
天 空 中 云 的 变 化 可 真 多 呀，一会儿 ＿＿＿＿＿＿＿

yí huì er　　　　　　　　　　　　　　　yí huì er
＿＿＿＿＿＿，一会儿 ＿＿＿＿＿＿＿＿＿＿，一会儿＿＿＿

yí huì er
＿＿＿＿＿＿，一会儿 ＿＿＿＿＿＿＿＿＿＿＿＿。

dú le duǎn wén　nǐ zhī dào fěn bǐ jù yǒu shén me jīng shen ma
5 读 了 短 文，你 知 道 粉 笔 具 有 什 么 精 神 吗？
（　　）

fěn bǐ bú pà kùn nan　yǒng wǎng zhí qián
A. 粉 笔 不 怕 困 难，勇 往 直 前。

fěn bǐ wú sī fèng xiàn　xī shēng le zì jǐ　dài gěi wǒ men zhī shi
B. 粉 笔 无 私 奉 献，牺 牲 了 自 己，带 给 我 们 知 识。

fěn bǐ rè ài xué xí
C. 粉 笔 热 爱 学 习。

配套练习2

大 熊 猫

wǒ xǐ huan xǔ duō dòng wù　　dàn wǒ zuì xǐ huan de shì dà xióng
我喜欢许多动物，但我最喜欢的是大熊

māo　dà xióng māo shì wǒ guó de zhēn xī dòng wù　tā men de gù xiāng
猫。大熊猫是我国的珍稀动物，它们的故乡

zài sì chuān
在四川。

dà xióng māo yuán gǔn gǔn　pàng hū hū de　kě dòu rén xǐ ài le
大熊猫圆滚滚、胖乎乎的，可逗人喜爱了。

tā men de tóu bù hé shēn tǐ dōu shì bái sè de　yǎn quān　ěr duo hé sì
它们的头部和身体都是白色的，眼圈、耳朵和四

zhī dōu shì hēi hè sè de　　tè bié shì nà yí duì hēi hēi de yǎn quān　zhǎng
肢 都 是 黑 褐 色 的。特 别 是 那 一 对 黑 黑 的 眼 圈，长

zài bái bái de liǎn shàng　xiàng shì dài zhe yí fù mò jìng　jiā shàng nà bèn
在 白 白 的 脸 上，像 是 戴 着 一 副 墨 镜，加 上 那 笨

zhuō de dòng zuò hé zǒu qǐ lù lái dōng zhāng xī wàng de shén qíng　xiǎn de
拙 的 动 作 和 走 起 路 来 东 张 西 望 的 神 情，显 得

shí fēn kě ài
十 分 可 爱。

dòng wù yuán lǐ de dà xióng māo　jīng guò sì yǎng yuán ā yí de xùn
动 物 园 里 的 大 熊 猫，经 过 饲 养 员 阿 姨 的 训

liàn　hái huì biǎo yǎn jié mù ne　rú zuān quān　dào lì　fān gēn tou　tuī
练，还 会 表 演 节 目 呢！如 钻 圈、倒 立、翻 跟 头、推

xiǎo chē　　wǒ zuì xǐ huan kàn dà xióng māo fān gēn tou　nà pàng pàng de
小 车……我 最 喜 欢 看 大 熊 猫 翻 跟 头，那 胖 胖 的

shēn zi suō chéng yì tuán　xiàng gè dà pí qiú shì de gǔn lái gǔn qù　yǐn
身 子 缩 成 一 团，像 个 大 皮 球 似 的 滚 来 滚 去，引

rén fā xiào　fēi cháng yǒu qù
人 发 笑，非 常 有 趣。

【练习】

dú yì dú　rèn yí rèn
1 读 一 读，认 一 认。

zhēn xī　gù xiāng　yǎn quān　bèn zhuō　dōng zhāng xī wàng
珍 稀 故 乡 眼 圈 笨 拙 东 张 西 望

pīn yì pīn　xiě yì xiě
2 拼 一 拼，写 一 写。

xǐ huan　　dòng zuò　　kě ài　　jié mù

zhào yàng zi　xiě cí yǔ
3 照 样 子，写 词 语。

例：胖 乎 乎

_____　_____　_____

dà xióng māo shì wǒ guó de　　　　　　　　tā men de
4 大 熊 猫 是 我 国 的 _____，它 们 的

gù xiāng zài
故 乡 在 _____ 。

qǐng nǐ yòng　　　　huà chū miáo xiě dà xióng māo yàng zi de jù zi
5 请你用"___"画出描写大熊猫样子的句子。

配套练习3

辣 椒

　　　là jiāo de xíng zhuàng dà duō xiàng wāi zuǐ de máo bǐ　tóu dà dì
　　辣椒的形 状 大多 像 歪嘴的毛笔，头大蒂
jiān　wěi bù bú shì zuǒ wāi jiù shì yòu xié　tóu shàng hái dài zhe yì dǐng lǜ
尖，尾部不是左歪就是右斜，头 上 还带着一顶绿
mào zi　xiàng dào zhe fàng de yì bǎ sǎn　xiǎo qiǎo líng lóng　gāng jiē chū
帽子，像 倒着放的一把伞，小 巧 玲 珑。 刚结出
de là jiāo shì qīng sè de　chéng shóu hòu biàn chéng hóng sè　　là jiāo bù
的辣椒是青色的，成 熟后变 成 红色。辣椒不
jǐn kě yǐ yòng lái zuò cài　yě kě yǐ zuò yào ne　yǒu jiàn wèi　qū hán de
仅可以用来做菜，也可以做药呢，有健胃、驱寒的
gōng néng
功 能。

【练习】

　　　rèn yí rèn　dú yì dú
1 认一认，读一读。

wāi zuǐ　　　xiǎo qiǎo líng lóng　　　chéng shóu　　　qū hán
歪嘴　　小 巧 玲 珑　　成 熟　　驱寒

　　　zhǎo péng you lián shàng xiàn　zǔ chéng cí yǔ　zài xiě zài kuò hào lǐ
2 找 朋 友 连 上 线，组 成 词语，再写在括 号里。
形　　　变　　　功　　　毛

能　　　笔　　　状　　　化
（　　）（　　）（　　）（　　）

　　　qǐng zài wén zhōng zhǎo chū　zuǒ　de fǎn yì cí　　　　wāi
3 请在文 中 找出"左"的反义词（　　），"歪"
de jìn yì cí
的近义词（　　）。

zhè duàn huà yí gòng yǒu jù xiàng wǒ men jiè shào le là
4 这段话一共有（　　　）句，向我们介绍了辣

jiāo de hé zuò yòng
椒的 ＿＿＿＿ 、＿＿＿＿ 和作用。

là jiāo zài shēng zhǎng guò chéng zhōng yì zhí shì hóng sè ma yǒu
5 辣椒在生长过程中一直是红色吗？有

shén me biàn huà
什么变化？

配套练习4

画 眉 鸟

chéng nán yé ye jiā yǎng le yì zhī měi lì de huà méi niǎo
城南爷爷家养了一只美丽的画眉鸟。

huà méi niǎo xiǎn de xiǎo qiǎo líng lóng shí fēn piào liang tā tóu shàng
画眉鸟显得小巧玲珑，十分漂亮。它头上

de yǔ máo xiàng shēn huáng sè de tóu jīn yì shuāng yǎn jing shǎn shǎn fā
的羽毛像深黄色的头巾。一双眼睛闪闪发

liàng yǎn jing shàng yǒu yí dào bái sè de yǔ máo hǎo xiàng shì tā de méi
亮，眼睛上有一道白色的羽毛，好像是它的眉

mao shǐ tā de yǎn jing xiǎn de gé wài jīng shen tā de míng zi jiù shì cóng
毛，使它的眼睛显得格外精神，它的名字就是从

zhè er lái de ba yì zhāng xiǎo zuǐ shì dàn huáng de jiān jiān de bèi
这儿来的吧。一张小嘴是淡黄的，尖尖的。背

shàng de yǔ máo xiàng shì shēn huáng sè de wài yī fù bù de yǔ máo
上的羽毛像是深黄色的外衣。腹部的羽毛

xiàng shì huī huáng sè de chèn shān wěi ba shì hēi sè de xiàng shì yì bǎ
像是灰黄色的衬衫。尾巴是黑色的，像是一把

bàn kāi de shàn zi yì shuāng zhuǎ zi jǐn jǐn zhuā zhù lóng zi lǐ de
半开的扇子。一双爪子紧紧抓住笼子里的

shù zhī huà méi niǎo de míng shēng qīng cuì wǎn zhuǎn gěi rén yì
"树枝"。画眉鸟的鸣声清脆婉转，给人一

zhǒng xǐ yuè zhèn fèn de gǎn jué

种 喜 悦 振 奋 的 感 觉。

wǒ zhēn xǐ huan zhè zhī huà méi niǎo a

我 真 喜 欢 这 只 画 眉 鸟 啊!

【练习】

dú yì dú　rèn yí rèn

1 读一读, 认一认。

xiǎo qiǎo líng lóng　qīng cuì wǎn zhuǎn　xǐ yuè zhèn fèn

小 巧 玲 珑　清 脆 婉 转　喜 悦 振 奋

pīn yì pīn　xiě yì xiě

2 拼一拼, 写一写。

wài　yī　　méi mao　　shàn　zi　　shù　zhī

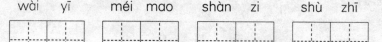

yòng　　　　　huà chū zhèng què de dú yīn

3 用 "____" 画 出 正 确 的 读 音。

shàng de yǔ máo xiàng shì shēn huáng sè de wài yī

(1) 背 (bēi bèi) 上 的 羽 毛 像 是 深 黄 色 的 外 衣。

wěi ba shì hēi sè de　xiàng shì yì bǎ bàn kāi de

(2) 尾 巴 是 黑 色 的, 像 是 一 把 半 开 的 扇 (shàn shān)

zi

子。

xiě chū jìn yì cí

4 写出近义词。

漂亮—(　　)　鸣声—(　　)　格外—(　　)

duǎn wén zài miáo xiě huà méi niǎo de wài xíng shí àn zhào cóng shàng

5 短 文 在 描 写 画 眉 鸟 的 外 形 时 按 照 从 上

dào xià de shùn xù yī cì jiè shào le　tóu shàng de yǔ máo　　　　　bèi

到 下 的 顺 序 依 次 介 绍 了:头 上 的 羽 毛、____、____、背

shàng de yǔ máo　fù bù de yǔ máo　　　　hé

上 的 羽 毛、腹 部 的 羽 毛、____ 和 ____。

huà méi niǎo de míng zi shì zěn yàng lái de　　yòng　　　　zài wén

6 画 眉 鸟 的 名 字 是 怎 样 来 的? 用 "____" 在 文

zhōng huà chū lái

中 画 出 来。

配套练习5

春天真美

chūn tiān lái le   chūn tiān zhēn měi
春天来了！春天真美！

jīn càn càn de yóu cài huā kāi le   lǜ yóu yóu de mài miáo shū zhǎn
金灿灿的油菜花开了。绿油油的麦苗舒展

zhe nèn lǜ de yè zi   táo huā kāi le   xiàng hóng tōng tōng de cǎi xiá   sàn
着嫩绿的叶子。桃花开了，像红彤彤的彩霞，散

fā chū yí zhèn zhèn qīng xiāng   yǐn lái le mì fēng   xiǎo cǎo xiàng xīn qín
发出一阵阵清香，引来了蜜蜂。小草像辛勤

de cái feng yòng zì jǐ de shēn tǐ féng chéng le yí kuài lǜ sè de dà dì
的裁缝用自己的身体缝成了一块绿色的大地

tǎn   liǔ shù zài hé biān tīng zhe chūn zhī gē   zài wēi fēng de chuī fú xià
毯。柳树在河边听着春之歌，在微风的吹拂下，

yáo dòng qǐ xiàng xiǎo biàn zi yí yàng de zhī tiáo   yàn zi cóng nán fāng fēi
摇动起像小辫子一样的枝条。燕子从南方飞

huí lái le   tíng zài shù zhī shàng   jī ji zhā zhā   jiào gè bù tíng   hǎo
回来了，停在树枝上，"唧唧喳喳"叫个不停，好

xiàng zài shuō   chūn tiān zhēn měi   chūn tiān zhēn měi
像在说："春天真美！春天真美！"

【练习】

dú yì dú rèn yí rèn
1 读一读，认一认。

jīn càn càn   hóng tōng tōng   lǜ yóu yóu
金灿灿   红彤彤   绿油油

qǐng nǐ lái kuò cí
2 请你来扩词。

香（   ）（   ）（   ）

红（   ）（   ）（   ）

tián shàng hé shì de cí
3 填上合适的词。

（   ）的裁缝   （   ）的地毯   （   ）的春天

wén zhōng biǎo shì yán sè de cí yǔ yǒu
4 文中表示颜色的词语有 ＿＿＿＿＿＿＿

＿＿＿＿＿。

标准新阅读 BIAOZHUNXINYUEDU

wén zhōng miáo xiě de chūn tiān de jǐng wù yǒu
5 文 中 描 写 的 春 天 的 景 物 有 ＿＿＿、＿＿＿、

＿＿＿、＿＿＿、＿＿＿、＿＿＿、＿＿＿。

dì èr zì rán duàn yǒu   jù huà   dì   jù bǎ xiǎo cǎo
6 第 二 自 然 段 有（　）句 话。第（　）句 把 小 草
bǐ zuò le cái feng dì   jù bǎ liǔ shù de zhī tiáo bǐ zuò le xiǎo biàn zi
比 做 了 裁 缝，第（　）句 把 柳 树 的 枝 条 比 做 了 小 辫 子。

配套练习6

美丽的小鱼塘

wǒ men xué xiào fù jìn yǒu yí gè měi lì de xiǎo yú táng   nà shì gè
我 们 学 校 附 近 有 一 个 美 丽 的 小 鱼 塘。那 是 个
kě ài de dì fang
可 爱 的 地 方。

yú táng zhōu wéi shì yì kē kē gāo dà de shù mù   mì mì céng céng de hǎo
鱼 塘 周 围 是 一 棵 棵 高 大 的 树 木，密 密 层 层 的 好
xiàng pái zhe zhěng qí de duì wu   fēng er chuī guò   shuǐ miàn bì bō dàng
像 排 着 整 齐 的 队 伍。风 儿 吹 过，水 面 碧 波 荡
yàng   piàn piàn shù yè suí fēng fēi wǔ   yǒu de luò zài chí táng lǐ   yǒu de luò zài
漾，片 片 树 叶 随 风 飞 舞，有 的 落 在 池 塘 里，有 的 落 在
shù xià   shuǐ miàn shàng piāo zhe lǜ yóu yóu de fú lián de yè piàn   fú lián
树 下。水 面 上 漂 着 绿 油 油 的 浮 莲 的 叶 片。浮 莲
huā kāi le   yǒu zǐ sè de   yǒu qiǎn lán sè de   yǒu huáng sè de
花 开 了，有 紫 色 的，有 浅 蓝 色 的，有 黄 色 的。

yú táng lǐ   yú er men zài qīng qīng de shuǐ lǐ kuài huo de yóu lái yóu
鱼 塘 里，鱼 儿 们 在 清 清 的 水 里 快 活 地 游 来 游
qù   yí huì er wǎng zuǒ   yí huì er xiàng yòu   hǎo xiàng zài zhuō mí cáng
去，一 会 儿 往 左，一 会 儿 向 右，好 像 在 捉 迷 藏；
yě yǒu de qián rù shuǐ lǐ   duǒ zài fú lián yè piàn xià   tōu tōu de yí dòng
也 有 的 潜 入 水 里，躲 在 浮 莲 叶 片 下，偷 偷 地 移 动
yè piàn   zhè xiē yè piàn jiù xiàng yì zhī zhī xiǎo chuán zài huǎn huǎn de xíng
叶 片，这 些 叶 片 就 像 一 只 只 小 船 在 缓 缓 地 行
shǐ   yǒu qù jí le
驶，有 趣 极 了！

zhè měi lì　　yōu jìng de xiǎo yú táng zhēn lìng wǒ liú lián wàng fǎn
这美丽、幽静的小鱼塘 真令我流连忘返!

【练习】

dú yì dú　rèn yí rèn
1 读一读，认一认。

fù jìn　　zhěng qí　　bì bō dàng yàng　　zhuō mí cáng
附近　　整齐　　碧波荡漾　　捉迷藏

xíng shǐ　　yōu jìng　　liú lián wàng fǎn
行驶　　幽静　　流连忘返

xiǎo yú táng de zhōu wéi yǒu
2 小鱼塘的周围有 _____，

yú táng lǐ yǒu　　　　　　　　　　　　　　　hé
鱼塘里有 _____ 、_____ 、_____ 和 _____。

zhào yàng zi　fǎng xiě jù zi
3 照样子，仿写句子。

例：鱼儿们在清清的水里快活地游来游去。

xiǎo niǎo zài　　　　　de shù shàng　　　　　de chàng gē
（1）小鸟在（　　）的树上（　　）地唱歌。

xiǎo péng yǒu zài　　　　　de jiào shì lǐ　　　　de shàng kè
（2）小朋友在（　　）的教室里（　　）地上课。

qǐng nǐ yòng　　　　　　　　　quān huà chū miáo xiě fú lián huā yán sè
4 请你用"••••"圈画出描写浮莲花颜色

de cí yǔ
的词语。

yòng　　　　　huà chū miáo xiě xiǎo yú er de yǔ jù　　yǒu gǎn qíng de
5 用"____"画出描写小鱼儿的语句，有感情地

dú shàng jǐ biàn　bìng bǎ tā jì zài nǎo hǎi lǐ
读上几遍，并把它记在脑海里。

配套练习7

大自然的邮票

chūn tiān de shù shàng　　zhǎng chū nèn nèn de yá bàn　　xià tiān de shù
春天的树上，长出嫩嫩的芽瓣。夏天的树

shàng　guà mǎn féi féi de yè piàn　　qiū tiān de shù shàng　　shù yè tú mǎn
上，挂满肥肥的叶片。秋天的树上，树叶涂满

标准新阅读 *BIAOZHUNXINYUEDU*

xiān hóng hé jīn huáng dōng tiān de shù xià shù yè luò dì huà chéng tǔ
鲜 红 和 金 黄 。 冬 天 的 树 下 ，树 叶 落 地 化 成 土

rǎng luò yè shì dà zì rán de yóu piào bǎ yì nián sì jì jì gěi nǐ jì gěi
壤 。 落 叶 是 大 自 然 的 邮 票 ，把 一 年 四 季 寄 给 你 ，寄 给

wǒ jì gěi dà jiā
我 ，寄 给 大 家 。

【练习】

pīn yì pīn xiě yì xiě
1 拼一拼，写一写。

zhǎng chū yè piàn luò dì dà jiā

qǐng nǐ lái kuò cí
2 请你来扩词。

金（　　　）（　　　）（　　　）

土（　　　）（　　　）（　　　）

zhè yí duàn huà gòng yǒu jù
3 这 一 段 话 共 有（　　　）句。

tián kòng
4 填 空 。

yì nián yǒu sì gè jì jié
（1）一 年 有 _____ 、_____ 、_____ 、_____ 四 个 季 节。

chūn tiān de shù shàng yá bàn shì xià tiān de shù
（2）春 天 的 树 上 ，芽 瓣 是 _____ ；夏 天 的 树

shàng yè piàn shì qiū tiān de shù yè yán sè yǒu hé
上 ，叶 片 是 _____ ；秋 天 的 树 叶 颜 色 有 _____ 和

dōng tiān de shù xià shù yè luò dì huà chéng
_____ ；冬 天 的 树 下 ，树 叶 落 地 化 成 _____ 。

dà zì rán de yóu piào zhǐ
（3）大 自 然 的 邮 票 指 _____ 。

nǐ jī lěi le nǎ xiē cí yǔ huò jù zi
5 你 积 累 了 哪 些 词 语 或 句 子 ?

_____

_____

配套练习8

夏 夜

xià tiān de yè wǎn　rè de hěn　wǒ zuò zài mén qián nà liáng
夏天的夜晚，热得很，我坐在门前纳凉。

tái tóu yǎng wàng　zhǐ jiàn tiān kōng jiù xiàng píng jìng de hǎi miàn　yuè
抬头仰望，只见天空就像平静的海面，月

liang jiù xiàng yù pán　xīng xing jiù xiàng xiāng qiàn zài tiān kōng zhōng de yì
亮就像玉盘，星星就像镶嵌在天空中的一

kē kē měi lì de zhēn zhū　shǎn shuò de xīng guāng jiù xiàng wán pí de hái
颗颗美丽的珍珠，闪烁的星光就像顽皮的孩

zi zhǎ zhe yǎn jing
子眨着眼睛。

wǒ dī tóu kàn jiǎo xià　xiǎo cǎo wēi wēi diǎn zhe tóu　yè zi shàng lù
我低头看脚下，小草微微点着头，叶子上露

zhū gǔn dòng zhe　jīng yíng shǎn liàng　cǎo cóng zhōng　qū qu zài chàng zhe
珠滚动着，晶莹闪亮；草丛中，蛐蛐在唱着

dòng tīng de gē　chí táng lǐ　qīng wā zài hé yè shàng wèi qū qu bàn zòu
动听的歌；池塘里，青蛙在荷叶上为蛐蛐伴奏。

chí táng biān de xiǎo huā yě bèi zhè yè wǎn mí zhù le　bù zhī bù jué tuō zhe
池塘边的小花也被这夜晚迷住了，不知不觉托着

xià ba jìn rù le mèng xiāng
下巴进入了梦乡……

à　duō me měi lì de xià yè
啊！多么美丽的夏夜！

【练习】

pīn yì pīn　xiě yì xiě
1 拼一拼，写一写。

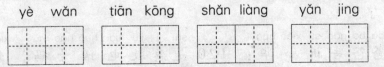

yè wǎn　　tiān kōng　　shǎn liàng　　yǎn jing

tián shàng hé shì de cí yǔ
2 填 上 合适的词语。

（　　　）的海面　　　　　　（　　　　）的夏夜

（　　　）的歌声　　　　　　（　　　　）的孩子

（　　　）的珍珠　　　　　　（　　　　）的露珠

xià yè　tiān kōng xiàng　　　　yuè liang xiàng　　　　xīng
3 夏夜，天 空 像 _____，月 亮 像 _____，星

xīng xiàng　　　shǎn shuò de xīng guāng xiàng
星 像 _____，闪 烁 的 星 光 像 _____

_____。

wén zhōng de dì sān zì rán duàn hái xiě le nǎ xiē jǐng wù　qǐng nǐ
4 文 中 的第三自 然 段 还写了哪些景物？请你

yòng　　　　quān huà chū lái
用"••••"圈 画 出 来。

yòng　　　huà chū nǐ xǐ huan de jù zi　zài bǎ tā bèi xià lái
5 用"___"画 出你喜 欢 的句子，再把它背下来。

配套练习9

电　话

xiǎo huá jiā zuì jìn ān zhuāng le yí bù diàn huà
小 华家最 近安 装 了一部电 话。

yì tiān　yé ye bìng le　bà ba lián máng bō dǎ　　jiù hù chē
一天，爷爷病了，爸爸连 忙 拨打120，救护车

hěn kuài jiù dào le
很 快就到了。

xiǎo huá wèn bà ba　　zhēn qí guài　zěn me yì dǎ diàn huà jiù hù chē
小 华问爸爸："真 奇怪，怎么一打电话救护车

jiù lái le
就来了？"

bà ba gào su xiǎo huá　　shì jí jiù diàn huà hào mǎ　xiàng
爸爸告诉小华："120是急 救 电 话 号 码。像

zhè yàng de fú wù diàn huà hái yǒu hěn duō　rú　　shì fěi jǐng diàn huà
这样的服务电话还有很多，如110是匪警电话，

shì huǒ jǐng diàn huà　　shì chá hào diàn huà　　　shì tiān qì yù
119是火警电话，114是查号电话，121是天气预
bào diàn huà　　　shì dào lù jiāo tōng shì gù bào jǐng diàn huà
报电话，122是道路交通事故报警电话。"
tīng le bà ba de huà　xiǎo huá jué de diàn huà de zuò yòng kě zhēn
听了爸爸的话，小华觉得电话的作用可真
dà
大。

【练习】

dú yì dú　xiě yì xiě
1 读一读，写一写。

diàn huà	zuì jìn	bō dǎ	qí guài
电话	最近	拨打	奇怪

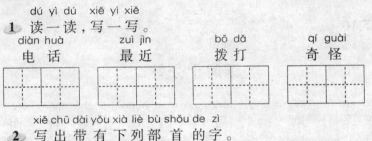

xiě chū dài yǒu xià liè bù shǒu de zì
2 写出带有下列部首的字。

扌 ———— ———— ————

亻 ———— ———— ————

zài wén zhōng zhǎo chū yǔ xià miàn cí yǔ yì si xiāng fǎn de cí xiě
3 在文中找出与下面词语意思相反的词写
xià lái
下来。

慢——（　　　）　　　少——（　　　）

yòng bù shǒu chá zì fǎ chá zì diǎn
4 用部首查字法查字典。

fěi jǐng de fěi　　chá　　　　bù zǒng de bǐ huà shù shì
"匪警"的"匪"：查 ＿＿＿＿部，总的笔画数是 ＿＿＿＿
huà　xiě zì de shí hou bǐ shùn shì xiān　　biān　hòu　　biān
画。写字的时候笔顺是先（　　）边，后（　　）边。

yù dào xià miàn de qíng kuàng　kě yǐ bō dǎ shén me diàn huà　nǐ zhī
5 遇到下面的情况，可以拨打什么电话？你知
dào ma
道吗？

xiǎo huá xiǎng zhī dào shào nián gōng zài nǎ er　kě yǐ bō dǎ
（1）小华想知道少年宫在哪儿，可以拨打＿＿＿＿

chá wèn shào nián gōng de diàn huà hào mǎ
查问少年宫的电话号码。

xiǎo huá de mā ma xiǎng zhī dào míng tiān de tiān qì qíng kuàng   kě
（2）小华的妈妈想知道明天的天气情况，可

yǐ bō dǎ   chá wèn
以拨打_____查问。

xiǎo huá bà ba zài lù shàng kàn jiàn yì qǐ chē huò   kě yǐ bō dǎ
（3）小华爸爸在路上看见一起车祸，可以拨打____

bào jǐng
____报警。

配套练习10

课间十分钟

xià kè líng gāng xiǎng   tóng xué men huān hū zhe chōng xiàng cāo
下课铃刚响，同学们欢呼着冲向操

chǎng   cāo chǎng shàng lì kè fèi téng qǐ lái   tóng xué men yǒu de tī jiàn
场，操场上立刻沸腾起来。同学们有的踢毽

zi yǒu de diū shā bāo   yǒu de tiào shéng   yǒu de zhuō mí cáng   zhēn
子，有的丢沙包，有的跳绳，有的捉迷藏……真

shì fēng fù duō cǎi   kàn nà biān   tiào shéng tiào de zhèng rè nao   dà
是丰富多彩！看那边，跳绳跳得正热闹，大

shéng yáo de huān   tiào zhě tiào de kuài   yí gè gè qīng sōng zì rú   fǎng
绳摇得欢，跳者跳得快，一个个轻松自如，仿

fú yàn zi chuān huā fú liǔ yì bān   kàn zhè biān   jiàn zi tī de jué   tī
佛燕子穿花拂柳一般。看这边，毽子踢得绝，踢

jiàn zhě yí gè gè shēn zi yí chàn yí chàn de   yì zhī zhī jiàn zi xiàng yì
毽者一个个身子一颤一颤的，一只只毽子像一

zhī zhī měi lì de hú dié zài piān piān qǐ wǔ
只只美丽的蝴蝶在翩翩起舞……

【练习】

dú yì dú rèn yí rèn
1 读一读，认一认。

cāo chǎng   fèi téng   fēng fù duō cǎi   qīng sōng zì rú
操场   沸腾   丰富多彩   轻松自如

yáo de huān　　tiào de kuài　　nǐ huì xiě jǐ gè zhè yàng de cí yǔ
2 "摇 得 欢""跳 得 快",你 会 写 几 个 这 样 的 词语
ma
吗?

_____　_____　_____

yí gè gè　　nǐ yě néng xiě chū zhè yàng de cí yǔ lái ma
"一 个 个",你 也 能 写 出 这 样 的 词语 来 吗?

_____　_____　_____

zhào yàng zi xiě zì　zài zǔ cí
3 照 样 子 写字,再 组 词。

例:口 + 向 =(响)(响亮)

大 + 可 =(　　　)(　　　　　)

日 + 生 =(　　　)(　　　　　)

八 + 刀 =(　　　)(　　　　　)

女 + 少 +(　　　)(　　　　　)

qǐng nǐ yòng　　　　　　huà chū wén zhōng miáo xiě tiào shéng de
4 请 你 用 "~~~~~" 画 出 文 中 描 写 跳 绳 的
jù zi
句子。

qǐng nǐ yòng　　　　　　huà chū wén zhōng miáo xiě tī jiàn zi de jù
5 请 你 用 "_____" 画 出 文 中 描 写 踢 毽子 的 句
zi
子。

配套练习11

电脑写作,趣味多多

zì cóng diàn nǎo jìn rù wǒ jiā yǐ hòu　　wǒ jīng cháng yòng tā lái xiě
自 从 电 脑 进 入 我 家 以 后,我 经 常 用 它 来 写
wén zhāng　　diàn nǎo xiě zuò　qù wèi duō duō
文 章。电 脑 写 作,趣 味 多 多。

wǒ bú yòng bǐ　zhǐ yào qīng qīng àn xià jiàn pán　qīng xī de zì jiù
我 不 用 笔,只 要 轻 轻 按 下 键 盘,清 晰 的 字 就

zhǎn xiàn zài wǒ yǎn qián   wǎn rú wǒ zài tán zòu gāng qín   měi miào de yīn
展 现 在 我 眼 前，宛 如 我 在 弹 奏 钢 琴，美 妙 的 音
fú suí zhe qín jiàn zài wǒ de shǒu zhǐ xià liú tǎng
符 随 着 琴 键 在 我 的 手 指 下 流 淌。

wǒ bú yòng dān xīn qiān bǐ cū le   zì xiě de hěn mó hu   bù xū yào
我 不 用 担 心 铅 笔 粗 了，字 写 得 很 模 糊。不 需 要
xiàng pí   wǒ yě bú yòng dān xīn xiě cuò bié zì
橡 皮，我 也 不 用 担 心 写 错 别 字。

cǐ wài   diàn nǎo hái gěi wǒ shè jì le   zuǒ yòu duì qí   jū zhōng
此 外，电 脑 还 给 我 设 计 了"左 右 对 齐""居 中"
gé shi shuā   huì tú   zhè yàng gèng fú hé wǒ de xiě zuò yāo qiú
"格 式 刷""绘 图"……这 样 更 符 合 我 的 写 作 要 求。

zhī gā   zhī gā   zuì jī dòng rén xīn de shí kè dào le   zhǐ jiàn
"吱 嘎，吱 嘎……"最 激 动 人 心 的 时 刻 到 了，只 见
yì zhāng bái zhǐ cóng dǎ yìn jī shēn shàng chuān guò   zhǐ shàng qīng xī de
一 张 白 纸 从 打 印 机 身 上 穿 过，纸 上 清 晰 地
yìn zhe wǒ de zuò pǐn
印 着 我 的 作 品。

měi dāng zhè shí   wǒ zǒng shì yòu gāo xìng yòu jī dòng
每 当 这 时，我 总 是 又 高 兴 又 激 动！

【练习】

dú du duǎn wén   jiāng nǐ zuì xǐ huan de cí yǔ xiě zài héng xiàn
1 读 读 短 文，将 你 最 喜 欢 的 词 语 写 在 横 线
shàng
上。

_____ _____ _____

qǐng nǐ lái kuò cí
2 请 你 来 扩 词。

电（　）（　）（　）

笔（　）（　）（　）

白（　）（　）（　）

wén zhōng huà xiàn de jù zi   bǎ zài diàn nǎo shàng dǎ zì bǐ zuò
3 文 中 画 线 的 句 子，把 在 电 脑 上 打 字 比 做 ＿＿＿
＿＿＿＿。

zhào yàng zi   xiě jù zi
4 照 样 子，写 句 子。

例："吱嘎，吱嘎……"最激动人心的时刻到了。

xiǎo niǎo zài shù zhī shàng huān kuài de jiào zhe
（1）"_____……"小 鸟 在 树 枝 上 欢 快 地 叫 着。

xiǎo gǒu zhōng xīn de shǒu hù zhe yuàn zi
（2）"_____……"小 狗 忠 心 地 守 护 着 院 子。

diàn nǎo xiě zuò yǒu nǎ xiē hǎo chù   nǐ néng shuō yì shuō ma
5 电脑写作有哪些好处，你能说一说吗？

_____

_____

配套练习12

旅 游

shǔ jià lǐ   bà ba dài wǒ chéng fēi jī qù lǚ yóu   wǒ zài fēi jī
暑假里，爸爸带我乘飞机去旅游。我在飞机

shàng   tòu guò jī chuāng   kàn dào le lán tiān   kàn dào le bái yún   fēi jī
上，透过机窗，看到了蓝天，看到了白云，飞机

yuè fēi yuè gāo   fēi de bǐ bái yún hái gāo
越飞越高，飞得比白云还高。

xià le fēi jī   wǒ men chéng shàng lǚ yóu chē   lái dào shān jiǎo   fā
下了飞机，我们乘上旅游车，来到山脚，发

xiàn zǎo lái de rén yǐ jīng kāi shǐ pá shān le   wǒ hé bà ba yě gǎn jǐn qù pá
现早来的人已经开始爬山了。我和爸爸也赶紧去爬

shān   wǒ men pá dào bàn shān shàng   kàn dào le yì qún hóu zi   xiǎo hóu
山。我们爬到半山上，看到了一群猴子。小猴

kàn dào wǒ men   pǎo guò lái   shēn chū shǒu   xiàng wǒ men yào dōng xi chī
看到我们，跑过来，伸出手，向我们要东西吃。

wǒ men zài shān dǐng shàng wǎng xià kàn   kàn dào shān xià xiǎo lù shàng de rén
我们在山顶上往下看，看到山下小路上的人

hěn xiǎo hěn xiǎo   dōu biàn chéng le yí gè ǎi rén guó le   zhēn yǒu qù
很小很小，都变成了一个矮人国了，真有趣！

wǒ xǐ huan lǚ yóu
我喜欢旅游。

标准新阅读 BIAOZHUNXINYUEDU

【练习】

pīn yì pīn xiě yì xiě

1 拼一拼，写一写。

shān dǐng　　fā xiàn　　pá shān　　lán tiān

cí yǔ jiē lóng qǐng nǐ shì yí shì

2 词语接龙，请你试一试。

山顶 ——（顶头）——（头领）——（　　）——（　　）——
（　　）——（　　）

àn yāo qiú xiě cí yǔ

3 按要求写词语。

近义词：赶紧——（　　）　　　反义词：缩——（　　）

zhè piān duǎn wén yǒu　　　　zì rán duàn dì èr zì rán duàn yǒu

4 这篇短文有（　　）自然段，第二自然段有
jù huà
（　　）句话。

wǒ zài fēi jī shàng tòu guò jī chuāng kàn jiàn le　　　hé

5 "我"在飞机上，透过机窗看见了（　　）和
（　　）。

wǒ men zài　　　　kàn dào zǎo lái de rén yǐ jīng kāi shǐ　　le

"我们"在（　　）看到早来的人已经开始（　　）了。

wǒ men zài　　　　kàn dào le

"我们"在（　　）看到了（　　）。

wǒ men zài　　　　wǎng xià kàn kàn dào shān xià de rén hěn xiǎo

"我们"在（　　）往下看，看到山下的人很小
hěn xiǎo dōu biàn chéng le yí gè
很小，都变成了一个（　　）。

配套练习13

画 鸡 蛋

sì bǎi duō nián yǐ qián yǒu gè yì dà lì rén jiào dá　　fēn qí tā

四百多年以前，有个意大利人叫达·芬奇。他

shì gè zhù míng de huà jiā
是 个 著 名 的 画 家。

dá fēn qí kāi shǐ xué huà de shí hou　lǎo shī xiān ràng tā huà jī
达·芬奇开始学画的时候，老师先让他画鸡

dàn　huà le yí gè yòu ràng huà yí gè　tā huà de bú nài fán le　jiù wèn
蛋，画了一个又让画一个。他画得不耐烦了，就问

lǎo shī　　lǎo shī　nín tiān tiān yào wǒ huà jī dàn　zhè bú shì tài jiǎn dān le
老师：“老师，您天天要我画鸡蛋，这不是太简单了

ma　　lǎo shī yán sù de shuō　　nǐ yǐ wéi huà jī dàn hěn róng yì　zhè jiù
吗？”老师严肃地说：“你以为画鸡蛋很容易，这就

cuò le　　zài yì qiān gè jī dàn dāng zhōng　méi yǒu xíng zhuàng wán quán
错了。在一千个鸡蛋当中，没有形状完全

xiāng tóng de　měi gè jī dàn cóng bù tóng de jiǎo dù qù kàn　xíng zhuàng
相同的。每个鸡蛋从不同的角度去看，形状

dōu bù yí yàng　　wǒ ràng nǐ huà jī dàn　jiù shì yào xùn liàn nǐ de yǎn lì
都不一样。我让你画鸡蛋，就是要训练你的眼力

hé huì huà jì qiǎo　shǐ nǐ néng kàn de zhǔn què　huà de shú liàn
和绘画技巧，使你能看得准确，画得熟练。”

dá fēn qí tīng cóng lǎo shī de huà　yòng xīn huà jī dàn huà le yì zhāng
达·芬奇听从老师的话，用心画鸡蛋，画了一张

yòu yì zhāng　měi yì zhāng dōu huà le xǔ duō xíng zhuàng bù tóng de jī dàn
又一张，每一张都画了许多形状不同的鸡蛋。

hòu lái dá fēn qí wú lùn huà shén me　dōu néng huà de yòu kuài
后来，达·芬奇无论画什么，都能画得又快

yòu xiàng
又像。

【练习】

dú yì dú rèn yí rèn jì yí jì
1 读一读，认一认，记一记。

zhù míng　yán sù　jiǎn dān　xùn liàn　bú nài fán　zhǔn què　shú liàn
著名　严肃　简单　训练　不耐烦　准确　熟练

xiě fǎn yì cí
2 写反义词。

前（　　） 快（　　） 错（　　） 相同（　　）

jiā piān páng chéng xīn zì   zài zǔ cí
3 加偏旁 成 新字,再组词。

例:禾——(利)(意大利)

间——(　　)(　　)　　　　开——(　　　)(　　　)

舌——(　　)(　　)　　　　目——(　　　)(　　　)

dú du lǎo shī shuō de huà   tián kòng
4 读读老师 说 的话,填 空。

jī dàn shì méi yǒu   wán quán xiāng tóng de   jiù shì yí gè
(1)鸡蛋是没有 _____ 完全 相 同 的。就是一个

jī dàn cóng   qù kàn   xíng zhuàng yě bù yí yàng
鸡蛋,从 _____ 去看, 形 状 也不一样。

lǎo shī yào dá fēn qí huà jī dàn shì xùn liàn tā de   hé
(2)老师要达·芬奇画鸡蛋是训练他的 _____ 和

zhè yàng cái néng
_____,这 样 才 能 _____,_____。

dá   fēn qí yǒu shén me yōu diǎn zhí dé nǐ xué xí
5 达·芬奇有什么优点值得你学习?

_____

_____

配套练习14

伯俞怜母

gǔ dài yǒu gè rén jiào hán bó yú   tā fàn cuò shí   mā ma zǒng shì yán
古代有个人叫韩伯俞。他犯错时,妈妈总是严
lì de jiào dǎo tā   yǒu shí hái huì dǎ tā
厉地教导他,有时还会打他。

tā zhǎng dà chéng rén hòu   yǒu shí fàn le cuò wù   mā ma de jiào xun
他长大成人后,有时犯了错误,妈妈的教训
yī rán rú gù   yǒu yí cì mā ma dǎ tā   tā tū rán fàng shēng dà kū
依然如故。有一次妈妈打他,他突然放声大哭。
mā ma hěn jīng yà jǐ shí nián lái dǎ tā cóng wèi kū guò
妈妈很惊讶,几十年来打他从未哭过。
yú shì jiù wèn tā   wèi shén me yào kū   bó yú huí dá shuō
于是就问他:“为什么要哭?”伯俞回答说:

cóng xiǎo dào dà　　mā ma dǎ wǒ　　wǒ dōu jué de hěn tòng　　wǒ zhī dào mā
"从 小 到 大，妈 妈 打 我，我 都 觉 得 很 痛。我 知 道 妈

ma shì wèi le jiào yù wǒ cái zhè me zuò　　dàn shì jīn tiān mā ma dǎ wǒ　　wǒ
妈 是 为 了 教 育 我 才 这 么 做。但 是 今 天 妈 妈 打 我，我

yǐ jīng gǎn jué bú dào tòng le　　zhè shuō míng mā ma de nián jì yuè lái yuè
已 经 感 觉 不 到 痛 了。这 说 明 妈 妈 的 年 纪 越 来 越

lǎo le　　shēn tǐ yě yù lái yù xū ruò le　　wǒ yǐ hòu xiào shùn mā ma de shí
老 了，身 体 也 愈 来 愈 虚 弱 了，我 以 后 孝 顺 妈 妈 的 时

jiān yuè lái yuè shǎo le　　xiǎng dào zhè er wǒ bù jīn hěn shāng xīn
间 越 来 越 少 了。想 到 这 儿 我 不 禁 很 伤 心。"

fù mǔ wèi le fǔ yù hái zi　　wèi le hái zi zhuó zhuàng de chéng
父 母 为 了 抚 育 孩 子，为 了 孩 子 茁 壮 地 成

zhǎng　　fù chū le jí dà de xīn xuè　　wǒ men yào xiào shùn fù mǔ ya
长，付 出 了 极 大 的 心 血。我 们 要 孝 顺 父 母 呀！

【练习】

pīn yì pīn　　xiě yì xiě
1 拼 一 拼，写 一 写。

fàng shēng dà　kū　　　　shāng xīn　　　　chéng zhǎng

xiě chū dài yǒu xià liè bù shǒu de zì
2 写 出 带 有 下 列 部 首 的 字。

口（　　　）（　　　）（　　　）　亻（　　　）（　　　）（　　　）

扌（　　　）（　　　）（　　　）

hán bó yú bèi mā ma zé dǎ shì yīn wèi tā
3 韩 伯 俞 被 妈 妈 责 打 是 因 为 他 ＿＿＿＿＿＿。

hán bó yú yīn wèi xiǎng dào mā ma de nián jì　　　　　　　shēn tǐ
4 韩 伯 俞 因 为 想 到 妈 妈 的 年 纪 ＿＿＿＿＿，身 体

nà me tā xiào shùn mā ma de shí jiān jiù　　　　　　suǒ yǐ
＿＿＿＿＿，那 么 他 孝 顺 妈 妈 的 时 间 就 ＿＿＿＿＿，所 以

tā shāng xīn de kū le
他 伤 心 地 哭 了。

dú du duǎn wén　　zài zhèng què de shuō fǎ hòu miàn dǎ
5 读 读 短 文，在 正 确 的 说 法 后 面 打"√"。

hán bó yú shì gè xiào shùn de rén
（1）韩伯俞是个孝顺的人。　　　　　（　　）

hán bó yú shì yīn wèi bèi dǎ de hěn téng cái kū de
（2）韩伯俞是因为被打得很疼才哭的。（　　）

fù mǔ wèi le hái zi fù chū le xīn xuè　wǒ men yào xiào shùn fù mǔ
（3）父母为了孩子付出了心血，我们要孝顺父母。
　　　　　　　　　　　　　　　　（　　）

配套练习15

yì tiān wǎn shàng shí diǎn duō zhōng　yí liàng gōng gòng qì chē kāi dào
　一天晚上十点多钟，一辆公共汽车开到

tiān qiáo zhàn　xǔ duō chéng kè shàng chē　zhōng jiān yǒu yí wèi chéng kè
天桥站，许多乘客上车。中间有一位乘客

tāo chū qián　mǎi chē piào　shòu piào yuán gāng bǎ piào dì guò qù　tū rán
掏出钱，买车票。售票员刚把票递过去，突然

rèn chū lái　ā　zhōu zǒng lǐ
认出来："啊，周总理！"

zhōu zǒng lǐ hé wǒ men yì qǐ chéng chē le　chē xiāng lǐ dùn shí
　周总理和我们一起乘车了！车厢里顿时

huān téng qǐ lái　dà jiā yì biān shēn chū shǒu　xī wàng hé zǒng lǐ wò
欢腾起来。大家一边伸出手，希望和总理握

shǒu　yì biān shuō　zǒng lǐ hǎo　zǒng lǐ nín hǎo　zhōu zǒng lǐ gāo
手，一边说："总理好！总理您好！"周总理高

xìng de tóng dà jiā wò shǒu　xiàng měi gè chéng kè diǎn tóu wēi xiào　zhōu
兴地同大家握手，向每个乘客点头微笑。周

zǒng lǐ wàng zhe shòu piào yuán　qīn qiè de wèn　xiǎo huǒ zi　gōng zuò
总理望着售票员，亲切地问："小伙子，工作

xí guàn ma　shòu piào lèi bú lèi
习惯吗？售票累不累？"

gōng gòng qì chē kāi dào běi hǎi zhàn　shòu piào yuán gāng yào shàng
　公共汽车开到北海站，售票员刚要上

qián chān fú zhōu zǒng lǐ　zhōu zǒng lǐ yǐ jīng xià chē　tā xiào zhe duì shòu
前搀扶周总理，周总理已经下车，他笑着对售

piào yuán shuō　nǐ men xīn kǔ le　shòu piào yuán wàng zhe zǒng lǐ cí
票员说："你们辛苦了！"售票员望着总理慈

xiáng de miàn róng   jī dòng de shuō bù chū huà lái
祥 的 面 容 , 激 动 得 说 不 出 话 来 。

【练习】

pīn yì pīn xiě yì xiě
1 拼 一 拼 , 写 一 写 。

gōng gòng qì chē   gāo xìng   qīn qiè

xuǎn zé zhèng què de dú yīn
2 选 择 正 确 的 读 音 。

A. 周总理和我们一起乘(chéng chèng)车了!

B. 车厢里顿(dèn dùn)时欢腾起来。

xiě chū wén zhōng dài   cí de jìn yì cí
3 写 出 文 中 带 "_____" 词 的 近 义 词 。

顿时( )   激动( )   高兴( )

zhōu zǒng lǐ zhēn shì yí gè   de rén
4 周 总 理 真 是 一 个 _____ 的 人 。

yòng   huà chū zhōu zǒng lǐ guān xīn rén mín qún zhòng
5 (1)用 "____" 画 出 周 总 理 关 心 人 民 群 众

de jù zi
的 句 子 。

yòng   huà chū biǎo shì rén men jī dòng de jù zi
(2)用 "～～～" 画 出 表 示 人 们 激 动 的 句 子 。

qǐng wèi duǎn wén xuǎn zé hé shì de tí mù dǎ
6 请 为 短 文 选 择 合 适 的 题 目 , 打 "√" 。

chéng chē
乘 车 ( )

zǒng lǐ mǎi piào
总 理 买 票 ( )

shòu piào yuán gǎn dòng
售 票 员 感 动 ( )

配套练习16

牛顿卖菜

yīng guó zhù míng wù lǐ xué jiā niú dùn shí yī suì jiù sǐ le fù qīn
英 国 著 名 物 理 学 家 牛 顿 , 十 一 岁 就 死 了 父 亲 ,

由母亲带着他和四个弟弟回到农村。因为家里很穷，牛顿不上学了，和母亲一起下地种菜。牛顿经常挑着满满的一担菜到市场上去卖。

一天，集市上十分热闹。可是，在远离集市的街尾一家药店门口的篱笆外，放着一副菜担子。菜担子里装满新鲜蔬菜，却不见卖菜人。顾客们自己挑选，到了付钱的时候，有人大喊一声："这是谁卖的菜？"这时从篱笆边走过来一位少年，手里拿着一本厚厚的书。他接过钱数也不数，就又走开看他的书去了。这担菜就连三分之一的钱也没收到。

有一次卖菜时，挑到半路上，突然刮起大风，牛顿特别高兴，张开双臂，一会儿顺着风走，一会儿逆着风跑，嘴里还不停地数，仔细测量走过的距离。原来他在计算风速，等他想起菜担时，已经只剩下一根扁担了。

有人说科学家都是怪人，其实不怪。他们读书、想科学、学科学往往入了迷，其他事情都不

fàng zài xīn lǐ
放在心里。

【练习】

pīn yì pīn xiě yì xiě
1 拼一拼，写一写。

nóng cūn   zì jǐ   dú shū   kē xué

qù piān páng chéng xīn zì zài zǔ cí
2 去偏旁 成 新字，再组词。

例：卖——（买）（买菜）

种——（   ）（   ）   迷——（   ）（   ）

xiě chū jiā diǎn cí yǔ de jìn yì cí
3 写出加点词语的近义词。

niú dùn jīng cháng   tiāo zhe mǎn mǎn de yī dàn cài dào shì
A．牛顿 经 常（   ）挑着 满 满 的 一 担 菜到市

chǎng shàng qù mài
场 上 去卖。

niú dùn tè bié   gāo xìng zhāng kāi shuāng bì
B．牛顿 特别（   ）高兴，张 开 双 臂。

niú dùn shì   zhù míng de
4 牛顿是_____著名的_____。

niú dùn shì gè   de rén
5 牛顿是个_____的人。

duǎn wén xiě le niú dùn   hé   liǎng jiàn shì
6 短文写了牛顿（   ）和（   ）两件事。

hé mā ma xià dì zhòng cài   mài cài shí zhuān xīn dú shū
A．和妈妈下地种菜   B．卖菜时专心读书

mài cài zhuàn le hěn duō qián   mài cài huí jiā lù shàng jì suàn fēng sù
C．卖菜赚了很多钱   D．卖菜回家路上计算风速

niú dùn shì gè guài rén ma   wèi shén me
7 牛顿是个怪人吗？为什么？

第四单元 新阅读

导读

1.**笑话** "笑话"顾名思义就是能够引起人们开怀大笑的语言,在形式上,它有图片形式、文字形式、音像形式,等等;在内容上,因为侧重点的不同,而分成了不同的类型。在阅读笑话时,有的可以一笑而过,但是有些却能引起我们深深的思考,可以说回味无穷。我们要学会在笑的同时思考问题。

2.**漫画** 漫画是一种较为特殊的艺术形式,它往往以夸张的形式、细微的生活视角展现我们身边发生的或即将发生的事情,或警示我们一种危机,或展现生活的某种现象等,极具讽刺效果。看漫画,不仅要看,还要紧扣夸张的细节体会漫画的用意所在。

3.**封面** 一部优秀的童话书总是充满了游戏精神,这种游戏精神的核心是极富想象力的人物或故事。世界优秀的经典童话都是从两个方面展示出它们的魅力的,一种是可爱的人物形象,另一种是强烈的故事性。对封面的阅读是很重要的。一本书的封面可以告诉我们很多内容:书名、作者、编者、书中主要人物或者重要故事情节、出版社以及书的特色。它就像书的一扇窗,透过它,我们可以大略知道这是不是你要选择的一本书。

范例阅读1 FANLIYUEDU

·笑话·

　　xiǎo péng yǒu　xià miàn shì shēng huó zhōng de yì zé xiào huà　zǐ
小 朋 友,下 面 是 生 活 中 的 一 则 笑 话,仔
xì dú yì dú　zài dá tí
细 读 一 读,再 答 题。

　　mā ma jīn tiān guò shēng rì　　liǎng gè hái zi yào tā wò chuáng xiū
妈 妈 今 天 过 生 日, 两 个 孩 子 要 她 卧 床 休
xi　　tā wén dào cóng chú fáng piāo chū zhèn zhèn yòu rén de ròu xiāng
息。 她 闻 到 从 厨 房 飘 出 阵 阵 诱 人 的 肉 香,
gāo xìng de děng zhe hái zi men gěi tā duān lái zǎo cān　　kě shì　guò
高 兴 地 等 着 孩 子 们 给 她 端 来 早 餐。 可 是,过
le yí huì er　hái zi men jiào tā qǐ chuáng　tā chū lái yì qiáo　zhǐ jiàn
了 一 会 儿,孩 子 们 叫 她 起 床,她 出 来 一 瞧,只 见

liǎng gè hái zi zuò zài cān zhuō páng　měi rén miàn qián fàng zhe yí dà pán
两 个 孩 子 坐 在 餐 桌 旁 ，每 人 面 前 放 着 一 大 盘
huǒ tuǐ dàn　　yí gè hái zi duì tā shuō　　zhè jiù shì wǒ men sòng gěi
火 腿 蛋 。一 个 孩 子 对 她 说 ："这 就 是 我 们 送 给
nín de lǐ wù　　　wǒ men gěi zì jǐ zuò fàn le
您 的 礼 物 ——我 们 给 自 己 做 饭 了 。"

【练习】

mā ma wén dào　　　　　　　　　　　　yǐ wéi hái zi men yào
1 妈 妈 闻 到 ＿＿＿＿＿＿＿＿，以 为 孩 子 们 要
wèi tā zhǔn bèi　　　　　　　　　qí shí hái zi men
为 她 准 备 ＿＿＿＿＿＿＿。其 实 孩 子 们 ＿＿＿＿＿

mā ma tīng le hái zi de huà
＿＿＿＿＿＿＿＿。妈 妈 听 了 孩 子 的 话，
xīn lǐ
心 里 ＿＿＿＿＿＿＿＿。

mā ma shēng rì nà tiān　　nǐ wèi mā ma zhǔn bèi le shén me
2 妈 妈 生 日 那 天，你 为 妈 妈 准 备 了 什 么？

＿＿＿＿＿＿＿＿＿＿＿＿＿＿＿＿＿＿＿＿＿＿＿＿

＿＿＿＿＿＿＿＿＿＿＿＿＿＿＿＿＿＿＿＿＿＿＿＿

【答案】 1.妈妈闻到从厨房飘出阵阵诱人的肉香,以为孩子们要为
她准备早餐。其实孩子们为自己做了饭作为礼物送给了妈妈。妈妈听了
孩子的话,心里很酸。

zhè zé xiào hua bú dàn yǐn rén fā xiào　　mā ma yǐ wéi hái zi
【题析】 这 则 笑 话 不 但 引 人 发 笑：妈 妈 以 为 孩 子
men yào wèi tā zhǔn bèi zǎo cān zuò wéi shēng rì lǐ wù sòng gěi tā　jié guǒ
们 要 为 她 准 备 早 餐 作 为 生 日 礼 物 送 给 她，结 果
què chū hū wǒ men de yì liào　hái zi men bǎ wèi zì jǐ zuò fàn zuò wéi lǐ wù
却 出 乎 我 们 的 意 料，孩 子 们 把 为 自 己 做 饭 作 为 礼 物
sòng gěi le mā ma　hái fěng cì le dāng jīn shè huì zhōng hái zi men xīn zhōng
送 给 了 妈 妈，还 讽 刺 了 当 今 社 会 中 孩 子 们 心 中
wú tā rén　xí guàn yí wèi de jiē shòu guān ài　què bù dǒng de duì bié rén fù
无 他 人，习 惯 一 味 地 接 受 关 爱，却 不 懂 得 对 别 人 付
chū guān ài
出 关 爱。

范例阅读2 FANLIYUEDU

· 漫画 ·

"饭团"的一天

【练习】

zhè shì yì zǔ yǒu qù de màn huà　xiǎo péng yǒu　kàn qīng tú yì　wèi
1 这 是 一 组 有 趣 的 漫 画，小 朋 友，看 清 图意，为

zhè xiē tú pèi yīn ba　　　gēn jù tú yì pái liè xià liè jù zi
这 些 图 配 音 吧！（根 据 图意 排 列 下 列 句 子）

　　　　　　　kě yǐ suí biàn de chī māo liáng　bú yòng dān xīn nòng dào dì
（　　）可 以 随 便 地 吃 猫 粮，不 用 担 心 弄 到 地

shàng　　fàn tuán　àn zì qiè xiào　　　fǎn zhèng mā ma bú huì lái
上 ！"饭 团"暗 自 窃 笑："^_^，反 正 妈 妈 不 会 来。"

　　　　fàn tuán　mā ma zǒu lou　　zì jǐ zài jiā yào guāi yōu
（　　）饭 团，妈 妈 走 喽！自 己 在 家 要 乖 呦！

　　　zhè cì shī suàn le　yòu yào bèi dǎ le
（　　）这 次 失 算 了，又 要 被 打 了！

　　　dǎo luàn jì huà kāi shǐ lou
（　　）捣 乱 计 划 开 始 喽！！！

　　　miāo　hěn guāi de yàng zi　　　fàn tuán　de yì tiān kāi
（　　）喵！很 乖 的 样 子！（"饭 团"的 一 天 开

shǐ le
始 了！）

kě yǐ fàng xīn de xià hu dàn huáng
（　　）可以放心地吓唬蛋黄！

yì miǎo　　liǎng miǎo　　　　fàn tuán　xiàn zài hěn
（　　）一秒……两秒……"饭团"现在很

zhèn jìng
镇静！

hái kě yǐ jìn qíng de wán shǒu zhǐ　bú huì bèi mā ma mà yōu
（　　）还可以尽情地玩手纸，不会被妈妈骂呦！

sān miǎo　　　　fàn tuán　hěn zhèn dìng
（　　）三秒……"饭团"很镇定。

fàn tuán　zhōng yú kāi shǐ yuán xíng bì lù
（　　）"饭团"终于开始原形毕露。

zhè zǔ màn huà jiǎng de shì　　　　　de gù shi　tā fēi cháng
2 这组漫画讲的是 ＿＿＿＿ 的故事，它非常 ＿＿

méi rén zài jiā shí　huì　　　　　　　　　　hái huì
＿＿，没人在家时，会 ＿＿＿＿、＿＿＿＿、＿＿＿＿，还会

hē hē　mā ma yào pī píng tā lou
＿＿＿＿、＿＿＿＿……呵呵，妈妈要批评它喽！

kàn le zhè zǔ màn huà　nǐ xiǎng duì　fàn tuán　shuō shén me
3 看了这组漫画，你想对"饭团"说什么？

＿＿＿＿＿＿＿＿＿＿＿＿＿＿＿＿＿＿＿＿＿＿＿＿

tīng le nǐ de huà　　fàn tuán　gǎi biàn le　qiáo　xīn de yì tiān kāi
4 听了你的话，"饭团"改变了，瞧！新的一天开

shǐ le　tā huì zuò xiē shén me ne
始了！它会做些什么呢？

＿＿＿＿＿＿＿＿＿＿＿＿＿＿＿＿＿＿＿＿＿＿＿＿

【答案】1.(7)、(1)、(10)、(6)、(2)、(8)、(3)、(9)、(4)、(5)　2.
饭团　调皮　随便吃猫粮、吓唬蛋黄、玩手纸　抓破橱门、睡在妈妈的床
上 3."饭团"呀，在家可不能这么调皮，瞧！把地上弄脏了，吓得蛋黄直
发抖，手纸散了一地，难怪妈妈会生气呦！ 4.新的一天又开始了，妈妈
出门了。"饭团"静静地躺在自己的小窝，饿了就打开妈妈为它准备的猫

粮,津津有味地吃几口。吃饱了,还不忘……

【题析】 阅读漫画,首先要看清图意,假如是以组为单位的漫画要理清前后顺序。要看清图意,最重要的是从主人公的神态、动作、语言以及周边环境的变化等角度来揣测所发生的一切。主人公的喜怒哀乐都可以从中得到体现。在《饭团的一天》里,题1是为了引导学生通过仔细观察,体会主人公"饭团"的心理过程,从而更好地体验心情。主人不在家的放松、捣蛋时的惬意、享受时的快乐,以及主人回来时,不得不面对即将得到的惩罚时的难过,这些心理状态以及随之而生的心理语言都要合乎情理,上述这些是完成此题的关键。题2是引导学生在看漫画时能够有意识地抓住内容提要,训练学生的概括能力,并且还考查学生是否有一定的生活积累,引导学生在生活中做一个有心人。题3小动物是学生所喜爱的,人人都愿意和它们做好朋友,既然是朋友,肯定有说不完的话。在回答本题时一定要扣紧图意,把家里弄得一塌糊涂,这批评肯定是少不了的,学生在

píng shí yě huì bù xiǎo xīn tiáo pí hòu rě xià yì xiē má fan zài hé fàn tuán
平时也会不小心调皮后惹下一些麻烦，在和"饭团"

shuō zhī xīn huà de shí hou yě xué huì le zì wǒ shū dǎo tí shì fàn tuán
说知心话的时候，也学会了自我疏导。题4是"饭团"

jìn bù de yì tiān huí dá cǐ tí shí yīng kòu zhǔn jìn bù liǎng gè zì zhè yě
进步的一天，回答此题时应扣准"进步"两个字。这也

kǎo yàn le xué sheng shì fǒu yǐ dú dǒng tí yì
考验了学生是否已读懂题意。

范例阅读3 FANLIYUEDU

· 封面 ·

安徒生童话绘本典藏
The Princess on The Pea
豌豆上的公主

作者：[丹麦] 安徒生
译：季颖
图：（日本）西卷茅子

上海辞书出版社

【练习】

zhè běn shū de shū míng shì   yóu
1 这本书的书名是《＿＿＿＿＿＿》，由 ＿＿＿＿

chū bǎn   zuò zhě shì   guó jiā   de
＿＿＿＿ 出版。作者是 ＿＿＿＿（国家）的 ＿＿＿＿。

zhè běn shū fù zé fān yì de shì   huì huà de shì
2 这本书负责翻译的是 ＿＿＿＿＿，绘画的是 ＿＿＿

guó jiā   de   zhè gè gù shi shì
＿＿＿（国家）的 ＿＿＿＿。这个故事是《＿＿＿＿

zhōng de yì zé xiǎo gù shi
___ 》中 的 一 则 小 故 事 。

【答案】 1.豌豆上的公主 上海辞书出版社 丹麦 安徒生

2.季颖 日本 西卷茅子 《安徒生童话》

zhè shì yì běn tóng huà shū de fēng miàn wǒ men zài yuè dú
【题析】 这是一本童话书的封面，我们在阅读
tā shí yào kàn qīng shū míng zuò zhě biān zhě shū zhōng zhǔ yào rén wù huò
它时，要看清书名、作者、编者、书中主要人物或
zhě zhòng yào gù shi qíng jié chū bǎn shè yǐ jí shū de tè sè zhè xiē nèi róng
者重要故事情节、出版社以及书的特色。这些内容
yì bān dōu kě yǐ cóng fēng miàn shàng kàn dào zài jiè shào shí yào zhù yì àn
一般都可以从封面上看到。在介绍时要注意按
zhào yí dìng de shùn xù jìn xíng jiě shuō
照一定的顺序进行解说。

阅读训练 YUEDUXUNLIAN

配套练习1

·笑话·

xiǎo míng de mā ma jiào tā zài jiā kān mén tā yào chū qù dàn
小 明 的 妈 妈 叫 他 在 家 看 门，她 要 出 去。但
shì zuì hòu tā men jiā hái shì bèi xiǎo tōu liū jìn qù le xiǎo míng de mā
是，最 后 他 们 家 还 是 被 小 偷 溜 进 去 了。小 明 的 妈
ma wèn tā zhè shì zěn me huí shì xiǎo míng shuō nǐ jiào wǒ kān mén
妈 问 他 这 是 怎 么 回 事。小 明 说："你 叫 我 看 门，
wǒ jiù ná zhe mén qù tī qiú le
我 就 拿 着 门 去 踢 球 了。"

【练习】

xiǎo míng de mā ma ràng xiǎo míng jié guǒ tā
1 小 明 的 妈 妈 让 小 明 _____，结果他

zhēn kě xiào
_____，^_^，真 可 笑！

nǐ jué de zhè zé xiào hua fěng cì le shén me
2 你 觉 得 这 则 笑 话 讽 刺 了 什 么？

_____

配套练习2

·笑话·

yǒu gè nán rén shàng jiē mǎi le yí dàn mǐ, yì tóu zhòng yì tóu
有 个 男 人 上 街 买 了 一 担 米,一 头 重,一 头
qīng bù hǎo tiāo tā zhuā zhua tóu pí xiǎng chū le yí gè bàn fǎ zài
轻,不 好 挑。他 抓 抓 头 皮 想 出 了 一 个 办 法,在
qīng de yì biān fàng shàng yí kuài dà shí tou tā hàn liú jiā bèi de bǎ mǐ
轻 的 一 边 放 上 一 块 大 石 头。他 汗 流 浃 背 地 把 米
tiāo dào jiā fàng xià dàn zi cháng cháng xū le yì kǒu qì dào jīn tiān
挑 到 家,放 下 担 子,长 长 嘘 了 一 口 气 道:"今 天
xìng kuī yǒu zhè kuài shí tou bù rán jiǎn zhí méi bàn fǎ tiāo huí lái
幸 亏 有 这 块 石 头,不 然 简 直 没 办 法 挑 回 来!"

【练习】

xiě chū fǎn yì cí
1 写 出 反 义 词。

zhòng mǎi
重( ) 买( )

zhè gè nán rén yù dào shén me wèn tí le tā shì zěn me jiě jué
2 这 个 男 人 遇 到 什 么 问 题 了?他 是 怎 么 解 决
de kě xiào zài shén me dì fang
的?可 笑 在 什 么 地 方?

cōng míng de xiǎo péng yǒu nǐ lái wèi zhè gè rén chū gè hǎo zhǔ yì ba
3 聪 明 的 小 朋 友,你 来 为 这 个 人 出 个 好 主 意 吧!

配套练习3

·笑话·

xiā zi hé qué zi liǎng rén gòng qí yí liàng mó tuō chē xiā zi qí
瞎 子 和 瘸 子 两 人 共 骑 一 辆 摩 托 车,瞎 子 骑

chē qué zi kàn lù yí lù wú shì zhuǎn guò yí dào wān qué zi hū
车，瘸子看路，一路无事。 转 过 一 道 弯，瘸子 忽
rán fā xiàn lù shàng yǒu yí dào gōu lián máng dà shēng hǎn dào gōu
然发现路上有一道沟，连忙大声喊道："沟！
gōu gōu xiā zi yì tīng lái le jìn jiē zhe chàng dào ōu lei ōu
沟！沟！"瞎子一听来了劲，接着唱道："噢嘞，噢
lei ōu lei jié guǒ xiā zi hé qué zi liǎng rén lián rén dài chē yì qǐ
嘞，噢嘞……"结果瞎子和瘸子两人连人带车一起
diē jìn gōu nèi
跌进沟内。

【练习】

zhè zé xiào hua yǒu méi yǒu ràng nǐ pěng fù dà xiào ne shén me dì
1 这则笑话有没有让你捧腹大笑呢？什么地
fang ràng nǐ jué de hǎo xiào
方让你觉得好笑？

_____

_____

shēng huó zhōng nǐ yě yǒu lèi sì de jiàn wén ma gào su dà jiā ba
2 生活中，你也有类似的见闻吗？告诉大家吧！

_____

_____

配套练习4

·笑话·

gù kè zhè zhǒng mián yī què shí hěn nuǎn huo qǐng wèn zhè mián
顾客："这种棉衣确实很暖和，请问这棉
yī fáng yǔ ma
衣防雨吗？"

shāng rén dāng rán néng fáng yǔ nǐ jiàn guò dì lǐ yǒu mián hua
商人："当然能防雨，你见过地里有棉花
dǎ sǎn de ma
打伞的吗？"

【练习】

xiǎo péng yǒu　shāng rén de huí dá yōu mò ma　shì shí shàng mián
1 小 朋 友，商 人 的 回 答 幽 默 吗？事 实 上 棉

yī néng fáng yǔ ma
衣 能 防 雨 吗？

_____

nǐ yě lái xué zhe wèi dà jiā jiǎng gè xiào hua ba
2 你 也 来 学 着 为 大 家 讲 个 笑 话 吧！

gù kè　　　　　què shí hěn　　　　qǐng wèn zhè
顾 客："_____ 确 实 很 _____，请 问 这 _____

ma
_ 吗？"

shāng rén　dāng rán néng　　　　nǐ jiàn guò　　　ma
商 人："当 然 能 _____，你 见 过 _____ 吗？"

配套练习5

·漫画·

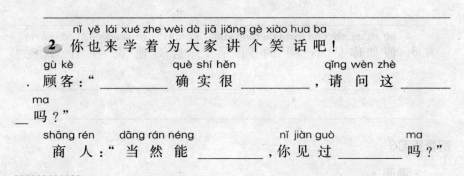

【练习】

gù shi fā shēng zài　　　　　　shí jiān　bà ba tiē de shì
1 故 事 发 生 在 _____（时 间），爸 爸 贴 的 是 ____

wèi hé dào tiē
_。为 何 倒 贴？

_____。

xiǎo míng tiē de shì　　　　jié guǒ yě shì　　　zhè yàng
2 小 明 贴 的 是 _____，结 果 也 是 _____，这 样

bián chéng le　　　　zhè zhēn shì zì qī qī rén　yào xiǎng kǎo
"66"变成了＿＿＿＿＿，这真是自欺欺人。要想考
chū hǎo chéng jì　wǒ men yīng gāi zěn me zuò ne
出好成绩，我们应该怎么做呢？

_____

_____

jiǎ rú nǐ shì xiǎo míng de tóng xué　nǐ huì duì tā shuō xiē shén me ne
3 假如你是小明的同学，你会对他说些什么呢？

_____

_____

配套练习6

·漫画·

【练习】

xiǎo péng yǒu nǐ rèn shi mǎ liáng ma　　tā yǒu shén me běn lǐng
1 小朋友你认识马良吗？他有什么本领？

_____

mǎ liáng chóu méi kǔ liǎn　tā yù dào le shén me nán tí
2 马良愁眉苦脸，他遇到了什么难题？

_____

nǐ zhī dào zhí shù zào lín yǒu nǎ xiē zuò yòng
3 你 知 道 植 树 造 林 有 哪 些 作 用？

_____

_____

kàn le zhè fú tú yǐ hòu   duì nà xiē luàn kǎn làn fá sēn lín de rén
4 看 了 这 幅 图 以 后，对 那 些 乱 砍 滥 伐 森 林 的 人

men   nǐ xiǎng shuō xiē shén me
们，你 想 说 些 什 么？

_____

_____

配套练习7

· 漫画 ·

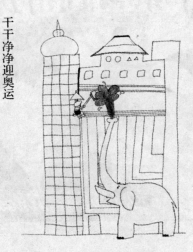

干干净净迎奥运

【练习】

nián ào yùn huì zài   jǔ bàn
1 2008 年 奥 运 会 在 _____ 举 办。

tú shàng de xiǎo péng yǒu hé dà xiàng zài
2 图 上 的 小 朋 友 和 大 象 在 _____。

nián ào yùn huì de kǒu hào shì
3 2008 年 奥 运 会 的 口 号 是：_____

jí xiáng wù de míng zi fēn bié shì
_____；吉 祥 物 的 名 字 分 别 是 _____ 、_____ 、_____

hé
_ 、_____ 和 _____

nǐ zhǔn bèi wèi ào yùn zuò xiē shén me
4 你 准 备 为 奥 运 做 些 什 么？

_____

_____

配套练习8

·**封面**·

【练习】

zhè běn shū de shū míng shì   yóu
① 这 本 书 的 书 名 是《 _____ 》，由 _____
chū bǎn   zuò zhě shì   zhǔ biān
____ 出 版。作 者 是 _____。主 编：_____、
zhè běn shū shì
_____。这 本 书 是 _____。

wǒ zhī dào fēng miàn shàng de gù shi shì

2 我 知 道 封 面 上 的故事是《＿＿＿＿＿＿》。

配套练习9

·封面·

【练习】

zhè běn shū de shū míng shì   biān
1 这 本 书 的 书 名 是《＿＿＿＿＿＿》，编

zhě   shì yóu   chū bǎn de
者 ＿＿＿，是 由 ＿＿＿＿＿＿＿ 出 版 的。

zhè shì yì běn jí   yú yì tǐ de
2 这 是 一 本 集 ＿＿＿、＿＿＿、＿＿＿ 于 一 体 的

yōu xiù dú běn   shì   zhī yī
优 秀 读 本 。是 ＿＿＿＿＿＿ 之 一 。

配套练习10

· 封面 ·

浙江少年儿童出版社

【练习】

这是一本新书的封面，封面上的人物你一定认识吧！里面肯定有有趣的故事等着我们呢！通过观察封面，简要地介绍一下这本书吧！

这是一本有趣的童话书，书名叫做《＿＿＿＿＿

shì yóu
____ 》，是 由 ____

chū bǎn de   fēng miàn shàng de
出 版 的。 封 面 上 的

tuō zhe   nà lǐ yí dìng yǒu   kuài lái
_____ 托 着 _____，那 里 一 定 有 _____，快 来

ràng wǒ men dǎ kāi   yì dǔ wéi kuài ba
让 我 们 打 开《_____》一 睹 为 快 吧！

配套练习11

·封面·

【练习】

nǐ néng xué zhe qián jǐ lì de yàng zi   wèi dà jiā jiè shào yí xià zhè běn
你 能 学 着 前 几 例 的 样 子，为 大 家 介 绍 一 下 这 本

shū de fēng miàn ma
书 的 封 面 吗？

_____

_____

_____

_____

_____

小学一年级语文试卷 A

亲爱的小朋友,经过一学期愉快的学习生活,你一定有不少的收获吧!用下面的这份检测题来考考自己的进步吧!可要听好老师的读题要求哟!

准备好了吗?让我们一起走进我们的知识乐园吧!记住把字写认真,一定要细心哦!

【拼音练功房】

一、拼音学得好,猜谜难不倒。(2分)

> tóu shàng hóng guān bú yòng cái ,
> mǎn shēn xuě bái zǒu jiāng lái ,
> píng shēng bù gǎn qīng yán yǔ ,
> yí jiào qiān mén wàn hù kāi。　　谜底是_____

二、拼一拼,看谁音节读得准,词语写得对。(20分)

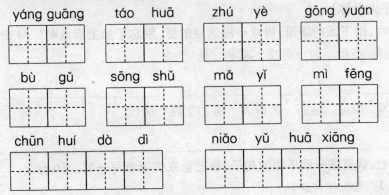

yáng guāng　　　táo huā　　　zhú yè　　　gōng yuán

bù gǔ　　　sōng shǔ　　　mǎ yǐ　　　mì fēng

chūn huí dà dì　　　niǎo yǔ huā xiāng

【字词欢乐园】

三、看一看,想一想,你发现了什么?把你的发现写出来。(4分)

海　湾　清　浪　江　河

这些字都有_____,意思都和_____有关。

四、这几个字迷路了,你能把它们送回各自的家吗? (12 分)

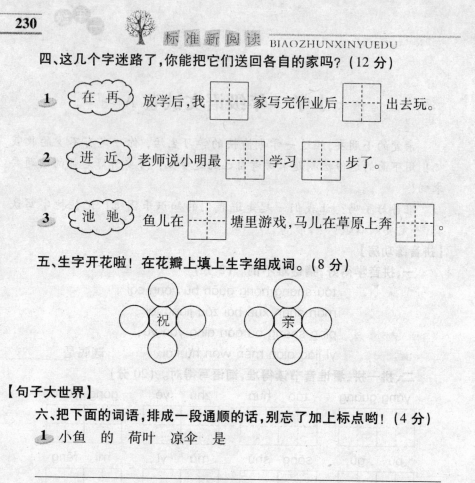

1　{ 在　再 }　放学后,我 ╌╌╌ 家写完作业后 ╌╌╌ 出去玩。

2　{ 进　近 }　老师说小明最 ╌╌╌ 学习 ╌╌╌ 步了。

3　{ 池　驰 }　鱼儿在 ╌╌╌ 塘里游戏,马儿在草原上奔 ╌╌╌ 。

五、生字开花啦! 在花瓣上填上生字组成词。(8 分)

祝　　　亲

【句子大世界】

六、把下面的词语,排成一段通顺的话,别忘了加上标点哟! (4 分)

1　小鱼　的　荷叶　凉伞　是

_____

2　知道　你们　大诗人　吗　李白　唐代

_____

七、认真读一读下面的句子,自己也来仿照着写一写。(6 分)

1　飞机越飞越高。

我们越_____越_____。

2　小燕子的尾巴像剪刀。

小鸡的脚印像_____

_____像_____。

八、做做小诗人,填填下列诗句。(8分)

1 欲穷千里目,_____。

2 _____,二月春风似剪刀。

3 秦时明月汉时关,_____。

4 _____,处处闻啼鸟。

【阅读之窗】

九、请你仔细读一读,然后回答问题。

(一)

大自然的邮票

春天的树上,长出嫩嫩的芽瓣。夏天的树上,挂满肥肥的叶片。秋天的树上,树叶涂满鲜红和金黄。冬天的树下,树叶落地化成土壤。落叶是大自然的邮票,把一年四季寄给你,寄给我,寄给大家。

1 这一段话共有( )句? (2分)

2 填空。(7分)

(1)春天的树上,芽瓣是_____;夏天的树上,叶片是_____;秋天的树叶,颜色有_____和_____;冬天的树下,满地是_____。

(2)文中"大自然的邮票"其实就是_____。

(二)

时钟花

小白兔没有钟,不知道时间,它请小山羊想办法。小山羊给小白兔送来了三盆花:牵牛花、午时花和夜来香。

太阳出来了,小白兔还睡在床上打呼噜。牵牛花开了,举起小喇叭大声吹着:"呜哩哇,呜哩哇,小白兔,起来啦!"太阳升到了头顶,小白兔还在跳舞,午饭也忘了吃。午时花开了,笑哈哈地叫着:"小白兔,该吃饭啦!"天黑了,小白兔还不想睡觉。夜来香张开嘴轻轻地说:"小白兔,九点啦,快快睡觉吧!"

小白兔有了这三种花,起床、吃午饭、睡觉,再也不会忘记了。

1 小山羊送给小白兔三种花,你记住它们了吗? (3分)

( )花早晨开,( )花中午开,( )晚上开。

2 平时,你最喜欢什么花?为什么呢?(3分)

_____

_____

(三)

太阳和虹

刚下过雨,太阳出来了,天边出现了一道彩虹。人们都说虹很美丽。虹听见了,就骄傲起来,连太阳都看不起了。白云对虹说:"你美丽,这是真的。不过,要是没有太阳,也就没有你了。"虹不相信,反而更加骄傲了。

白云摇摇头,立刻遮住了太阳,虹就不见了。

1 你能照样子在括号里填上合适的词语吗?(6分)

例:动听的(歌声) 骄傲的( ) 鲜艳的( ) 可爱的( )

2 请你填上合适的量词好吗?(6分)

例:一(张)桌子

一( )彩虹 一( )小桥 一( )黄牛

一( )大树 一( )太阳 几( )白云

3 你能用这两个词分别说一句话吗?(4分)

骄傲:_____

美丽:_____

4 "看"字有两个读音,你知道吗?聪明的你再帮它组个词吧!(3分)

看_____( ) 看_____( )

5 小朋友,你知道虹错在哪儿吗?如果你是虹,现在你会怎么向太阳公公道歉呢?(2分)

"亲爱的太阳公公,_____

_____"

亲爱的小朋友,祝贺你顺利地完成了考试!请你仔细检查后上交试卷。

小学一年级语文试卷 B

亲爱的小朋友,经过一学期愉快的学习生活,你一定有不少的收获吧!用下面的这份检测题来考考自己的进步吧!可要听好老师的读题要求哟!

准备好了吗?让我们一起走进我们的知识乐园吧!记住把字写认真,一定要细心哦!

【拼音练功房】

一、拼一拼,看谁音节读得准,词语写得对。(30分)

chūn tiān lái le　　xiǎo cǎo fā yá le xìng

huā hóng le　　lí huā bái le　　yàn zi mā ma

dài zhe hái zi men fēi huí lái le

二、读一读,选出加点字的正确读音。(6分)

1 (fā　fà)

小亮突然发(　　)现,奶奶头上多了几根白发(　　)。

2 (cháng　zhǎng)

红红的头发越长(　　)越长(　　)。

3 (yuè　lè)

音乐(　　)声一响,小弟弟就乐(　　)得手舞足蹈起来。

【字词欢乐园】

三、带下面偏旁的字,你最多能写几个?试试看。(8分)

亻:_____　　心:_____

辶:_____　　口:_____

四、你能写出下列字的反义词吗?(6分)

黑——(　　)　　爱——(　　)　　问——(　　)

少——（　　） 远——（　　） 古——（　　）

五、想一想,相信你能照样子写出一些来。(6分)

例:幸福——幸福的家——一个幸福的家——我有一个幸福的家。

妈妈——（　　　　）——（　　　　）——（　　　　）。

鲜艳——（　　　　）——（　　　　）——（　　　　）。

六、你能帮它们找到家吗? 选一选,填一填。(14分)

1 东　南　西　北

（1）夜晚,（　　）极星能为我们指引方向。

（2）企鹅的家在寒冷的（　　）极。

（3）每天,太阳都从（　　）方升起,从（　　）方落下。

2 轻轻地　慢慢地　专心地　飞快地　低声地　踊跃地

（1）列车在铁轨上（　　）行进。

（2）妹妹睡着了,妈妈（　　）在她的额头吻了一下。

（3）上了年纪的奶奶（　　）向我们走来。

（4）浩浩（　　）对我说:"别让妈妈知道,我们得给她个惊喜。"

（5）课堂上,我们都在（　　）听讲,（　　）发言。

【句子大世界】

七、你能先把句子补充完整,再加上标点符号吗? (8分)

1 ＿＿＿＿＿＿＿＿＿＿＿＿非常可爱

2 ＿＿＿＿＿＿＿＿＿＿＿＿多好啊

3 ＿＿＿＿＿＿和＿＿＿＿＿＿是一对好朋友。

4 ＿＿＿＿＿＿＿＿＿＿＿＿对吗

八、认真观察图上的内容,把你看到的写下来。(4分)

_____

_____

【阅读之窗】

九、请你仔细读一读,然后回答问题。

(一)

有时挂在树梢,有时落在山腰。

有时像个圆盘,有时像把镰刀。

1 同学们猜猜看,这个谜语的谜底是_____。(2分)

2 我国有一个传统节日和它有关,你知道是什么节日吗?_____。

△它是在农历的哪一天?_____(不知道可不做)。

你还知道哪些传统节日?_____、_____、_____

_____(4分)

3 观察到它是什么样子的,有什么变化?请画一画。(4分)

(二)

家

蓝色的大海,是珊瑚的家。

黑色的云朵,是大雨的家。

深深的地下,是石油的家。

密密的森林,是蘑菇的家。

1 你能读懂这首诗吗?请根据你的理解填空。(2分)

_____是云朵的家,石油的家在_____。

2 蓝色的大海除了是珊瑚的家,还是谁的家呢?(2分)

蓝色的大海是_____的家。

蓝色的大海是_____的家。

3 你能模仿诗中句式,再写几句吗?(4分)

炎热的沙漠,是_____的家。

美丽的校园,是_____的家。

_____,是_____的家。

_____,是_____的家。

亲爱的小朋友,祝贺你顺利地完成了考试!请你仔细检查后上交试卷。

参 考 答 案

第一单元 阅读经典

1.《三字经》

配套练习1 1. ch zh q y 2. 玉 玉石 大 大海 3. 又大又圆 学习 我们 正义 写字 成长 4. (1)最名贵的玉石 精雕细刻 (2)略

配套练习2 1. éi ǒu í ào 2. 万 万里长城 大 大家 3. 时 4. 因为 管宁认为华歆不能真正做到淡泊名利,与自己志向不一。

配套练习3 1. āng ēn īn áng 2. 香 香水 席 凉席 3. 温暖 气温 体温 4. 黄香的孝心具体体现在:夏天每晚他都先为父亲扇枕席,冬天每晚他都先 上床,用体温把被褥焐热。

配套练习4 1. uì ān ǒu én 2. 成长 长江 3. 五 一 四 丿 4. 孝悌 之情 尊敬长辈 尊敬兄长

2.《弟子规》

配套练习1 1. ìng īng éng 2. × 3. 须 必须 顺 顺利 4. 学习不能 半途而废,要持之以恒,不懈努力。

配套练习2 1. wù suī xiǎo xīn 2. 大 公 3. 伤 仁 住 们 苟 草 花 菜 4. 你是国家的官吏,不能用公家的东西孝敬母亲。

配套练习3 1. h m d j 2. 你 你们 村 村庄 3. 姓名 名气 名胜 4. 样子安然,态度谦恭。 却摆出一副不可一世的样子。

配套练习4 1. é é é 2. 过去 经过 过桥 3. 对 对待 过 过来 村 村民 4. 在饮食上要有节制,如果"饮食不节",就会生百病。

3. 课标要求背诵的古诗

敕勒歌 1. c s ch sh 2. 风雨 牛羊 吹牛 几个 学生 一次 3. 天 4. 略

咏鹅 1. ū ǔ 2. 弯曲 曲线 歌曲 小曲儿 3. 拨 拨弄 拍 拍手 推 推车 红 火红 绿 绿树 组 小组 4. 青 黑 黄 白等

风 1. 开门 过去 千万 工人 天地 这边 十分 入神 2. huā néng chǐ guò 3. 万 4. 千言万语 千山万水 千军万马

咏柳　1.liǔ chuí shuí　2.条　片　把　3.低　粗　上　4.B

凉州词　1.略　2.杨柳　白云　春风　黄河　3.去　来去　方　大方　凡　平凡　日　日子　4.长江

登鹳雀楼　1.bái qióng hé　2.大海　海水　海星　3.江　海　洋　4.只有站得高，才能看得远。如果想要看到更为广阔的风景，就必须努力再上一层楼。做其他事情也是一样，只有不断努力，不断追求进步，人生的境界才会不断扩展升华。

春晓　1.n l　2.夜　叶　业　知　只　枝　3.民　人民　化　文化　4.鸟　花　百花　春雨

凉州词　1.有些词语可念轻声。　2.你　他　体　休　彷　行　往　得　3.三　夕　六　丨　二　乙　4.略

出塞　1.q d b d　2.略　3.攵　日　辶　土　扌　月　4.B

第二单元　阅读名著

1.《安徒生童话》

海的女儿（节选）　1.美丽　人鱼　公主　太阳　办法　父母　声音　尾巴　2.胖　尖　3.A!　B?　C,　。　4.尖刀刺进身体般的苦痛　变成水上的泡沫　割去舌头，失去世上最美的声音　5.D

拇指姑娘（节选）　1.可怜　温暖　可爱　浓密　2.(1)非常　可怜的　(2)非常　温暖的　3.因为她知道，如果她这样离开的话，田鼠就会感到痛苦的。她不愿意让田鼠痛苦。　4.你这善良的、可爱的姑娘!

2.《伊索寓言》

鹿和狮子　2.口渴　喝水　渴望　喝茶　望梅止渴　大吃大喝　3.闷闷不乐　津津有味　小心翼翼　4.凶猛的狮子想吃掉美丽的鹿。　可怜的鹿拼命地跑。　5.角　因为角被树枝绊住而丢了性命　腿　力量全在腿上，跑得飞快，而保住了性命　6.同样，在危难时，曾被怀疑的朋友往往成为救星，而十分信赖的朋友却往往成为叛逆者。

狮子和兔子　1.jiǎo jué　2.正确　正直　正义　看见　听见　见面　4.狮子发现兔子逃走了。　狮子什么也没有得到，很后悔。　5.略

驴和骡子　1.支持　公平　朋友　生气　2.请　请求　情　情况　清　清楚　该　应该　刻　立刻　孩　孩子　3.少　结尾　开心　4.B　5.略

大树和芦苇　1.纤细　抵抗　2.粗壮　组长　刮风　混乱　已经　自己　避免　兔子　3.大树　风　风　大树　4.因为芦苇认识到自己软弱，向风低头让路，因而避免了冲击，保全了自己。　5.大树相信自己的力量，进行抵抗，因而被风刮断了。

孔雀和白鹤 1.孔雀 羽毛 讥笑 华丽 2.星 星星 朴 朴素 故 故事 鸡 小鸡 3.白鹤的羽毛主要是白颜色的,因为它的名字叫白鹤。 4.不华丽 鸣叫于星际,飞翔于九霄 披金挂紫 同公鸡与家禽为伍,在地上行走 5.略

野猪和狐狸 1.狐狸 猎人 道理 使用 2.借 借书 脸 脸蛋 洋 海洋 村 村庄 4.因为野猪要在危险来临之前磨好牙,做好准备。 5.防患于未然是正确的。

狐狸和伐木人 1.暴露 怀疑 暗 坏事 2.理 道理 狸 狐狸 埋 埋藏 借 借书 猎 猎人 错 错误 3.伐木人 狐狸 狐狸 伐木人 4.伐木人 5.B

第三单元 专题阅读训练

1.学会阅读诗歌

夏姑娘的信 3.碧绿 尖尖 艳丽 漫天飞舞 4.哗啦哗啦 咯吱咯吱 5.吃冰激凌 穿裙子 游泳 捉知了

太阳会变脸 3.害羞 火冒三丈 慈祥 4.脸儿红润 怒目圆睁 满面红光

风 1.钻 zuān 累 lèi 喘 chuǎn 2.整整齐齐 干干净净 高高兴兴 3.挤 累 摸摸 扯扯

耳朵 3.心思 喜爱 私语 4.偷听鸟儿的对话 偷听种子的心事 偷听花儿的歌声 偷听麦苗的窃语 略

我心中的月亮 2.害臊 模糊 许多 3.不好意思 掀起 月光不明 4.略

冬 3.庞大 很远 四周 欢乐 漂亮 休息 4.略

时间是个调皮鬼 4.一寸光阴一寸金,寸金难买寸光阴。

鞋 1.左右 一 半包围 一 2.装 停 3.小船 载 泊 4.略

鞋 2.靠在一起 看到的和听到的 陶醉其中 鞋 大大小小的船 4.略

秋天的信 1.信封 邮差 偷懒 松鼠 池塘 2.半包围 丿 chāi chā 差错 chà 差不多 3.叶子 风 冬天要来了 4.略

月亮 1.勋 功勋 桃 桃子 3.玉盘 玉盘碎成两三片 逃 看 4.略

小弟和小猫 3.害羞 聪颖 调皮 4.装没听见他就跑 闭上眼睛咯咯地笑 伸出小黑手 小朋友要讲卫生

捞月亮 2.掉 拿 捞 挂 3.(1) ④③①②⑥④⑤⑨⑦⑧ (2)对月亮无比喜爱 4.略

春,我悄悄告诉你 1.礼物 信 照片 春风 碧绿原野 鲜花与嫩芽 2.温暖(或者柔和) 碧绿 3.略

四季的脚步悄悄 1.叮咚,叮咚 知了,知了 哗嚓,哗嚓 呼啦,呼啦 2.金

色　欢快　3.春天　溪水、绿草和鲜花　夏天　金蝉　秋天　落叶　冬天　北风和雪花　举例:秋天　秋天有满山火红的枫叶,远远望去,像一簇簇火炬,美丽极了!

海上的风　1.美丽　嘹亮　威武　澎湃　2.花神　琴师　大力士　狮子　3.略

2.学会阅读童话

电话里传来的暖气　1.自言自语　大汗淋漓　绿树红花　2.雪花　白雪　冰天雪地　电话　电视　发电　3.温和　温暖　4.因为小白兔得到了豪猪先生的关心,心里感到很温暖。　5.好朋友,谢谢你的关心!听了你的电话,我已经觉得暖和多了。

学讨好的猴子　2.津津有味　大显神威　幸灾乐祸　3.A　4.因为猴子看到狐狸讨好乌鸦得到一块肉,它也想得到好处,就学讨好。结果却被老虎痛打了一顿。

蚂蚁看牛　1.蚂　蚁　蝈　蚁　2.牛角　小路　月亮　3.牛的蹄子上　牛比碗大不了多少　牛角上　牛角弯弯的,长短与黄瓜差不多　在牛身上爬来爬去牛真高真大啊!　4.看问题要全面,不要轻易下结论。

破旧的小木桥　1.山谷　木桥　毛驴　议论　发表　突然　大雨　中间　2.破旧　冷　3.河上有一座破旧的小木桥。　毛驴、黑熊、猴子每天走过这座破木桥。4.应该是指毛驴、黑熊和猴子。　5.你们为什么只动口,而不动手呢?

风娃娃的故事　风车　使劲　水流　奔跑　跳跃　高兴　前进　衣服　2.无法无天　无边无际　无拘无束　3.正在放风筝　帮着吹　用力　使劲　风筝线吹断了,几只风筝都让他扯得粉碎,飞得无影无踪了。　4.因为风娃娃虽然出于好心,可是却做错了事情。

厚皮的马屁股　1.牙齿　老虎　相信　厉害　2.zháo　zhe　zháo　3.不三不四不声不响　不闻不问　4.C

谁的脚受了伤　1.好玩　受伤　奇怪　根本　2.?　?　?　3.D　4.因为它们没有自己的主见,别人怎么做,它们也跟着怎么做。

做好梦的种子　1.棵　颗　颗　2.动物　活动　感动　果然　结果　如果3.因为狼听了兔子的话,整整干了一天的活儿,做了对别人有益的事。　4.做好事的种子

一只孵不出小鸟的蛋　1.热闹　年轻　食物　发生　收留　科学家　永远　全部　2.树林　枝　村　把　提　指　摇　3.(1)那只新来的小黄鹂　(2)特制的"间谍卵"　4.蛋里装的仪器,可以记录黄鹂孵蛋的温度、日期等全部秘密,以便为人工孵化黄鹂提供科学依据。　6.画眉　喜鹊　乌鸦　麻雀等

小苹果上的一滴露水　1.它们都是雨字头,都与雨水有关。　2.云　雪花　雨3."滴滴答答"　甜甜　4.苹果上的那滴露水。　它在太阳的蒸发下,变成水汽升到空中去了。　5.提示:天上的云朵千姿百态,它们像什么呢?

给你一个惊喜 1.生病 脆生生 声音 伸出头来 身体 上升 生日 响声 生气 2.漂亮 高兴 讨厌 快 短 笑 3.怎么出去呀? 自己变成了难看的光头。 4.这惊喜就是小伙伴们都剃光了头发,变成了光脑袋。 他们这样做是为了让阿美不觉得自己难看而难过。 5.小伙伴们的做法真好,能让阿美不再难过。他们不愧是阿美的好朋友。

离开水塘的鲤鱼 1.③ ④ 2.自由自在 赞不绝口 自高自大 3.(1)红霞一样美丽 (2)彩云一样迷人 (3)天上飞翔的小鸟 4.我真不该自高自大,不听水塘的劝告。 5.当我们取得一些成绩,获得一些荣誉的时候,不能得意忘形,自高自大,要谦虚地听从身边的人的忠告。

画得好不好 2.阿 问 闪 闲 话 说 评 语 3.毫无新意 喜欢画画 4.毫无新意 是脱颖而出的杰出作品 平庸之作 不同凡响,独树一帜 江郎才尽 永远光彩夺目,常青不老 5.因为狮子大王和凤凰鸟王浏览了图画后,表示了赞赏,这是权威的评定,所以他们的评定立刻发生了变化。 6.你们凡事应该自己开动脑筋,发表自己独特的见解,不能人云亦云,盲目附和。

兔、蛙赛跑 1.约定 后面 速度 好久 力量 战胜 集体 安排 2.笨拙 赢 谦虚 怀疑 失败 3.? ? ? 4 青蛙串联了各地的青蛙,每座山安排一个。结果,青蛙用智慧和集体的力量取得了胜利。 5.你真聪明!能利用智慧和集体的力量战胜了强大的对手。 你真笨!又骄傲又不会开动脑筋,思考问题。

捉拿花豹的小青蛙 1.yíng wù 2.天高地厚 张牙舞爪 自投罗网 3.②小青蛙把花豹捉到了。③花豹被小青蛙捉到了。 4.略 5.青蛙勇敢又聪明,而大象、老虎、黑熊、犀牛面对强敌都很害怕。

明天和今天 1.huo chóng gàn 2.火红 宝贵 尽情 爽快 3.略 4.去砍树,用树皮搭一个暖和的棚子 在树顶上尽情地享受着阳光的爱抚 躺在树根附近晒太阳 5.略 6.要珍惜时间,今日事今日做。

3.学会阅读寓言

金丝雀与蝙蝠 1.白天 发生 小心 捉住 没用 2.挂 挂号 捉 捉住 唱 唱歌 听 听讲 该 应该 说 说话 3.插在路边 半空中 4.你在不幸的事发生之后,才懂得小心已没用了。

蚂蚁和蝈蝈 1., , 。 2.哗哗 呱呱 沙沙 3.略 4.勤劳 蚂蚁 懒惰 蝈蝈 勤劳 懒惰

爬山 1.G 一 八 高山 D 页 二 山顶 X 彳 三 行走 2.垂头丧气地或叹着气 3.回头下山了 等人家用小轿子抬他上山顶 爬上山顶了 4.C

运盐的驴子 1. guò dǎo qīng xǔ 2. 有意 3. 略 4. 聪明反被聪明误

河边的狐狸 1. ，，，2. 湍急 3. 其中有一只狐狸，嘲笑同伴胆小，为显示自己比他们勇敢，他壮着胆子跳入河中。 4. (1)A (2)B

鹅 2. 六 四 九牛二虎之力 3. 略 4.B

鸽子搬家 1. 蝙蝠 2. 不断 浓烈 烦恼 味道 3. 它觉得，每次新窝住了没多久，就有一种浓烈的怪味，让它喘不上气来，不得已只好一直搬家。 4.B

两只小狮子 1. 滚、扑、撕、咬 2. 慢吞吞 红彤彤 笑眯眯 绿油油 3. 七、两 4. 学会生活的本领

4. 学会阅读记叙文

粉笔 2. 粉笔 太阳 雪白 草地 3. 、 丁 丿 乀 乚 一 4. 略 5.B

大熊猫 2. 喜欢 动作 可爱 节目 3. 圆滚滚 绿油油 白花花 4. 珍稀动物 四川 5. 大熊猫圆滚滚、胖乎乎的，可逗人喜爱了。它们的头部和身体都是白色的，眼圈、耳朵和四肢都是黑褐色的。特别是那一对黑黑的眼圈，长在白白的脸上，像是戴着一副墨镜，加上那笨拙的动作和走起路来东张西望的神情，显得十分可爱。

辣椒 2. 形状 变化 功能 毛笔 3. 右 斜 4. 三 形状 颜色 5. 不是，刚结出的辣椒是青色的，成熟后变成红色。

画眉鸟 2. 外衣 眉毛 扇子 树枝 3. bèi shàn 4. 美丽 叫声 十分 5. 眼睛 嘴 尾巴 爪子 6. 一双眼睛闪闪发亮，眼睛上有一道白色的羽毛，好像是它的眉毛，使它的眼睛显得格外精神，它的名字就是从这儿来的吧。

春天真美 2. 略 3. 辛勤 绿色 美丽 4. 金灿灿 绿油油 红彤彤 嫩绿绿色 5. 油菜花 麦苗 桃花 蜜蜂 小草 柳树 燕子 6. 六 四 五

美丽的小鱼塘 2. 高大的树木 落叶 浮莲叶 浮莲花 小鱼儿 3.(1)茂密欢快 (2)明亮 认真 4. 紫色 浅蓝色 黄色 5. 第三自然段

大自然的邮票 1. 长出 叶片 落地 大家 2. 略 3. 五 4.(1)春 夏 秋冬 (2)嫩嫩的 肥肥的 鲜红 金黄 土壤 (3)落叶 5. 略

夏夜 1. 夜晚 天空 闪亮 眼睛 2. 平静 凉爽 动听 顽皮 美丽 晶莹 3. 海面 玉盘 珍珠 顽皮的孩子眨着眼睛 4. 小草 蛐蛐 青蛙 小花 5. 略

电话 2. 拨 打 护 快 怪 忙 3. 快 多 4. 冂 十 里 外 5.114 121 122

课间十分钟 2. 跑得慢 吃得多 长得高 一天天 一颗颗 一把把 3. 奇奇怪 星 行星 分 分钟 妙 美妙 4. 看那边，跳绳跳得正热闹，大绳摇得欢，跳者跳得快，一个个轻松自如，仿佛燕子穿花拂柳一般。 5. 看这边，毽子踢得绝，踢

毽者一个个身子一颤一颤的,一只只毽子像一只只美丽的蝴蝶在翩翩起舞……

电脑写作,趣味多多 2.略 3.弹奏钢琴 4.唧唧喳喳 汪汪汪 5.电脑写作的好处是不用笔,不用担心铅笔粗了,不用橡皮,不用担心写错别字,有符合写作要求的各种设计,还可以打印。

旅游 1.山顶 发现 爬山 蓝天 2.略 3.连忙或赶忙 伸 4.三个 五 5.蓝天、白云;山脚、爬山;半山、一群猴子;山顶、矮人国

画鸡蛋 2.后 慢 对 不同 3.简 简单 形 形状 话 说话 相 相同 4.(1)形状 不同的角度 (2)眼力 绘画技巧 看得准确 画得熟练 5.略

伯俞怜母 1.放声大哭 伤心 成长 2.略 3.犯错了 4.越来越老 愈来愈虚弱 少了 5.(1)(√) (3)(√)

_____ 1.公共汽车 高兴 亲切 2.A.chéng B.dùn 3.立刻 兴奋开心 4.关心人民 5.(1)周总理高兴地同大家握手,向每个乘客点头微笑。周总理望着售票员,亲切问:"小伙子,工作习惯吗?售票累不累?" (2)周总理和我们一起乘车了!车厢里顿时欢腾起来。大家一边伸出手,希望和总理握手,一边说:"总理好!总理您好!" 6.乘车

牛顿卖菜 1.农村 自己 读书 科学 2.中国 米 大米 3.A.常常 B.非常 4.英国 物理学家 5.热爱学习 6.B D 7.不是。因为牛顿读书、想科学、学科学往往入了迷,其他事情都不放在心里。

第四单元 新阅读

阅读技巧

配套练习1 1.看家 拿着门去踢球了 2.这则笑话讽刺了当前社会中,一部分人在交往过程中,断章取义,看问题不够深入,不能正确理解对方的意图,以至于闹出一些笑话。

配套练习2 1.轻 卖 2.这个男人在街上买了一担米,一头重,一头轻,不好挑。他在轻的一边放上一块大石头。 可笑的是,这样虽然两边一样重,好挑了,但是却增加了担子的重量,浪费了很多力气。 3.把重的一头的米匀一些到轻的一头。

配套练习3 1.瞎子误把瘸子说的"沟"听成了1998年法国足球世界杯的主题曲《生命之杯》中的歌词"go"了,而没有意识到是在告诉自己前面有沟。最后两人连人带车一起跌进沟内。 2.略

配套练习4 1.幽默。事实上,棉衣是不能防雨的。 2.略

配套练习5 1.春节前夕 福 "福"字倒贴是人们在新年里图个吉利,福"倒"了谐音就是"福"到了 2.试卷 倒着贴 "99" 要想考出好成绩,我们要上课认真听讲,不懂就问,及时完成作业,并且养成复习、预习的好习惯…… 3.略

配套练习6 1.认识。马良有一支神笔,只要画出什么,什么就能变成真的。